la
collection
CRITIQUES

est dirigée par
RICHARD POULIN

RICHARD POULIN a déjà publié :

La politique des nationalités de la République populaire de Chine, de Mao Zedong à Hua Guofeng*, Québec, Conseil de la langue française, Éditeur officiel, 1984.*

La violence pornographique : la virilité démasquée*, en collaboration avec Cécile Coderre, Hull, Les éditions Asticou, 1986.*

Les Italiens au Québec*, en collaboration avec Claude Painchaud, Hull, Les éditions Asticou / Critiques, 1988.*

MARX ET LES MARXISTES

éditions Asticou
case postale 210, succursale A
Hull (Québec) J8Y 6M8
(819) 776-5841

PRODUCTION Conception graphique et coordination de la publication : André Couture ☐ Typographie et mise en pages : L'Apostille enr., 8448, rue Saint-Denis, Montréal (Québec) H2P 2G8, (514) 389-7381 ☐ Impression : Imprimerie Roger Vincent ltée.

DISTRIBUTION Diffusion Prologue inc., 2975, rue Sartelon, Ville Saint-Laurent (Québec) H4R 1E6. Au téléphone : (514) 332-5860 ; de l'extérieur de Montréal : 1-800-363-2864.

DÉPÔT LÉGAL Premier trimestre de 1990 : Bibliothèque nationale du Québec ; Bibliothèque nationale du Canada.

ISBN 2-89198-102-2 (pour l'ensemble)
ISBN 2-89198-103-0 (tome I)

La publication du présent ouvrage a été rendue possible grâce, en partie, à la participation financière du département de sociologie de l'Université d'Ottawa.

MARX ET LES MARXISTES

Textes choisis et présentés par
Richard Poulin

TOME 1

éditions Asticou

Avant-propos

Cette anthologie de textes et d'extraits de textes de Marx et de marxistes a pour fonction d'initier et de guider. Elle s'efforce de présenter en un nombre restreint de pages, quelques aspects essentiels du matérialisme historique et dialectique. Elle ne saurait en aucun cas servir de substitut à une étude approfondie du marxisme dans ses développements ainsi que dans l'ensemble de ses aspects.

C'est avant tout l'âme « scientifique, critique et révolutionnaire » du marxisme que nous nous sommes attaché à mettre en évidence.

Cet ouvrage est directement issu de notre enseignement. Depuis un certain nombre d'années, nous avons eu à enseigner le cours initiant les étudiant-e-s à la problématique marxiste. Nous visions, et nous visons toujours, à provoquer chez eux une réflexion sur ce mode d'appréhension des rapports sociaux. Aussi, avons-nous choisi d'exposer, à travers une lecture des ouvrages de Marx et de marxistes, les concepts et les théories développés par ces derniers plutôt que de nous attacher à faire œuvre de marxologie, c'est-à-dire de souligner et de commenter les débats entre les spécialistes de Marx. Notre but est plus prosaïque et pédagogique : susciter la réflexion afin que les étudiants-e-s puissent par eux-mêmes poursuivre une démarche critique de formation et de recherche autonomes. Si les textes ici rassemblés (comme l'enseignement lui-même) donnent aux étudiants-e-s ainsi qu'aux lectrices et lecteurs l'incitation à poursuivre l'étude du marxisme, ce travail n'aura pas été inutile.

Nous sommes redevable à nos étudiant-e-s qui, par leur intérêt et leur questionnement, nous ont permis, au fil des années, d'améliorer notre enseignement en nous stimulant, ce qui nous a encouragé à produire cette anthologie.

Comme pour toute anthologie, nous avons dû nous résoudre à omettre des textes et des concepts importants, faute de place. En plus, puisque nos étudiant-e-s doivent se procurer le livre I du *Capital*, œuvre majeure et centrale de Marx, aucun extrait de ce texte n'apparaît dans cette anthologie. Les lectrices et lecteurs éventuel-le-s doivent tenir compte de ce fait avant d'engager plus à fond leur étude du marxisme.

Le premier tome de l'ouvrage porte sur les sources et les bases du marxisme ainsi que sur son analyse scientifique du mode de production capitaliste. Le deuxième tome se concentre, pour sa part, sur la lutte des classes et la stratégie révolutionnaire. Les deux tomes combinent donc la théorie et la praxis du marxisme révolutionnaire.

Ce qui fait la grandeur du marxisme c'est ce mélange unique de lucidité critique, de passion révolutionnaire, d'amour de l'humanité et de haine de toute forme d'oppression et d'exploitation. C'est précisément l'émancipation de l'humanité qui fonde l'engagement, la pensée comme l'action, des marxistes. C'est la raison pour laquelle, nous sommes toujours aussi emballé par l'enseignement de ce courant de pensée : nous partageons ses valeurs éthiques et son esprit scientifique.

Richard Poulin
août 1989

Introduction : Sciences sociales, lutte de classe et marxisme

Si les sciences sociales sont nées et se sont développées dans le cadre des institutions universitaires, tel n'est pas le cas du marxisme. Il s'est déployé dans le cadre du mouvement ouvrier révolutionnaire et dans la lutte des classes[1]. Certes, ses sources intellectuelles, au nombre de trois selon Vladimir I. Lénine[2], puisaient dans la pensée la plus novatrice et révolutionnaire de l'époque, à savoir la philosophie classique allemande, l'économie politique anglaise et le socialisme français. Par ailleurs, le marxisme a transformé radicalement ces sciences du social en les unifiant d'une part et en les révolutionnant d'autre part[3]. Autrement dit, Marx et Engels sont partis de ce qui existait déjà, en ont assimilé les acquis et les ont soumis à un examen critique.

La méthode d'approche du réel du marxisme rompt avec toute idée de science infuse ou de connaissance intuitive. Elle s'approprie de façon critique les données des sciences sociales universitaires tout en les mettant en rapport avec l'analyse critique des mouvements sociaux et des efforts d'auto-organisation et d'auto-émancipation de la classe ouvrière. Le marxisme vivant ne se comporte pas comme un « éducateur » unilatéral ni par rapport aux mouvement ouvrier, ni par rapport aux différents mouvements sociaux émancipateurs, ni par rapport à la lutte des classes. Le marxisme apprend constamment du réel en continuelle transformation. Il comprend que les éducateurs ont besoin eux aussi d'être éduqués[4], que seule la praxis collective, enracinée dans la praxis scientifique d'une part et dans la praxis révolutionnaire de la lutte des classes d'autre part, permet cette auto-éducation porteuse de transformations révolutionnaires.

Sciences sociales et marxisme

Le marxisme, contrairement aux sciences universitaires, remet en cause la division des sciences du social en disciplines indépendantes les unes des autres (économie, histoire, politique, sociologie, etc.) ainsi que leur prétention à une objectivité scientifique indépendante des classes sociales et de leurs luttes[5]. Le marxisme prétend donc que toute science sociale est, consciemment ou non, directement ou indirectement, « engagée », « orientée », « tendancieuse », « partisane », liée à une vision du monde, au point de vue d'une classe sociale. Pourtant, le marxisme partage avec les sciences sociales la conception selon laquelle il est possible par l'activité scientifique de découvrir les lois de fonctionnement d'une société donnée. Le marxisme n'est pas, épistémologiquement parlant, un relativisme absolu. La connaissance objective est non seulement possible mais nécessaire. Ce fut l'entreprise de Marx et d'Engels que de donner une base scientifique au socialisme, mouvement historique de la classe ouvrière.

Comment donc concilier ce caractère « militant et partisan » du marxisme avec la connaissance objective de la réalité ? Tout d'abord, soulignons qu'épistémologiquement, le marxisme constitue une rupture avec le positivisme, entre autres parce que le positivisme prétend qu'il est possible et nécessaire d'écarter de l'analyse et de la recherche les préjugés et les présuppositions, de séparer les jugements de fait des jugements de valeur, la science de l'idéologie, bref d'atteindre une neutralité impartiale et objective. Auguste Comte (1798-1857), créateur du mot sociologie, prétendait que les sciences sociales devaient étudier les phénomènes sociaux « dans le même esprit que les phénomènes astronomiques, physiques, chimiques et physiologiques, c'est-à-dire comme assujettis à des lois naturelles invariables dont la découverte est le but spécial de ces recherches »[6]. Pour Emile Durkheim (1858-1917), « la première règle et la plus fondamentale est de considérer les faits sociaux comme des choses. [...] Comte, il est vrai, a proclamé que les phénomènes sociaux sont des faits naturels soumis à des lois naturelles. Par là, il a implicitement reconnu leur caractère de choses ; car il n'y a que des choses dans la nature. »[7]

Considérer les phénomènes sociaux comme des choses ou comme des phénomènes naturels invariables présuppose qu'il existe dans la vie sociale des règles intangibles, inviolables et indépendantes de la volonté et de l'action humaines. Cette soi-disant objectivité a donc des implications idéologiques conservatrices évidentes si ce n'est pas franchement réactionnaires. Durkheim était conscient du caractère foncièrement conservateur de sa sociologie. Il le proclame dans la préface des *Règles de la méthode sociologique*:« Notre méthode n'a donc rien de révolutionnaire. Elle est même, en un sens, essentiellement conservatrice, puisqu'elle considère les faits sociaux comme des choses dont la nature, si souple et malléable qu'elle soit, n'est pourtant pas modifiable à volonté. »[8] Pour Comte, le positivisme « tend puissamment, par sa nature, à consolider l'ordre public, par le développement d'une sage résignation. [...] Il ne peut, évidemment, exister de vraie résignation, c'est-à-dire de disposition permanente à supporter avec constance, et sans aucun espoir de compensation quelconque des maux inévitables, que par suite d'un profond sentiment des lois invariable qui régissent tous les divers genres de phénomènes naturels. »[9] Prétendument objective, donc scientifique, cette sociologie « positive » s'oppose aux dangereuses théories négatives, critiques, destructives, subversives, en un mot, révolutionnaires.

Durkheim à ce propos écrira que « la sociologie ainsi entendue ne sera ni individualiste, ni communiste, ni socialiste, au sens qu'on donne vulgairement à ces mots. Par principe, elle ignorera ces théories auxquelles elle ne saurait reconnaître de valeur scientifique puisqu'elles tendent directement, non à exprimer les faits, mais à les réformer. »[10] Bref, le sociologue (qui pour être scientifique doit être ni socialiste, ni communiste, donc a fortiori ni anticapitaliste) n'a pas à étudier scientifiquement la société pour la « réformer », pour la changer, C'est là une philosophie de défense de l'ordre social. Pour ce faire, le sociologue doit « ignorer » les conflits idéologiques, « faire taire les passions et les préjugés » et « écarter systématiquement toutes les prénotions »[11]. Or, comment les chercheurs en sciences sociales, hommes et femmes, peuvent-ils se mettre dans l'esprit d'un astronome ou d'un chimiste si l'objet de leur étude, la société, est aussi l'objet d'un combat où s'affrontent des conceptions du monde radicalement opposées. Par exemple, comment auraient pu se développer dans les universités les études féministes si au préalable il n'y avait pas eu une volonté, un préjugé ou une prénotion à l'effet que les femmes subissent une oppression en tant que femmes ? Soulignons ici qu'en dernière analyse, c'est l'émergence d'un puissant mouvement de femmes dans les années soixante et soixante-dix qui a permis et forcé le développement des études féministes dans les universités, qui a permis le développement de la science sociale oblitérée auparavant par les préjugés patriarcaux. Autre exemple : comment traiter scientifiquement de l'exploitation de la force de travail, de la classe ouvrière, en pensant que puisqu'il y a libre contrat entre les employeurs et les employés cela détruit l'idée même d'exploitation ? Lénine écrivait à ce propos : « ... il ne saurait y avoir de science sociale ' impartiale '. Toute la science officielle et libérale défend, de façon ou d'autre, l'esclavage salarié, tandis que le marxisme lui a déclaré une guerre implacable. Demander une science impartiale dans une société fondée sur l'esclavage salarié est d'une naïveté aussi puérile que de demander aux fabriquants de se montrer impartiaux dans la question de savoir s'il convient de diminuer les profits pour augmenter le salaire des ouvriers. »[12]

Pour Comte, l'utilité pratique de la sociologie sera de découvrir dans la statique sociale les conditions de l'ordre et dans la dynamique, les lois du progrès. « Ordre et progrès », telle était la devise de la philosophie positive. Plus encore, Comte assurera que « le progrès n'est que le développement de l'ordre »[13]. Comte, rapporte Gaston Bouthoul, fait « partie des penseurs qui ont réprouvé les convulsions de la Révolution et cherché à éviter désormais des perturbations aussi violentes... Auguste Comte veut que l'organisme social s'incorpore dans une personnalité directrice autoritaire et que l'action du pouvoir central se fasse sentir dans tous les domaines de la vie sociale. Il est même, de plus en plus, hostile à la liberté de pensée : « Il n'existe pas, dit-il, de liberté de conscience en mathématiques. Dégoûté par les désordres qui suivirent la Révolution de 1848, il applaudit au coup d'État de Napoléon III. »[14] Bref, Comte défend le progrès, c'est-à-dire le développement tumultueux du capitalisme de l'époque, mais dans l'ordre, c'est-à-dire contre toute tentative révolutionnaire d'en changer les bases. L'objectivité scientifique telle qu'entendue par ce théoricien semble être plus un vœu pieux qu'une réalité : la science positive est elle aussi engagée et partisane sous le couvert de la neutralité.

Durkheim est l'un de ceux qui ont le plus contribué à donner à la sociologie les caractéristiques d'une science, en dégageant son objet spécifique et ses méthodes propres. Tout en se démarquant de ce qu'il appelle « la métaphysique positiviste de Comte », il a hérité de Comte la recherche d'un ordre social rationnel et durable. Pierre Fougeyrollas rappelle que Durkheim « est encore plus hanté que son maître par les dangers de la guerre civile et aussi de guerre entre États européens. Le socialisme, auquel il consacre un cours à la fin de sa vie, ne lui paraît pas comporter une solution correcte du problème de l'ordre social. Aussi... oppose-t-il à la pratique de la lutte des classes et aux ' utopies ' socialistes sa sociologie dont il disait déjà dans *La division du travail social* qu'' elle nous communique un esprit sagement conservateur '. »[15]

La sociologie moderne est née du besoin de comprendre scientifiquement les processus sociaux en vue d'en prévoir et d'en contrôler le déroulement. Elle n'échappe donc pas à un but de classe bien déterminé qui a marqué sa naissance et son développement. Malgré les prétentions des fondateurs de cette science sociale, elle n'est pas neutre et dès lors ni objective. Elle est même conservatrice comme l'ont si bien indiqué Comte et Durkheim. Elle a fait avancer les connaissances humaines dans ce domaine tout en les soumettant à des buts de classe évidents, posant ainsi des limites certaines à leur scientificité.

La thèse centrale du positivisme selon laquelle l'objectivité scientifique a pour condition la séparation entre jugements de fait et jugements de valeur, et l'élimination volontaire des prénotions, influence les sciences sociales au-delà des limites du courant positiviste lui-même. Tout en reconnaissant la spécificité des « sciences de la culture » par rapport aux sciences de la nature, Max Weber (1864-1920) pensait que les concepts des sciences sociales ne devaient pas être « des glaives pour attaquer des adversaires », mais seulement « des socs de charrue pour ameublir l'immense champ de la pensée contemplative », parce que « chaque fois qu'un homme de science fait intervenir son propre jugement de valeur, il n'y a plus compréhension intégrale des faits »[16]. Pour Weber, même si les valeurs de l'observateur du social jouent un certain rôle dans la sélection de l'objet de la recherche scientifique, la détermination de la problématique et des questions à poser, il n'en reste pas moins nécessaire que les réponses apportées, la recherche elle-même, le travail empirique du savant doivent être libres de toute valorisation, et ses résultats acceptables par tous[17]. Comme si le choix des questions et des thèmes de recherche ne commandait pas dans une large mesure les réponses elles-mêmes ! C'est Lucien Goldman qui a souligné le caractère contradictoire de la position épistémologique de Weber, à mi-chemin entre la méconnaissance du déterminisme social de la pensée sociologique caractérisant les positivistes et son acceptation par les marxistes : « Les éléments choisis déterminent d'avance, cela va de soi, le résultat de l'étude. Les valeurs étant (...) celles de telle ou telle classe sociale, ce qu'une perspective éliminera comme non essentiel peut-être, ou au contraire, très importante dans une autre. (...) Sur ce point, la pensée de Weber s'avère insoutenable. »[18]

Épistémologiquement, le marxisme contrairement au positivisme et au semi-positivisme, s'appuie sur une reconnaissance du caractère historique des phénomènes sociaux, transitoires, périssables, susceptibles d'être transformés par l'action des êtres humains. Il ne nie pas l'identité partielle entre le sujet et l'objet de la connaissance. Il souligne aussi le fait que les problèmes sociaux sont l'enjeu des visées antagonistes des différentes classes sociales et groupes sociaux en conflit. Enfin, le marxisme met en évidence les implications politico-idéologiques de la théorie sociale : la connaissance peut avoir des conséquences directes sur la lutte des classes.

La réalité sociale, comme toute réalité, est infinie, complexe et changeante. Toute science implique des choix, et dans les sciences du social, ces choix ne sont pas un produit du hasard. Ils sont organiquement liés à des perspectives globales déterminées. Les visions du monde des classes sociales et des sexes conditionnent donc non seulement la dernière étape de la recherche scientifique sociale, l'interprétation des faits, la formulation des théories, mais le choix même de l'objet d'étude, la définition de ce qui est essentiel et de ce qui est accessoire, les questions que l'on pose à la réalité ; en un mot, la problématique de la recherche.

Connaître, c'est en définitive découvrir la genèse de la pratique, le développement des rapports entre le sujet et l'objet, la formation des relations entre conscience et matérialité. En tant que théorie scientifique et historique, le marxisme essaye de mettre à jour les chaînes d'interactions qui expliquent un complexe objectif. Cette causalité n'implique pas l'idée de répétition suivant le principe du déterminisme classique. Elle est singulière ou particulière dans son essence, parce qu'historique. Bref, les lois trop générales ne valent rien. Les lois sociales ont une portée limitée dans l'espace et le temps. Quiconque propose une loi en sciences sociales doit répondre aux questions suivantes : Où ? Quand ? Dans quelles conditions ?

La dialectique matérialiste échappe au danger du positivisme. Elle se refuse à valoriser la matérialité en introduisant la subjectivité, mais dans la mesure où elle met en lumière la « positivité » de l'objet de connaissance, elle dégage les conditions de subjectivité et de l'action des êtres humains. Les valeurs apparaissent comme des variables dépendantes de la matérialité sans se confondre avec elle ; car elles traduisent le travail de l'être humain sur les circonstances qui le forment. Autrement dit, la dialectique matérialiste n'aplatit pas la conscience et les valeurs, elle désigne comment ces dernières se distinguent de l'être, tout en montrant leur immersion dans les rapports entre l'être humain et la nature et entre les êtres humains eux-mêmes[19].

Rosa Luxembourg écrivait que « c'est précisément et uniquement parce que Marx considérait l'économie capitaliste tout d'abord en tant que socialiste, c'est-à-dire du point de vue historique, qu'il peut déchiffrer ses hiéroglyphes... »[20]. Pour les économistes bourgeois, les lois de fonctionnement du système capitaliste, sont des lois naturelles. La méthode marxiste saisit ces lois comme historiques, transitoires, périssables parce que précisément, elle se situe dans une perspective porteuse d'un projet révolutionnaire. En fait, épistémologiquement, le marxisme est une combinaison de l'analyse scientifique et d'un projet éthique émancipateur. Ce projet éthique concourt à l'acuité de la perception des processus sociaux en cours et des signes précurseurs des transformations de la société[21]. La dialectique matérialiste ne mène pas à la connaissance scientifique absolue, elle n'est qu'un meilleur point de départ et une meilleure perspective dans la recherche de la connaissance scientifique.

Un marxisme non subversif ?

Jusqu'à tout récemment, le marxisme était exclu de l'enseignement universitaire. Son caractère « partisan et militant », épistémologiquement fondé, justifiait cette exclusion. Son interdisciplinarité cadrait mal dans la division départementale traditionnelle. Il y a plus, bien sûr : le marxisme constitue une critique sévère et radicale de la société bourgeoise et de ses institutions, dont l'Université. Ce n'est qu'avec la radicalisation de la société qu'il a été intégré dans certains programmes, qu'il a fait son « entrée » dans les universités. En s'« académisant », il a certes perdu de son caractère subversif[22]. Il est souvent traité comme une théorie, si ce n'est tout simplement une idéologie, parmi d'autres et l'on s'efforce de l'intégrer (en le critiquant et en le banalisant) dans un héritage intellectuel occidental global, au mépris de ses origines et de sa nature radicalement anticapitalistes. D'autant plus maintenant, que dans une conjoncture politique et sociale défavorable au mouvement ouvrier et aux divers mouvements sociaux, on use du marxisme comme d'un épouvantail, lui opposant la démocratie et l'identifiant aux goulags soviétiques comme aux massacres perpétrés par Pol Pot aux Cambodge[23] quand le combat de Marx et des marxistes est celui de la démocratie et du socialisme, bref de l'élimination de toute forme d'exploitation, d'oppression et d'aliénation.

Retenons ici que dans la problématique marxiste, les êtres humains peuvent façonner leur propre destin. S'ils ne le font pas dans des conditions déterminées par eux, il n'en reste pas moins qu'à travers la compréhension des lois du mouvement objectif de la société, ils peuvent atteindre de manière consciente et active des buts émancipateurs, c'est-à-dire la réalisation d'une société dans laquelle le développement libre de chacun devient un préalable au développement libre de tous les individus. Comment peut-on penser que cette philosophie de l'histoire humaine chez Marx soit antidémocratique ? D'autant que, dès le *Manifeste du parti communiste*, Marx définissait « la conquête de la démocratie », conjointement à la montée du prolétariat au rang de classe dominante, comme « le premier pas dans la révolution ouvrière »[24]. Dans cette lutte pour la démocratie, il appelait le mouvement ouvrier en formation à mettre de l'avant la question de la propriété privée des moyens de production comme « la question fondamentale ». Pour Marx et les marxistes révolutionnaires, il n'y a pas d'opposition entre démocratie et socialisme, et s'il y a contradiction, c'est entre libéralisme et socialisme. Bien des États capitalistes pratiquent le libéralisme économique sans pour autant permettre des formes politiques démocratiques. Soulignons ici avec force que c'est le mouvement ouvrier allié à d'autres mouvements sociaux qui, par ses luttes, réussit à imposer la démocratie dans les États autoritaires qu'il soient à l'Ouest ou à l'Est. Le socialisme implique un dépassement, c'est-à-dire une conservation et un élargissement des conquêtes démocratiques et non la négation de la démocratie.

Donc, loin d'être contradictoire à la démocratie, le marxisme veut approfondir cet acquis historique de l'activité sociale et politique. Non seulement n'oppose-t-il pas démocratie formelle et démocratie réelle, faux débat s'il en est un, il vise au contraire l'autogouvernement des producteurs associés[25].

Si le marxisme subit des dénaturations dans les universités bourgeoises, il est, par ailleurs, devenu une sorte de dogme, une doctrine d'État, dans les États bureaucratiques de l'Europe de l'Est et de l'Asie. Engels a répété inlassablement à partir de 1886 jusqu'à sa mort que : « Notre théorie n'est pas un dogme... un dogme qu'on doit apprendre par cœur et répéter mécaniquement... mais un guide pour l'action... une théorie du développement... une exposition d'un processus évolutif comportant plusieurs phases... »[26] Rien à faire, dans ces pays postcapitalistes, on cite Marx comme si c'étaient des textes sortis de la Bible ou du Coran, comme si c'étaient des vérités révélées. Bref, on a transformé le marxisme en religion d'État, l'embaumant, le vidant de son énergie critique et révolutionnaire.

Ossifié et desséché comme tout dogme, le marxisme des pays « du socialisme réel » comme ils se qualifient à tort eux-mêmes, est l'enjeu de querelles d'interprétation qui varient selon les besoins idéologiques et politiques du moment. De Tirana, à Beijing et à Moscou, le marxisme est dépouillé de toute substance radicale et révolutionnaire pour n'apparaître que comme un moyen de défense idéologique d'un ordre tyrannique et arbitraire. Les sciences sociales de ces pays, lorsqu'elles existent, n'utilisent que des citations obligées, sans en reprendre la méthode (sauf dans les moments de « dégel » comme le représentent actuellement la perestroïka et la glasnost soviétiques[27]). Les États bureaucratiques instrumentalisent non seulement le marxisme mais la science en général en fonction des besoins politico-idéologiques. L'exemple le plus classique et le plus frappant d'instrumentalisation est la célèbre *Histoire du parti communiste (bolchévik) de l'U.R.S.S.* rédigé par une commission du Comité central du Parti communiste de l'U.R.S.S. et approuvé par ce même Comité central[28]. Les nombreuses rééditions ont été « revues et corrigées » en fonction des changements de ligne politique de la direction du parti. Elles se caractérisent toutes par des déformations grossières et éhontées des faits historiques. En Chine populaire, chaque purge de la direction du Parti communiste implique invariablement la disparition des photographies des personnages éliminés et une réécriture de l'histoire du parti[29].

Cet aspect des sociétés bureaucratiques est largement connu. Léon Trotsky, dès la fin des années 1920, avait déjà montré que de telles falsifications historiques ne constituaient pas un élément accidentel ou aléatoire du stalinisme (forme historique prise par la bureaucratie au pouvoir dans les États postcapitalistes), mais une dimension organique et essentielle qui découle de la nature même de cette couche sociale au pouvoir[30]. Parce qu'elle a usurpé le pouvoir politique instauré par une révolution socialiste, la bureaucratie présente son idéologie comme celle de la classe ouvrière, utilisant par là une version scolastique du marxisme, occultant ainsi idéologiquement sa propre existence comme couche sociale distincte et privilégiée. C'est cette occultation idéologique qui entraîne l'instrumentalisation des sciences en général et du marxisme en particulier.

Les sciences de la nature ont été elles aussi soumises au processus d'instrumentalisation idéologique. On essaya de démontrer la supériorité de la « science soviétique », notamment de la biologie prétendument « prolétarienne » de Lyssenko, sur la science « bourgeoise et réactionnaire », représentée par les théories biologiques de Mendel-Wasserman. L'histoire du délire lyssenkiste est bien connu maintenant[31]. Sans en examiner tous les tenants et aboutissants, soulignons toutefois que derrière le pseudo-sociologisme de la formule « science de classe », on fait face à un aplatissement politico-idéologique des scienfiques en faveur de l'idéologie obscurantiste de la bureaucratie soviétique, en faveur d'une science d'État. Par ailleurs, il ne faut certes pas occulter ici la nécessité d'une compréhension du lien significatif qui existe entre les classes sociales et la production scientifique. Il est toujours essentiel d'examiner les conditions sociales, politiques et économiques qui déterminent l'orientation de la recherche scientifique et l'application de ses résultats. La soumission de la recherche dans les pays capitalistes aux impératifs du profit et du militaire, son organisation et son financement, montre, à qui veut bien voir un tant soit peu, que les sciences de la nature n'échappent pas au déterminisme social de la lutte des classes[32].

Si le positivisme a tenté de « naturaliser » les sciences sociales, le stalinisme pour sa part s'est risqué à « idéologiser » les sciences de la nature. On pourrait qualifier le stalinisme de positivisme inversé.

Le projet scientifique et éthique du marxisme

Marx et Engels considèrent l'histoire humaine comme déterminée par les lois objectives que l'activité scientifique est en mesure de découvrir. Ces lois dérivent de la structure et des dynamiques spécifiques de chaque mode de production déterminé, de ses rapports de production et des diverses contradictions qui déterminent son évolution : contradictions entre ces rapports de production et les niveaux successifs de développement des forces de production qu'ils rencontrent ; contradictions entre la base sociale et la superstructure, etc. Ces lois objectives ont à être découvertes pour chaque société spécifique. Il n'existe donc pas de lois sociales ou économiques éternelles. Il n'existe que des lois spécifiques aux formes spécifiques d'organisation sociale.

Mais en même temps que les marxistes s'efforcent de découvrir les lois de chaque mode de production déterminé, ils se refusent toute vision mécaniquement déterministe de l'histoire. Ils insistent sur l'aspect actif de l'histoire humaine. Philosophie de la praxis, le matérialisme historique met l'accent sur le fait que les êtres humains font leur propre histoire, que celle-ci ne leur est pas imposée par des forces extérieures mystérieuses, extra-humaines. Ces forces qui semblent mystérieuses sont le produit de l'histoire, donc de l'activité humaine elle-même.

C'est pourquoi Marx et Engels ne sont pas contentés d'être des hommes de science, révolutionnant la science par le développement du matérialisme dialectique, ils ont été aussi des hommes d'actions, des révolutionnaires actifs dans le mouvement ouvrier politique de leur époque. Pour comprendre le marxisme, il faut en analyser la totalité, la pensée comme l'action en tant que réaction constante de l'une sur l'autre. L'analyse conditionne l'action et en retour celle-ci transforme l'analyse.

Il serait tout aussi erroné de ne considérer le matérialisme historique que comme un simple déterminisme économique. Engels soulignait à ce propos : « ... D'après la conception matérialiste de l'histoire, le facteur déterminant dans l'histoire est, en dernière instance, la production et la reproduction de la vie réelle. Ni Marx ni moi, n'avons jamais affirmé davantage. Si quelqu'un dénature cette position en ce sens que le facteur économique est le seul déterminant, il le transforme ainsi en une phrase vide, abstraite, absurde. La situation économique est la base, mais les divers éléments de la superstructure : les formes politiques de la lutte des classes et ses résultats — les Constitutions établies une fois la bataille gagnée par la classe victorieuse, etc., — les formes juridiques, et même les reflets de toutes ces luttes réelles dans le cerveau des participants, théories politiques, juridiques, philosophiques, conceptions religieuses et leur développement ultérieur en systèmes dogmatiques, exercent également leur action sur le cours des luttes historiques et, dans beaucoup de cas, en déterminent de façon prépondérante la forme... Nous faisons notre histoire nous-mêmes, mais, tout d'abord, avec des prémisses et dans des conditions très déterminées... »[33]

Globalement, le matérialisme historique s'appuie sur une vue d'ensemble de la société et de l'histoire humaine dans ses modes de production successifs, dégage les lois de développement d'une société particulière considérée dans sa totalité. Et, parce qu'il est porteur d'un projet émancipateur, en s'appuyant sur l'analyse scientifique, il intervient pour changer, transformer et révolutionner cette même société.

La marxisme apparaît donc comme une appropriation critique des sciences sociales, une poursuite et un approfondissement de l'action et de l'organisation révolutionnaires, tirant les leçons des expériences révolutionnaires passées et présentes, une analyse scientifique de la société capitaliste, de ses tendances d'évolution, des contradictions qui en commandent la fin, d'où la nécessité de l'action politique ouvrière révolutionnaire et de l'internationalisme, et, enfin, à partir du mouvement élémentaire de la classe ouvrière, une tentative de lier l'action économique immédiate et l'action politique révolutionnaire visant la transformation socialiste des sociétés capitalistes[34].

Quelques notions du matérialisme historique

Puisque la société se compose d'êtres humains, on pourrait croire naturel d'entreprendre son étude par celle de l'individu. Cette voie ne serait pas féconde. On ne peut rien dire d'essentiel sur l'être humain isolé, détaché de la société, parce que c'est par elle précisément qu'il est formé. Les études féministes, par exemple, ont très bien établi, pour paraphraser Simone de Beauvoir[35], qu'on ne naît pas femme : on le devient. C'est le cas aussi des hommes. Les études anthropologiques ont montré, par ailleurs, que les diverses formes de société engendrent des individus très différents de ceux de nos propres sociétés[36]. La société n'est pas qu'un simple agrégat d'individus, mais un système dynamique et complexe.

L'être humain est par essence un être social. Parce que l'être humain ne trouve pas tout prêts les biens matériels dont il a besoin, il est contraint de les produire lui-même. De la sorte, dans tous les cas, la production constitue le fondement de l'existence et de l'activité humaines et elle oblige l'organisation en société. L'on ne saurait oublier, néanmoins, que le rôle de la production dans la vie humaine ne se ramène pas uniquement à assurer les moyens d'existence. En produisant des biens matériels, les êtres humains créent et reproduisent leur mode de vie. Et au cours de cette production spécifique, ils se forment en tant qu'êtres sociaux. Le mode par lequel les êtres humains produisent les biens *matériels* qu'ils ont besoin, bref le mode de production « représente, écrivaient Marx et Engels, un mode déterminé de l'activité des individus, une façon déterminée de manifester leur vie, un *mode de vie* déterminé. La façon dont les individus manifestent leur vie reflète très exactement ce qu'ils sont. Ce qu'ils sont coïncide donc avec leur production, aussi bien avec ce *qu'ils* produisent qu'avec la façon *dont ils* le produisent. Ce que sont les individus dépend donc des conditions matérielles de leur production. »[37] Ainsi, la structure sociale et économique de chaque société est déterminée par le mode de production qui lui est inhérent. Et les individus, dans leur diversité, comme êtres sociaux, sont déterminés socialement.

Au cours du procès de travail, les êtres humains modifient la matière première pour en faire les objets dont ils ont besoin. À la différence des animaux, c'est au moyen de la production que les humains s'assurent tout ce qui leur est nécessaire pour vivre. Grâce à la production, l'humain sort de son animalité. Utilisant des moyens de production (des outils, des machines), il ne s'adapte pas passivement à son environnement naturel, mais agit activement sur lui, le transforme en fonction de ses propres besoins (quitte même à le détruire et rendre sa propre vie précaire, ce que souligne fortement le mouvement des écologistes[38]), crée ainsi la base sur laquelle il établit les conditions sociales de son existence.

Le mode de production répond à l'unité de deux aspects inséparables de la production humaine : les forces productives et les rapports de production qui expriment chacun deux sortes de rapports entre les humains : ceux qu'ils entretiennent avec la nature et ceux qu'ils nouent entre eux.

Les forces productives expriment les rapports des êtres humains, de la société, à l'égard de la nature ; leur niveau de développement caractérise le degré de domination et d'exploitation humaines de la nature. Entre la houe utilisée par le serf sous la féodalité européenne et la machine agricole mise en œuvre aujourd'hui dans l'agro-business, il y a un monde de différence ; différence non pas seulement en fonction de productivité du travail mais aussi en fonction de domination et d'exploitation de la nature. Entre les connaissances du paysan du XVIe siècle et celles du géniticien agricole d'aujourd'hui qui crée de nouvelles espèces végétales plus productives, il y a là aussi un monde de différence. Par conséquent, les forces productives d'une société correspondent aux éléments actifs du procès de travail, à savoir les moyens de travail mis en œuvre par l'être humain et les êtres humains eux-mêmes avec leur savoir et leur expérience.

« Ce qui distingue une époque d'une autre, écrivait Marx, c'est moins ce que l'on fabrique, que la manière de fabriquer, les moyens de travail par lesquels on fabrique. »[39] Envisagés comme le produit de l'énergie humaine, comme la matérialisation de l'expérience et du savoir, les moyens de travail, les instruments de production, sont à la fois l'indice de la domination humaine de la nature et la base déterminante du développement de la production et de la société.

Cependant, une machine quelle qu'elle soit n'est une force productive qu'en puissance ; en attendant d'être employée, elle n'est qu'un assemblage de pièces. Ce n'est qu'entre les mains d'un être humain qu'elle s'anime, fonctionne, devient une force productive. Le matériau construit à partir d'éléments pris à la nature ne devient un moyen de production que dans les mains de l'être humain. Seul celui-ci peut le mettre en mouvement. Aussi, les êtres humains, les travailleurs et les travailleuses, sont-ils l'élément essentiel des forces productives. C'est l'unité entre les moyens de travail et les êtres humains (qui les mettent en œuvre) qui constitue les forces productives d'une société.

Les rapports sociaux et économiques qui se nouent dans la production constituent les rapports de production. Les êtres humains ne peuvent pas produire sans s'assurer d'une certaine façon, sans coopérer, en vue d'une action concertée et d'un échange concerté des résultats de cette action. Les rapports de production se nouent entre les êtres humains, indépendamment de la conscience qu'ils peuvent en avoir, dans le procès de la création du produit social et du cheminement de ce produit jusque dans la sphère de la consommation individuelle.

Au sein de chaque société, les rapports de production constituent un tout complexe incluant les rapports des êtres humains entre eux dans le procès immédiat de production, diverses formes de division sociale du travail ainsi que les rapports spécifiques noués dans la distribution des biens matériels. Tous ces rapports répondent dans leur variété aux multiples manifestations de la forme de propriété donnée historiquement. Ils expriment les relations des êtres humains entre eux par l'intermédiaire de leur rapport aux moyens de production. La forme de propriété en vigueur caractérise un mode particulier d'appropriation par les humains des moyens de production et de leur produit.

Si les moyens de production appartiennent à toute la société, sont collectifs, alors le rapport des membres de la société à ces moyens de production est un rapport d'égalité et parmi les êtres humains s'installent des rapports de coopération. On trouve de tels rapports dans l'histoire, au sein des sociétés que l'on nomme communistes primitives, notamment les sociétés tribales et claniques, comme nombre de sociétés amérindiennes l'étaient avant la venue des Blancs en Amérique et leur soumission subséquente aux rapports sociaux imposés par les envahisseurs[40].

Lorsque les propriétaires des moyens de production sont des individus, c'est dire que les principaux moyens de production sont détenus par une fraction de la société seulement ; les autres fractions n'en détiennent pas. La propriété revêt donc un caractère privé donnant lieu à des rapports d'exploitation, de domination et de soumission. Les formes de ces rapports diffèrent en fonction du type de propriété privée qui domine. Ce sont précisément les rapports ayant trait à la propriété des moyens de production qui déterminent dans chaque cas concrets la forme particulière des forces productives, de l'union de la force de travail et des moyens de production.

L'histoire connaît plusieurs types de propriété privée : propriété esclavagiste, féodale, tributaire (asiatique) et capitaliste. Ces types de propriété impliquent à leur tour des formes d'exploitation de l'être humain par l'être humain. Entre ces formes peuvent surgir, aux périodes d'écroulement d'une formation sociale et économique et la naissance d'une nouvelle formation, des sociétés de transition[41]. Ces sociétés ont ceci de particulier qu'elles réunissent des caractéristiques combinant diverses formes sociales. Ainsi, par exemple, à l'époque de la décomposition du régime esclavagiste se répandit le colonat, mode d'exploitation du sol combinant des éléments de rapports esclavagistes et de rapports féodaux. De même, la période du passage du capitalisme au socialisme a vu apparaître des sociétés de transition, ni capitalistes ni socialistes, combinant des traits appartenant aux deux types sociaux. L'abolition de la propriété privée des principaux moyens de production par leur étatisation n'a pas encore permis, dans ces sociétés, le dépérissement total de la loi de la valeur capitaliste[42]. De plus, ces sociétés ne sont pas caractérisées par le règne des producteurs associés[43].

L'être humain ne décide pas s'il veut être esclave, serf ou ouvrier. C'est en entrant en des rapports de production déterminés que l'être humain devient un esclave, un serf ou un salarié. Qu'il en ait conscience ou pas, dans les sociétés où règne la propriété privée, celle ou celui qui ne possède pas les moyens de production doit obligatoirement œuvrer pour la classe qui les possède sous peine de ne pas pouvoir vivre. Ainsi, dans la société capitaliste, les humains qui ne possèdent pas les moyens de production doivent vendre sur le marché leur force de travail parce qu'ils ne peuvent pas vendre autre chose (des marchandises) et deviennent, dès lors, des salariés. Historiquement, rappelons-le, le salariat a été imposé par la force[44]. Soulignons, par ailleurs, que celles et ceux qui luttent pour l'« abolition du salariat »[45], pour l'élimination des classes sociales, ont à faire face à la répression. Conséquemment, ce ne sont pas que les rapports de production qui agissent pour maintenir le salariat, mais aussi les éléments de la superstructure : idéologie, police, armée, justice, État, école, etc.

Le matérialisme historique distingue l'infrastructure ou la base socio-économique et la superstructure. L'infrastructure est essentiellement l'ensemble des éléments qui composent la réalité socio-économique. C'est, d'une part, le niveau atteint par les forces productives et, d'autre part, les rapports de production. À partir de cette infrastructure, c'est-à-dire la somme des rapports qui interviennent dans les sphères de la production, de l'échange et de la répartition, s'organisent tous les autres rapports sociaux, surgissent les idées, les idéologies, les diverses institutions qui régissent une société déterminée. Malgré l'hétérogénéité des éléments qui composent la superstructure de la société, ceux-ci possèdent des traits communs, sont soumis, dans leur développement, à l'action de certaines règles, ce qui permet d'analyser la superstructure, son autonomie relative et son action sur l'infrastructure.

Les notions d'« infrastructure » et de « superstructure » sont corrélatives et indissolubles. La base de la société est en quelque sorte son squelette, l'ossature sur laquelle se construit l'organisme social ; c'est elle qui détermine la spécificité qualitative de chaque formation sociale et économique, alors que la superstructure caractérise les particularités de la sphère sociale et idéelle de chaque formation sociale.

La superstructure concerne donc ces autres éléments de la société déterminés, en dernière analyse, par l'infrastructure. Donc, l'idéologie, le droit, l'art, la religion, les diverses institutions sociales et politiques, sont déterminés, en dernière analyse, par la réalité socio-économique.

Engels définit le matérialisme historique comme une conception de l'histoire qui recherche la cause fondamentale et le grand moteur de tous les événements importants dans le développement socio-économique de la société[46]. Ce développement de la société est premier dans l'analyse marxiste, analyse qui se veut matérialiste donc qui recherche les causes matérielles explicatives des changements sociaux. Par exemple, pour comprendre la révolution française de 1789, il ne suffit pas d'étudier les écrits de Voltaire ou de Rousseau, il faut examiner les forces sociales en mouvement et, pour les comprendre, étudier le développement socio-économique qui a permis à de nouvelles forces sociales, notamment la bourgeoisie, de renverser la féodalité.

Quelques notions de matérialisme dialectique

La logique dialectique inclut et dépasse tout à la fois la logique formelle. C'est une conception de toute réalité comme étant en changement continuel. La réalité est perçue non pas comme une interaction entre le sujet et l'objet. Le sujet tend à transformer le réel en l'appréhendant mais il est lui-même transformé par l'activité d'investigation, d'appréhension et de connaissance comme le dégagement, par l'analyse et l'action, de lois de développement inhérentes aux processus appréhendés. La dialectique de la pensée doit se conformer à la dialectique du réel, au mouvement réel, pour pouvoir comprendre celui-ci en perpétuel changement[47].

Le matérialisme dialectique ne consiste donc pas à étudier chacune des structures en soi, comme des éléments isolés, mais à les étudier dans leurs actions réciproques, dans leurs interconnexions. Il s'agit de déterminer les lois d'évolution de l'infrastructure et de la superstructure dans leur relation.

Globalement, chaque réalité engendre sa propre contradiction. Par exemple, le capitalisme en se développant crée le prolétariat qui peut le renverser. Le système féodal en se développant a mis en place les conditions permettant l'essor de la bourgeoisie qui a renversé ce mode de production. Chaque élément s'accompagne donc d'une contradiction. La contradiction se résout dans un mouvement historique d'où naît une nouvelle contradiction. C'est ainsi que l'histoire humaine procède de ce mouvement : chaque élément entraîne sa propre contradiction, la contradiction se résout en un nouvel élément d'où naît une nouvelle contradiction, etc.

Aussi existe-t-il un rapport contradictoire entre l'infrastructure et la superstructure. L'infrastructure détermine, en dernière analyse, la superstructure mais celle-ci réagit sur l'infrastructure. L'exemple le plus typique remonte aux XVIe siècle et concerne la liaison entre la religion (superstructure) et l'évolution économique.

Au XVIe siècle, on voit apparaître la nécessité du passage au capitalisme, mais en même temps, la religion interdit le profit, donc interdit le capitalisme et son développement. L'Église catholique, ne l'oublions pas, était le principal propriétaire foncier d'Europe et exploitait un grand nombre de paysans. C'était aussi un État qui utilisait les armes pour étendre ses territoires et augmenter ses possessions. Le développement du capitalisme était donc contradictoire, à cette époque, avec le maintien de la puissance terrestre de l'Église catholique. Contre le profit, saint Thomas d'Aquin disait que l'argent ne doit pas faire de petits, qu'il n'y a pas à prendre d'intérêt sur l'argent prêté. Devant la nécessité d'instaurer un taux d'intérêt pour accumuler du capital, on a vu apparaître la réforme calviniste qui a justifié le taux d'intérêt. Calvin justifiait le taux d'intérêt par des raisons théologiques. Il assurait : « Tous les hommes sont prédestinés, donc il faut considérer le résultat de leur action pour savoir s'ils sont prédestinés dans le bon ou le mauvais sens par Dieu ; si donc une action a réussi, c'est que Dieu le veut et que l'homme dont l'action a réussi est prédestiné à aller au Paradis. » Aussi bien sur le plan économique que sur n'importe quel autre plan, prétendait-il, la fortune est légitime ; c'est la preuve que Dieu a prédestiné celui qui a la fortune pour aller au Paradis, et par là même, le taux d'intérêt est légitime puisque c'est le moyen d'accroître la fortune.

Les besoins du développement économique ont entraîné ici une modification de la religion : c'est le schisme religieux et la naissance du protestantisme. Le protestantisme a justifié le taux d'intérêt et en le justifiant, à son tour, a permis le développement économique. Et de fait, le capitalisme s'est développé plus rapidement dans les pays protestants que dans les pays catholiques. Cela montre très bien comment il peut y avoir une réaction de la superstructure sur l'infrastructure. Le même raisonnement est aussi valable lorsque l'on examine les effets de la mise en place du droit bourgeois en France à la suite de la révolution de 1789. Cela a permis le développement, par exemple, des sociétés anonymes, élément fondamental du développement capitaliste.

De cette comparaison entre infrastructure et superstructure, il faut retenir que l'infrastructure n'est déterminante qu'en dernière analyse. C'est dire qu'il faut éviter tout mécanicisme. En effet, la superstructure peut être l'instance dominante.

La relation déterminant-dominant s'explique de la façon suivante : la réalité socio-économique détermine une certaine superstructure, mais c'est cette superstructure qui domine la vie sociale. Par exemple, au Moyen Âge, la religion envahissait complètement la vie sociale, chaque individu était entièrement soumis au catholicisme. De la même façon, dans la société bourgeoise, tous les rapports sociaux sont définis par le droit, mais ce droit qui domine la vie sociale répond lui-même à la nécessité de sauvegarder et de développer les rapports sociaux-économiques. Il est né des révolutions bourgeoises et il existe pour garantir la pérennité du système et le légitimer. Lorsque l'on observe superficiellement la réalité sociale, il peut apparaître que ce n'est pas la réalité infrastructurelle qui la détermine mais une superstructure comme le droit ou la religion. C'est comme l'arbre qui cache la forêt. En réalité, il faut comprendre que cette superstructure n'est dominante que dans la mesure où elle est elle-même déterminée par l'infrastructure, dans la mesure où il n'y a pas de contradiction entre la superstructure (la religion ou le droit) et la nécessité du développement socio-économique. Lorsqu'il y a contradiction entre l'infrastructure et la superstructure, force nous est de reconnaître qu'historiquement soit la superstructure s'est adaptée, soit elle a subi de profondes transformations. Marx précise à ce propos : « Le changement dans les fondations économiques s'accompagne d'un bouleversement plus ou moins rapide dans tout cet énorme édifice [celui de la superstructure, R.P.]. Quand on considère ces bouleversements, il faut toujours distinguer deux ordres de choses. Il y a le bouleversement matériel des conditions de production économiques. On doit le constater dans l'esprit de rigueur des sciences de la nature. Mais il y a aussi les formes juridiques, politiques, religieuses, artistiques, philosophiques, bref les formes idéologiques, dans lesquelles les hommes prennent conscience de ce conflit et les poussent au bout. On ne juge pas un individu sur l'idée qu'il a de lui-même. On ne juge pas une époque de révolution d'après la conscience qu'elle a d'elle-même. Cette conscience s'expliquera plutôt par des contradictions de la vie matérielle, par le conflit qui oppose les forces productives sociales et les rapports de production. »[48]

Lorsque les conditions objectives d'une révolution sociale existent, ce sont finalement les conditions subjectives (conscience, organisations révolutionnaires) qui décideront du sort de cette révolution, de sa profondeur et de sa radicalité. Par exemple, la révolution française de 1789 a été beaucoup plus radicale, donc démocratique, que celle qui a conduit à l'unité italienne de 1861. L'alliance de classe tissée par la bourgeoisie du nord de la péninsule avec les propriétaires fonciers du sud a empêché la distribution de la terre aux paysans, créant par le fait même la question du mezzogiorno (du midi), c'est-à-dire un sous-développement au sud, source d'immigration internationale[49].

Aussi, le passage d'un système socio-économique à un autre est déterminé par un accroissement des forces productives qui entrent en conflit avec les rapports de production existants. Par la révolution, la contradiction qui s'est développée historiquement entre les forces productives et les rapports de production se résout. Ce changement social est d'ordre qualitatif. Avec le développement des forces productives, les transformations sociales sont d'abord quantitatives, c'est-à-dire elle n'altèrent pas les fondations de la société, le mode dominant de propriété. Par exemple, le capitalisme concurrentiel s'est transformé graduellement en capitalisme monopolistique. Mais lorsque les forces productives ne peuvent plus se maintenir plus longtemps dans les anciennes formes de propriété, il s'ensuit un changement radical de l'ordre social. Les révolutions bourgeoises du XVIe au XIXe siècle sont une démonstration éclatante de ce type de processus[50]. Il y avait une contradiction devenue insoluble sous la féodalité entre le développement des rapports marchands et la forme de propriété dominante de l'Ancien Régime.

Ce passage radical d'un mode de production à un autre s'effectue par la lutte des classes. Pour Marx, il est apparu que « l'histoire de toute société jusqu'à nos jours n'a été que l'histoire de la lutte des classes »[51]. Les classes sociales en lutte les unes contre les autres sont le produit des rapports de production et d'échange de leur époque. Donc, le capitalisme est lui-même le produit d'une lutte des classes spécifique. « La société bourgeoise, écrivait Marx, élevée sur les ruines de la société féodale, n'a pas aboli les antagonismes de classes. Elle n'a fait que substituer de nouvelles classes, de nouvelles conditions d'oppression, de nouvelles formes de lutte à celles d'autrefois. »[52] Le socialisme est le produit lui aussi des luttes de classes, lutte de la classe ouvrière et de la bourgeoisie. Toute lutte des classes est toujours une lutte d'ensemble dans toutes les sphères de l'activité sociale, indépendamment de la conscience qu'on ont ou n'en n'ont pas ceux et celles qui y participent.

L'existence sociale conditionne la conscience sociale. L'être humain est socialisé dans une société donnée selon des normes, des us et des coutumes qui conditionnent sa formation. La famille, l'école, les médias et d'autres institutions sociales reproduisent les normes dominantes d'une société donnée. Parce que la classe dominante contrôle le surplus social et donc la société, son idéologie est généralement l'idéologie dominante. D'autres idéologies existent. Et lorsque l'idéologie d'une classe dominée commence à contester la domination de l'idéologie de la classe dominante, c'est dire que cette contestation s'accompagne d'un processus de lutte de classe qui remet en cause révolutionnairement le système[53].

Si les femmes et les hommes font leur propre histoire, ils ne la font pas libres de toutes contraintes, selon des possibilités illimitées. Mais ils la font. Leur histoire est le résultat de leurs luttes mêmes si ces dernières sont soumises à une série de facteurs historiques. L'évolution des consciences dépend des luttes et en retour agit sur les luttes. La lutte de classe réelle, l'expérience concrète des luttes, permet aux dominés d'une société donnée de prendre conscience de leur propre soumissions (conscience en soi) et de lutter contre elle (conscience pour soi)[54].

Un tel processus est toujours long et difficile, soumis à des reculs. Lorsqu'une classe dominante sent que sa domination est menacée, elle use des moyens répressifs pour maintenir son pouvoir. L'exemple des coups d'États militaires et des diverses répressions sanglantes qui ponctuent l'histoire contemporaine montre sans aucun doute la validité de cette thèse du marxisme.

* * *

Léon Trotsky définissait le marxisme comme l'« expression consciente du processus historique inconscient »[55]. Expression consciente de la lutte des classes à partir du développement organisé du mouvement ouvrier révolutionnaire, le marxisme a une portée théorique inséparable de sa portée pratique : « Les philosophes n'ont fait qu'interpréter le monde de différentes manières, écrivait Marx, ce qui importe, c'est de le transformer. »[56] Le matérialisme historique vise donc l'instauration d'une société socialiste sans oppression, exploitation ni domination. Pour ce faire, il s'appuie sur la contradiction qui existe entre les forces productives sociales et les rapports capitalistes de production ce qui entraîne périodiquement des luttes révolutionnaires. Il vise l'organisation internationale et révolutionnaire de la classe ouvrière. « Prolétaires de tous les pays, unissez-vous »[57], tel est son mot d'ordre.

Connaître les conditions socio-économiques qui déterminent l'histoire actuelle, c'est aussi, pour le marxisme, se donner les moyens de lutter contre ces mêmes conditions, conditions qui sont basées, rappelons-le, sur l'exploitation de l'être humain par l'être humain. C'est pourquoi Marx et les marxistes ont toujours attentivement étudié l'état de développement des forces productives et des rapports de production. L'analyse de ces problèmes « économiques » est un préalable à l'analyse politique, car le rapport entre les forces de production et l'organisation sociale de celles-ci constitue l'ossature de toute société. C'est pourquoi nous traiterons ici succinctement du fonctionnement du capitalisme avant de passer à l'examen des moyens qui permettent de mettre un terme, selon le matérialisme historique, au mode de production capitaliste.

Les raisons objectives de l'exploitation capitaliste

L'exploitation de l'être humain par l'être humain résulte de la loi de la valeur. Cette loi objective détermine le système capitaliste et crée en même temps, contradictoirement, les conditions objectives pour supprimer cette exploitation. Le capitalisme n'est pas un système abstrait, intemporel, et pour saisir la loi de la valeur, il faut examiner la genèse du capitalisme.

Des traits distinctifs fondamentaux caractérisent les origines du mode de production capitaliste. Ils sont toujours caractéristiques du régime capitaliste.

1. Le mode de production capitaliste se caractérise par la production marchande généralisée. Tout devient marchandise, tout passe par les relations marchandes.

2. Il y a séparation des producteurs d'avec leurs moyens de production. C'est la condition d'existence fondamentale du régime capitaliste. Avec une telle séparation, les gens sont forcés de vendre leur force de travail à un capitaliste. C'est l'ère de la « liberté » de la main-d'œuvre.

3. Il y a nécessairement concentration des moyens de production entre les mains d'une seule classe sociale, la classe bourgeoise. C'est la dynamique même d'un système basé sur la propriété privée des moyens de production.

4. C'est l'apparition d'une classe sociale qui, parce qu'elle n'a pas d'autres biens que sa capacité de travailler, n'a aucun autre moyen de subvenir à ses besoins que de vendre sa force de travail. Cette classe ne peut vendre sa force de travail qu'à ceux qui possèdent les moyens de production, les propriétaires des richesses, les capitalistes.

Le capitalisme s'appuie sur une division sociale du travail, la développant au fur et à mesure qu'il se développe lui-même. La division sociale du travail permet et force l'échange de marchandises. Chacun produit un bien, quels que soient ses propres besoins, et échange avec les autres ce qu'il a en trop contre ce dont il a besoin mais qu'il ne produit pas. La travailleuse et le travailleur en échange de leur travail reçoivent un salaire. Ils dépensent ce salaire pour se loger, se nourrir, se vêtir, élever leurs enfants; bref, leur salaire leur permettent de se reproduire quotidiennement et de produire, à plus long terme, d'autres travailleuses et travailleurs (leurs enfants). Un propriétaire d'une usine de chaussures ne produit pas des marchandises pour lui-même, mais pour les vendre et faire un profit. Avec ce profit, il peut acquérir les biens qui lui sont nécessaires pour vivre ainsi que se permettre nombre de dépenses luxueuses.

Pour procéder à de tels échanges, il est nécessaire qu'existe une valeur jouant le rôle d'équivalent général, une marchandise particulière servant de miroir à toutes les valeurs, aux autres marchandises. En effet, dès qu'il y a échange, il y a valeur. L'or et l'argent constituent ces marchandises particulières, extraits de la masse des marchandises et dont le rôle principal est d'être un moyen de circulation des marchandises. La valeur d'une marchandise s'exprime ordinairement en monnaie : cette expression de la valeur en argent constitue le prix. L'or et l'argent ne créent pas la valeur. Ils expriment en prix approximativement cette valeur. Pour comprendre la valeur, il faut examiner socialement sa production.

Marx, dans *Le Capital*[58], effectue une distinction fondamentale entre la valeur d'usage et la valeur d'échange. La valeur d'usage concerne les qualités physiques du bien produit. Ce bien a une utilité, un usage pour quelqu'un. Comme consommateur, la chaussure qui m'intéresse doit être à ma pointure et répondre à mes goûts. C'est donc la valeur d'usage de la chaussure qui m'importe. Il est évident qu'une chaussure pour un cul-de-jatte n'a strictement aucune utilité. Donc, la valeur d'usage dépend de chacun des individus. L'utilité d'une marchandise est subjective. Puisque la valeur d'usage dépend de chacun des individus, il n'est pas possible que ce soit cette valeur qui permette l'échange, car l'échange met en relation l'ensemble des individus à travers le marché, par la division sociale du travail. D'autre part, l'air que nous respirons a une valeur d'usage, mais n'a pas de valeur d'échange. La valeur d'usage n'est donc pas le dénominateur commun objectif permettant les échanges. L'air fera l'objet d'un échange lorsqu'il sera soumis au travail humain. Par exemple, l'air comprimé est vendu sur le marché, est devenu une marchandise, a incorporé du travail humain. Le dénominateur commun de toutes les marchandises, c'est le travail. Il apparaît donc que la valeur d'échange d'un bien tient à son travail, au travail qu'il a fallu pour le créer. Tout travail est une dépense d'énergie et c'est cette dépense d'énergie inclue dans la marchandise qui lui donne une valeur d'échange, au-delà des formes concrètes du travail qui, elles, créent la valeur d'usage.

Le propriétaire de l'usine de chaussures ne s'intéresse pas à la valeur d'usage des marchandises produites. Il est indifférent au fait que ses chaussures lui fassent ou non. Ce qui l'intéresse, c'est leur valeur d'échange.

Si la travailleuse et le travailleur étaient payés pour leur travail, c'est-à-dire de façon équivalente aux biens produits, le propriétaire de l'usine ne pourrait pas faire de profits. Il en fait précisément, parce qu'il ne paye pas le travail produit. La valeur du travail incluse dans les marchandises doit être obligatoirement plus grande que le salaire payé à celles et ceux qui font le travail, sinon aucun capitaliste n'investirait du capital. Le capitaliste ne paye pas le travail, ce qu'il achète c'est la force de travail. Et c'est la différence entre la valeur du travail effectué et la valeur de la force de travail payé qui est le secret de l'accumulation du capital en faveur des propriétaires des moyens de production. C'est pourquoi aussi, les marxistes parlent d'exploitation de la force du travail, sans mettre dans ces termes des critères moraux, indiquant plutôt par là, une loi objective du mode de production capitaliste.

La valeur d'échange, c'est-à-dire le travail cristallisé dans les marchandises, c'est d'abord et avant tout une réalité sociale. Il est évident, selon la technique mise en œuvre, que le travail sera plus ou moins productif. La productivité des travailleurs d'une usine automobile ultra-moderne est nettement supérieure à celle qu'ils pouvaient avoir au début du siècle dans les premières usines d'automobiles. Il faut donc envisager le travail moyen dans les conditions sociales du moment lorsque l'on tente d'établir la valeur d'échange des marchandises. Autrement dit, la mesure de la valeur d'échange, c'est la quantité de travail moyen socialement nécessaire pour produire une marchandise, et non la quantité individuelle.

La loi de la valeur, loi fondamentale du système capitaliste, loi objective et indépendante de la volonté des uns et des autres, permet de comprendre l'exploitation de la force de travail, de la classe ouvrière, permet de saisir la production de la plus-value.

Pour comprendre la plus-value, la forme que prend la production du surplus social dans le mode de production capitaliste, il faut au préalable trouver la valeur de la force de travail. Pour Marx, c'est essentiellement la quantité de travail moyen socialement nécessaire pour produire et reproduire cette force de travail qui lui imprime une valeur. Pour produire et reproduire cette force de travail, il est en effet nécessaire d'avoir des biens. Ce sont les biens que la classe ouvrière consomme et sans lesquels elle ne pourrait vivre. La production de ces biens fonctionne elle aussi par la loi de la valeur. Donc, la valeur de la force de travail, ce sont les biens nécessaires pour que la force de travail subsiste et s'accroisse. La valeur de ces biens étant elle-même égale ou supérieure à la quantité de travail moyen socialement nécessaire pour les produire.

Une force de travail simple, par exemple un ouvrier non spécialisé, vaut moins qu'une force de travail complexe, plus longue à produire, comme, par exemple, un ingénieur.

La valeur de la force de travail se détermine par ce qui est nécessaire *socialement* pour la produire et la reproduire. Dès lors, on doit introduire un autre facteur dans la détermination de la valeur de la force de travail, à savoir la lutte des classes. Les travailleuses et les travailleurs en s'organisant en syndicats tentent de faire augmenter les salaires et inclure dans ceux-ci des besoins sociaux leur donnant accès à une consommation plus grande. Là où les syndicats n'existent pratiquement pas ou subissent une répression féroce, notamment dans certains pays du Tiers-Monde, la valeur de la force de travail se détermine plus ou moins par la seule subsistance physiologique. Dans tous les pays, la partie de la classe ouvrière qui est organisée connaît un meilleur niveau de vie que celle qui ne l'est pas. Enfin, lorsque le chômage est élevé, la pression pour baisser les salaires est forte. L'État capitaliste peut intervenir avec plus de succès, imposer des régimes d'austérité et geler ou abaisser les salaires.

On peut ramener la valeur de la force de travail au temps où elle exerce son activité pour produire l'équivalent de sa valeur. Cela signifie que s'il faut, par exemple, quatre heures de travail moyen socialement nécessaire pour produire et reproduire quotidiennement la force de travail, rien n'oblige le capitaliste qui l'a achetée à ne l'utiliser que quatre heures. S'il l'utilise huit heures, il y a donc une différence de quatre heures entre la valeur de la force de travail et la valeur qu'elle produit. Cette valeur de quatre heures supplémentaires est appropriée gratuitement par le capitaliste. Dans la mesure où il a acheté la force de travail à sa valeur (le salaire) pour qu'elle produise une valeur (des marchandises), la différence entre les deux valeurs lui revient. Cette différence n'est autre que la plus-value. Le principal souci du capitaliste va être d'augmenter cette plus-value, et pour cela il existe deux moyens :

— augmenter la durée du travail (la plus value absolue)

— diminuer la valeur de la force de travail (augmenter la plus-value relativement).

Il est évident que l'utilisation de la force de travail par le capitaliste n'est pas illimitée. Dans une journée, il n'y a que vingt-quatre heures. De plus, la force de travail pour pouvoir survivre, se reproduire, a besoin d'un temps de sommeil et de loisir. Rappelons qu'au XIXe siècle, la journée de travail comportait de quinze à seize heures. Par ses luttes, la classe ouvrière a imposé, au début du XXe siècle, une journée de travail d'environ huit heures. Aujourd'hui, ce n'est pas l'augmentation de la durée de travail qui est le moyen principal pour accroître l'exploitation de la force de travail, bien qu'elle soit encore utilisée. Le capitaliste compte surtout sur la diminution de la valeur de la force de travail pour s'approprier davantage de plus-value: baisse des salaires nominaux comme des salaires réels, augmentation de la productivité du travail sans augmentation des salaires, etc.

Il apparaît donc que le capitaliste, de par l'activité productive de la force de travail qu'il achète, dégage une plus-value qu'il s'approprie. C'est dans la production de ce surplus social, de cette partie du produit de la force de travail qui échappe à celles et ceux qui le produisent pour aller à la bourgeoisie, que se fonde l'opposition entre les classes. Plus encore, c'est dans cette exploitation que se fondent les classes elles-mêmes. En effet, la division de la société en classes est déterminée par les rapports de production.

La définition marxiste des classes sociales

Une classe sociale, selon la définition de Nicolas Boukharine, est un ensemble de personnes jouant un rôle analogue dans la production, ayant dans le processus de production des rapports identiques avec d'autres personnes[59]. Cette définition reprend celle d'Engels à l'effet que la bourgeoisie est la classe des propriétaires des moyens de production sociale et qui emploient le travail salarié, tandis que le prolétariat est la classe des ouvriers salariés modernes qui sont privés de leurs propres moyens de production et sont donc obligés, pour subsister, de vendre leur force de travail[60]. Cela implique bien entendu des rapports de soumission à ceux qui achètent la force de travail. La définition formulée par Boukharine, plus abstraite que celle d'Engels, plus générale aussi, utilisable pour différentes sociétés de classe, appuyée néanmoins sur celle-ci, résout un certain nombre de difficultés et de contresens qui sont souvent faits dans la vie courante comme en sciences sociales.

Pour certains, les classes sociales sont définies par le montant du revenu : il y a des riches et il y a des pauvres. Il est pourtant évident qu'entre un aristocrate ruiné qui continue à vivre au fin fond de son château délabré et l'ouvrier d'une usine, même si le revenu est identique, les rapports dans la production sont différents et il y a appartenance à des classes différentes. On ne peut pas dire qu'un noble ruiné est un prolétaire sous prétexte qu'il n'a plus d'argent. Un ouvrier spécialisé peut, dans des conditions d'extrême pénurie de main-d'œuvre, recevoir un salaire équivalent à un avocat en pratique privée. Cela ne fait pas de l'avocat un ouvrier et de l'ouvrier un petit-bourgeois. Car l'ouvrier est inséré dans des rapports de production spécifiques, différents de celui de l'avocat, et dans le processus de production, il vit des rapports identiques aux autres ouvriers malgré son salaire plus élevé.

De la même façon, certains ont envisagé comme définition de la classe sociale, l'origine du revenu. Ceci entraîne certaines confusions remarquables. Par exemple, ils considèrent que les cadres d'entreprise sont des prolétaires puisqu'ils ont un salaire comme les prolétaires. Ce qui les distingueraient, c'est d'être des prolétaires vivant mieux que les autres, mais fondamentalement ils appartiendraient à la même classe et leurs intérêts seraient les mêmes. Il est évident que le cadre n'exerce pas dans le système de production les mêmes activités et n'occupe pas la même place que le prolétaire. La place du cadre, c'est d'assurer au nom de la bourgeoisie la direction technique du processus de production, ce n'est pas d'avoir une activité d'exécution de ce processus lui-même.

Enfin, le critère de la profession utilisé pour définir les classes sociales crée lui aussi des confusions. Ce critère conduit à catégoriser la classe en distinguant la serveuse de l'ouvrier textile, ce dernier de l'électricien, etc. D'autre part, ce critère crée des classifications totalement fausses en regroupant l'ouvrier textile et l'artisan du même domaine parce que tous les deux travaillent le textile. Pourtant, l'artisan possède ses propres moyens de production contrairement à l'ouvrier. Il faut donc analyser la profession comme un rapport entre l'être humain et les choses sur lesquelles il travaille ; ce n'est pas un rapport entre les êtres humains eux-mêmes. Ce n'est pas un rapport social. Posséder ses propres moyens de production veut dire déterminer son propre travail, ne pas être soumis à des gens qui contrôlent le processus de production. La tyrannie du marché va s'exercer sur l'artisan, mais il n'aura pas à subir celle d'un propriétaire des moyens de production qui cherche à maximiser ses profits. Vouloir privilégier le rapport des êtres humains aux choses, c'est mélanger dans la soi-disant même classe les prolétaires qui n'ont que leur force de travail à vendre avec, par exemple, des artisans qui exercent leur force de travail sur leurs propres biens et moyens de production. Économiquement comme socialement, ces rôles sont totalement différents et la place de ces individus dans la société est fondamentalement différente.

La classe sociale se définit par le rapports entre les êtres humains dans le processus de production. Il en résulte, malgré le type concret de travail, qu'il y a dans la même classe un intérêt commun. Cet intérêt, c'est, au minimum, d'augmenter la part de la classe dans le revenu national, c'est-à-dire qu'à partir de la situation que possède une classe sociale dans le processus de production, d'augmenter sa part de la répartition des richesses. Par exemple, la classe ouvrière tente d'augmenter son salaire direct comme son salaire indirect (protection sociale, assurance-maladie, assurance-chômage, etc.). Dans la mesure où la répartition du revenu national dépend de la production, la meilleure façon d'être assuré d'augmenter la part de la classe ouvrière dans le revenu national, c'est de renverser les rapports de production capitalistes.

Ceci représente l'intérêt historique de la classe ouvrière. Son intérêt immédiat, c'est au moins d'augmenter la part des salaires. Or, la classe prend conscience de son existence en s'organisant et s'organise en prenant conscience de cet intérêt commun. Autrement dit, la classe suppose non seulement une définition objective des rapports qui fondent son existence, mais aussi une prise de conscience de ces rapports. C'est pourquoi Marx explique dans *Le 18 Brumaire de Louis Bonaparte*[61], que la paysannerie n'est pas une classe, car elle est traversée par différentes classes, qu'elle est donc une masse d'individus qui n'ont pas d'intérêts communs et qui ne peuvent pas former une classe.

Pour Marx et les marxistes, il n'existe que deux classes fondamentales dans notre société : le prolétariat qui n'a que sa force de travail à vendre et la bourgeoisie qui détient les biens et les moyens de production lui permettant d'acheter la force de travail et de l'exploiter. La bourgeoisie est consciente de ses intérêts et est organisée. La classe ouvrière est plus ou moins consciente de ses intérêts et est partiellement organisée. Dans certaines situations, lorsque celle-ci devient consciente de ses propres intérêts, apparaît une intense période de radicalisation qui peut mener à des situations révolutionnaires.

Le prolétariat et la bourgeoisie sont liés dans le mode de production capitaliste. Le prolétariat ne peut exercer sa force de travail que s'il y a une bourgeoisie, mais la bourgeoisie ne peut à son tour utiliser ses biens et moyens de production que s'il y a une force de travail. Cela dit, il est évident que ces deux classes ne regroupent pas tous les individus de la société. Celle-ci est, en effet, composée d'un ensemble de forces sociales comme la petite-bourgeoisie, la paysannerie, les artisans, les couches moyennes, etc., qui composent une formation sociale complexe.

La production des classes sociales supposent leur reproduction. Les mécanismes de reproduction des classes sociales de la société capitaliste sont caractérisés par le patriarcat, c'est-à-dire par un système de domination des femmes par les hommes. La naissance de chacun-e pèse d'un grand poids sur le cours de sa destinée. Par la transmission du capital et des pouvoirs sociaux qui l'accompagnent, se perpétue la structure de classe d'une génération à l'autre. L'appareil scolaire multiplie pour sa part les clivages entre ceux et celles qui ne possèdent rien d'autre que leur force de travail. La famille est donc au cœur des mécanismes de reproduction. Plus précisément, l'oppression des femmes constituent l'un des mécanismes de la reproduction de la société bourgeoise. Dès 1886, Engels dans *L'origine de la famille, de la propriété privée et de l'État*, montrait certains des liens qui existent entre la constitution de la famille patriarcale, l'État et le système de propriété privée. Autrement dit, les structures des rapports sociaux organisent les trajectoires sociales, la reproduction des classes ainsi que l'oppression des femmes. L'État, par ses politiques familiales, de logement, de santé, de sécurité sociale, etc., fixe la classe ouvrière dans sa condition prolétarienne et les femmes dans leur oppression comme femmes. L'État capitaliste est aussi un État, dans sa nature même, patriarcal.

À propos de l'État

Lorsque nous disons que les deux classe fondamentales, prolétariat et bourgeoisie, sont liées, il faut mettre en perspective que cette liaison est antagonique. Cela veut dire que les intérêts de la bourgeoisie et du prolétariat sont contradictoires en raison de la plus-value et de son appropriation qui détermine l'exploitation. C'est dans la mesure où les intérêts du prolétariat et de la bourgeoisie sont contradictoires que l'État est une nécessité dans l'organisation de la société. Ici se trouve exprimée l'idée fondamentale du marxisme sur le rôle historique et la signification de l'État. L'État est le produit de la manifestation du fait que les contradictions sont inconciliables. L'État surgit dans une société au moment où les contradictions de classes ne peuvent être conciliées. Les sociétés qui ne connaissent pas les classes et les conflits de classes sont des sociétés sans États[62]. Engels écrivait à ce sujet : « L'État n'existe donc pas de toute éternité. Il y a eu des sociétés qui se sont tirées d'affaire sans lui, qui n'avaient aucune idée de l'État et du pouvoir d'État. À un certain stade du développement économique, qui était nécessairement lié à la division de la société en classe, cette division fit de l'État une nécessité. Nous nous approchons maintenant à pas rapides d'un stade de développement de la production dans lequel l'existence de ces classes a non seulement cessé d'être une nécessité, mais devient un obstacle positif à la production. Ces classes tomberont aussi inévitablement qu'elles ont surgi autrefois. L'État tombe inévitablement avec elles. La société, qui réorganisera la production sur la base d'une association libre et égalitaire des producteurs, relèguera toute la machine de l'État là où sera désormais sa place : au musée des antiquités, à côté du rouet et de la hache de bronze. »[63]

C'est l'antagonisme des classes sociales qui a engendré la nécessité d'un appareil institutionnel spécifique d'État. Engels écrit à ce propos : « L'État n'est donc pas un pouvoir imposé du dehors à la société... Il est bien plutôt un produit de la société à un stade déterminé de son développement ; il est l'aveu que cette société s'empêtre dans une insoluble contradiction avec elle-même, s'étant scindée en oppositions inconciliables qu'elle est impuissante à conjurer. Mais pour que les antagonistes, les classes aux intérêts économiques opposés ne se consument pas, elles et la société, en une lutte stérile, le besoin s'impose d'un pouvoir qui, placé en apparence au-dessus de la société, doit estomper le conflit, le maintenir dans les limites de l'" ordre " ; et ce pouvoir né de la société, mais qui se place au-dessus d'elle et lui devient de plus en plus étranger, c'est l'État. »[64]

L'État n'apparaît pas pour ce qu'il est, à savoir un appareil de la classe la plus puissante, celle qui domine au point de vue économique et qui se dote des moyens pour « mater et exploiter la classe opprimée »[65]. La nature de classe de l'État est voilée. Il apparaît neutre, au-dessus de la société quand en fait il est le garant du maintien du mode de production duquel il est issu.

Pour déchirer le voile qui camoufle la nature de l'État, il faut distinguer la forme de la nature de l'État. Un État bourgeois peut prendre plusieurs formes : démocratie parlementaire, monarchie constitutionnelle, dictature militaire, dictature fasciste, etc. La forme de l'État dérive de la lutte des classes. Sa nature dérive des rapports sociaux de production. L'État chilien est une dictature militaire tandis que l'État canadien est un système parlementaire à monarchie constitutionnelle. L'un et l'autre sont bourgeois parce qu'ils s'insèrent dans des rapports de production capitalistes et les développent. Leur forme différente tient à l'histoire et l'histoire s'explique par la lutte des classes.

L'État, au-delà de sa forme concrète d'existence, c'est-à-dire au-delà de son régime politique, est l'instrument d'oppression de la classe exploiteuse sur la classe exploitée. L'État bourgeois c'est, comme le dit si bien Engels, « un capitaliste collectif en idée »[66]. L'État n'est pas la propriété d'un capitaliste particulier, sauf dans des cas extrêmes comme le Nicaragua de Somoza, mais il est l'instrument collectif des intérêts de la classe capitaliste dans son ensemble. Pour défendre les intérêts généraux et historiques de cette classe, l'État pourra intervenir à l'occasion contre des secteurs de la bourgeoisie.

Puisque l'État est né des contradictions de classe inconciliables, puisqu'il est l'instrument de la domination d'une classe sur une autre, alors la libération de la classe opprimée est impossible sans la destruction de l'appareil d'État. Par des révolutions, la bourgeoisie a détruit l'appareil d'État féodal. La classe ouvrière devra faire la même chose à l'égard de l'État bourgeois, d'où le mot d'ordre marxiste de la dictature du prolétariat, opposé à celui de la dictature du Capital[67].

L'accumulation du Capital

Si un capitaliste dépense entièrement la plus-value extorquée à la force de travail pour ses besoins de consommation, s'il n'augmente pas son capital, un jour ou l'autre, il fera faillite, incapable de faire face à la concurrence des autres capitalistes. Il doit donc obligatoirement réinvestir son capital, augmenter la production, pour faire face à la concurrence et ne pas disparaître en tant que capitaliste. Pour pouvoir augmenter sa production, il doit pouvoir acheter des biens de production supplémentaires (des machines, de l'énergie, des matières premières, etc.), bref augmenter son capital constant, et il doit aussi trouver de la main-d'œuvre disponible sur le marché (augmenter son capital variable). On voit ici une loi de l'accumulation : pour pouvoir accumuler, il faut une réserve de main-d'œuvre disponible. Sans chômage chronique, impossible d'accumuler dans une société capitaliste.

Cette accumulation du capital accélère le développement du capitalisme et, à son tour, le développement capitaliste accélère l'accumulation du capital. Une masse donnée de capital tend donc à s'agrandir continuellement : c'est la tendance à la concentration du capital. D'autre part, le capital tend à se rassembler en un petit nombre de mains par suite de la disparition de capitalistes écrasés par la concurrence ou par la subordination d'entreprises plus faibles à des capitaux plus puissants : c'est la tendance à la centralisation du capital. La centralisation et la concentration du capital sont des tendances essentielles et marquantes de l'évolution du capitalisme en impérialisme, en capitalisme oligopolistique[68].

La concurrence oblige donc les capitalistes à accumuler le capital, c'est-à-dire à diminuer leur prix de revient, à produire dans les conditions les plus compétitives possibles. Pour ce faire, le capitaliste doit constamment investir dans de nouvelles machines plus rapide ce qui finit par baisser le prix de revient des marchandises. Car cela diminue la valeur de la force de travail, celle-ci produisant plus de valeur pour un salaire stable ou qui augmente moins rapidement que la valeur produite. Ainsi, le capitaliste augmente sa production et tente de contrôler le marché. Mais, les autres capitalistes font la même chose, ils n'ont pas le choix. Cela finit par créer une crise de surproduction de marchandises, crise classique du système capitaliste. Cette anarchie du système qui mène à des destructions massives de marchandises et de capital est à la base même du fonctionnement du capitalisme. La crise est inéluctable dans ce type d'économie. Elle s'accompagne de fermetures d'usines et d'un chômage massif. Sur la base de ces destructions, un autre cycle d'accumulation du capital peut recommencer. La durée de ce cycle, (succession de phases de crise, de stagnation, de reprise économique, de prospérité, de surchauffe et de crise), a varié jusqu'ici entre 6 et 9 années, soit une moyenne de 7 années et demie.

Pour les besoins d'accumulation, le capitalisme a tendance à révolutionner constamment les techniques de production et l'organisation de travail. Il a tendance à remplacer le travail vivant (les travailleuses et les travailleurs) par du travail mort (les machines). La part des capitaux consacrée à l'achat de forces du travail (capital variable) croît moins rapidement que celle consacrée à l'achat des machines, des matières premières, de l'énergie, etc. (capital constant). La composition organique du capital, c'est-à-dire le rapport entre le capital constant et le capital variable, tend à augmenter. Le taux moyen de profit tend donc à diminuer à la longue car c'est le capital variable qui crée la plus-value. Cette tendance à la baisse du taux de profit est compensée avant tout par l'augmentation du taux d'exploitation de la classe ouvrière. Mais une telle augmentation du taux d'exploitation, due à la recherche de profits, le capital étant assoiffé de plus-value, parce que la plus-value est la source derrière les profits, et que la poussée vers la maximisation du profit résulte de la concurrence et de la propriété privée des moyens de production, implique une tendance à la paupérisation relative de la classe ouvrière. Cette même tendance peut être compensée par la lutte des classes. La lutte des classes est une déterminante du fonctionnement et du devenir du mode de production capitaliste.

De même que les crises cycliques de l'économie, les crises sociales, c'est-à-dire les crises entre Capital et Travail, sont inévitables dans le régime capitaliste. Le capital tente d'augmenter les profits au détriment des salaires et provoque crise et chômage. La classe ouvrière tente elle de défendre et d'augmenter les salaires.

Le capital a par nature vocation à s'étendre dans l'ensemble des activités sociales et économiques ainsi que mondialement. Cette tendance à l'accumulation impose la domination du mode de production capitaliste à l'échelle mondiale, formant ainsi l'économie mondiale, système intégré de rapports de domination et d'exploitation entre le centre (les pays impérialistes) et la périphérie (les pays sous-développés) provoquant chez cette dernière le développement du sous-développement.

En accumulant du capital, le capitalisme crée les conditions de son renversement. D'une part, il ne peut se développer durablement qu'en accroissant numériquement la classe ouvrière. D'autre part, plus celle-ci croît, plus peut se développer une lutte de classe pour le renverser.

La lutte des classes

La bourgeoisie vit du travail d'autrui et monopolise les fonctions de gestion et d'accumulation. Sa richesse est produite par la classe ouvrière. Entre ces deux classes, quotidiennement la lutte est engagée pour la répartition de cette richesse.

Or cette lutte des classes, qui est action, suppose que la classe ouvrière prenne conscience de ses intérêts de classe. Spontanément, la classe soumise à celle qui contrôle le surplus social, donc à celle qui contrôle la société, l'idéologie comme les appareils répressifs, n'a qu'une faible conscience de ses intérêts. Lorsque la classe ouvrière atteint une conscience de ses intérêts immédiats, elle s'organise en syndicats. Lorsqu'elle prend conscience de ses intérêts fondamentaux ou historiques, lorsqu'elle entreprend de lutter contre l'exploitation capitaliste, apparaît la conscience révolutionnaire et sa matérialisation dans l'organisation en parti révolutionnaire.

Lorsque la classe ouvrière engage une lutte économique pour le salaire et les conditions de travail, elle se bat pour empêcher que s'accroisse le taux d'exploitation et même pour obliger la bourgeoisie à l'abaisser. Une grande discussion a eu lieu pour savoir si se battre pour une augmentation de salaire n'est pas une activité parfaitement inutile. Marx a répondu dans *Salaire, prix et profit*[69] que loin d'être inutile, la lutte pour l'augmentation des salaires réels, c'est-à-dire la lutte pour l'augmentation du niveau de vie, était une lutte nécessaire pour le prolétariat. Pour Lénine, cette lutte constitue une école où la classe ouvrière fait l'apprentissage du communisme[70]. La lutte pour augmenter les salaires est nécessaire parce que la loi de la valeur fixe uniquement à la force de travail un minimum, un plancher. Et, la classe ouvrière obtient par ses luttes un salaire supérieur à ce plancher. C'est là qu'il faut éviter de tomber dans l'erreur de la fameuse loi d'airain des salaires, loi énoncée par Lasalle à la fin du XIXe siècle et contre laquelle Marx s'est battu. Cette loi, justement, estimait que le salaire était parfaitement et mécaniquement déterminé par la loi de la valeur, qu'il n'y avait pas de possibilité de l'accroître, que les accroissements des salaires n'étaient que des faux semblants, que des apparences. Marx a montré qu'augmenter le salaire au-dessus du minimum, c'était le résultat de la lutte des classes. La peur même de la lutte des classes, de la syndicalisation par exemple, peut amener un capitaliste à augmenter les salaires pour empêcher les travailleuses et les travailleurs de s'organiser. Certes, ces augmentations de salaire peuvent être reprises par des augmentations de prix. La lutte pour les salaires est une lutte constante dans le régime capitaliste. Avec les augmentations de prix, par l'inflation, le salaire réel est ramené à ce qu'il était antérieurement et peut-être même à un niveau moindre comme c'est le cas depuis 1974 au Canada.

Le profit et le salaire sont en relation inverse. Donc si le capitaliste veut à tout prix garder ses profits constants et ne veut absolument pas les voir diminuer, il doit obligatoirement augmenter ses prix, ce qui compense la hausse des salaires. On voit ici dans cette contradiction que l'enjeu de la bagarre n'est pas un problème entre prix et salaires, mais entre *salaires et profits*, c'est-à-dire entre les intérêts immédiats de la classe ouvrière et de la bourgeoisie. De toute façon, rappelons qu'au Canada, les prix augmentent depuis quinze ans, tandis que les salaires nominaux n'arrivent pas à suivre la courbe de l'inflation; donc les salaires réels, le pouvoir d'achat, baissent. C'est dire qu'il n'y a pas de lien entre les prix et les salaires, que ce lien concerne les prix et les profits.

La lutte syndicale, la lutte économique pour les intérêts immédiats, est une lutte qui met en présence la classe ouvrière et la bourgeoisie dans leur ensemble. C'est une lutte des classes dans sa forme la plus élémentaire.

Une thèse largement défendue et diffusée explique qu'il faut attendre pour augmenter les salaires que la santé de l'économie le permette. Cela veut dire qu'il faut attendre que la bourgeoisie ait accumulé avant de demander des augmentations salariales. Cela signifie que la classe ouvrière, avant de demander des hausses de salaires, doit attendre que le capitalisme se renforce. En effet, augmenter le capital, c'est augmenter l'instrument de l'exploitation. Et cette augmentation de capital ne se fait pas de façon neutre par rapport au travail. Elle se fait d'une façon telle que les bourgeois peuvent se passer de travailleurs, peuvent licencier, mettre au chômage, et par là même affaiblir la position de la classe ouvrière. Très précisément, attendre que l'économie soit en bonne santé, qu'elle soit plus compétitive, etc., cela veut dire attendre que dans le rapport de classes, l'avantage appartienne à la bourgeoisie et donc, que la classe ouvrière ne soit pas en bonne condition de force pour exiger et obtenir des hausses de salaires.

La lutte pour les salaires est une lutte nécessaire bien qu'elle ne soit qu'un élément de la lutte des classes. C'est aussi une lutte limitée. Ces limites tiennent justement à la nature des intérêts immédiats mis en cause par la lutte des classes. Si l'on considère les grands éléments de la lutte pour la satisfaction des revendications immédiates, on se rend compte que les résultats de cette lutte dépendent du rapport de forces entre le prolétariat et la bourgeoisie. Prenons par exemple, la législation du travail. Cette législation codifie par exemple la journée de huit heures. Mais pour obtenir cet avantage, la classe ouvrière a dû lutter au niveau international, lutte qui a eu son cortège de martyrs et de morts. D'autres avantages, comme l'assurance-chômage, l'assurance-maladie, etc., ont été acquis de haute lutte. Ceux-ci ne sont pas des gains définitifs. Ils sont remis en cause, connaissent un processus d'érosion, dès que le rapport de force avantage la bourgeoisie comme c'est le cas actuellement.

Les limites de la lutte syndicale viennent de ce que la lutte pour la satisfaction des revendications immédiates s'en tient aux effets du capitalisme, c'est-à-dire à l'exploitation, et non à ses causes, c'est-à-dire à l'appropriation privée des moyens de production. C'est pourquoi Marx termine son texte *Salaire, prix et profit* en écrivant : « Au lieu du mot d'ordre conservateur : un salaire équitable pour une journée de travail équitable, les ouvriers doivent inscrire sur leurs drapeaux le mot d'ordre révolutionnaire : abolition du salariat. »[71] La classe ouvrière doit passer de la lutte pour ses intérêts immédiats à la lutte pour ses intérêts fondamentaux et historiques, c'est-à-dire elle doit renverser le mode de production capitaliste.

Que la classe ouvrière ait ou non conscience de ses intérêts historiques, elle va se révolter comme elle s'est déjà révoltée contre ses conditions qui finissent par lui apparaître comme insupportables. Le devoir des socialistes, c'est de combattre consciemment pour les intérêts historiques de la classe ouvrière et de chercher à augmenter au maximum la lucidité et les chances de succès de cette révolte, de la transformer en révolution. Entre tolérer l'exploitation et l'oppression existantes et participer à l'effort d'émancipation de leurs victimes, Marx et les marxistes ont choisi d'être aux côtés de celles et ceux qui peuvent fonder un nouveau système social basé sur l'égalité sociale réelle, sans classes sociales.

Pour les fondateurs du matérialisme historique, il faut que la classe ouvrière prenne conscience de la nécessité de l'action politique pour conquérir le pouvoir et ce, en toute indépendance de la bourgeoisie et de ses partis politiques. L'organisation syndicale permanente est une forme d'organisation élémentaire indispensable à la lutte d'émancipation de la classe ouvrière. Mais c'est une forme d'organisation insuffisante. Le parti politique révolutionnaire est une forme d'organisation vitale. Sans un parti révolutionnaire, pas de révolution. La classe ouvrière ne possède aucun pouvoir dans la société capitaliste sauf celui de sa conscience, de sa mobilisation et de son organisation. C'est pourquoi Marx et Engels ont participé à la fondation de l'Association internationale des travailleurs (Première Internationale) et ont milité dans les rangs de la Ligue des communistes. Ils leur ont donné des buts qui restent toujours d'actualité : appropriation collective des grands moyens de production et d'échange ; création d'une société sans classes ; la démocratie ouvrière fondée sur l'auto-organisation du prolétariat ; l'auto-gouvernement des producteurs associés.

L'émancipation politique, économique et sociale est étroitement liée chez les marxistes. Le programme de la prise du pouvoir révolutionnaire est lié à une série de transformations économiques et sociales qui doivent permettre aux producteurs de la richesse sociale de se libérer des chaînes de la condition ouvrière, de jouir des conditions matérielles et spirituelles indispensables à l'exercice du pouvoir et au développement libre de toutes leurs capacités individuelles.

Notes

1. Voir à ce propos les textes de David Riazanov, *Marx et Engels, Conférences faites aux cours de marxisme près l'académie socialiste en 1922*, Paris, Éditions Anthropos, 1974 ; Franz Mehring, *Karl Marx, histoire de sa vie*, Paris, Éditions Sociales, 1983 ; et Ernest Mandel, *La place du marxisme dans l'Histoire*, Amsterdam, Cahiers d'études et de recherche, n° 1, 1986.
2. Vladimir I. Lénine, « Les trois sources et les trois parties constitutives du marxisme », *Œuvres*, t. 19, Paris-Moscou, Éditions du Progrès, 1967 ; voir aussi Karl Kaustky, *Les trois sources du marxisme, l'œuvre historique de Marx*, Paris, Spartacus, 1977.
3. Ernest Mandel, *op. cit.*
4. Karl Marx, « Thèses sur Feuerbach », dans Friedrich Engels, *Ludwig Feuerbach et la fin de la philosophie classique allemande*, Paris, Éditions Sociales, 1966, p. 91.
5. Voir à ce propos Michaël Löwy, « Science et révolution : objectivité et point de vue de classe dans les sciences sociales », dans *Dialectique et révolution, essais de sociologie et d'histoire du marxisme*, Paris, Éditions Anthropos, 1973, ainsi que *Paysages de la vérité. Introduction à une sociologie critique de la connaissance*, Paris, Éditions Anthropos, 1985. Nous nous appuyons largement sur ces deux excellents textes.
6. Dans Pierre Arnaud, *Politique d'Auguste Comte*, Paris, A. Collin, 1965, p. 71.
7. Émile Durkheim, *Les règles de la méthode sociologique*, Paris, PUF, 1956, pp. 15-19.
8. *Idem*, préface, p. 8.
9. A. Comte, *Cours de philosophie positive*, Paris, Société positiviste, 1894, tome IV, pp. 100-101.
10. E. Durkheim, *op. cit.*, pp. 140 et 144.
11. *Idem*, p. 31.
12. Vladimir I. Lénine, *op. cit.*, p. 13.
13. Cité dans Pierre Fougeyrollas, *Sciences sociales et marxisme*, Paris, Payot, 1979, p. 29.
14. Gaston Bouthoul, *Histoire de la sociologie*, Paris, PUF, 1975, p. 59. Voir, pour comparer, l'appréciation de Marx de Louis-Napoléon Bonaparte, dans *Le 18 Brumaire de Napoléon Bonaparte*, Paris, Éditions Sociales, 1971.
15. P. Fougeyrollas, *op. cit.*, p. 34.
16. Max Weber, *Le savant et le politique*, Paris, 10/18, 1959, pp. 80-82.
17. Voir M. Weber, *Essais sur la Théorie de la Science*, Paris, Plon, 1965.
18. Lucien Goldman, *Sciences humaines et philosophies*, Paris, Gonthier, 1966, p. 43.
19. Voir à ce propos Jean-Marie Vincent, *Fétichisme et société*, Paris, Éditions Anthropos, 1973.
20. Rosa Luxembourg, « Réforme ou révolution » dans *Œuvres I*, Paris, Maspero, 1969.
21. Voir Adam Schaff, *Histoire et vérité*, Paris, Éditions Anthropos, 1971.
22. Voir à ce propos, Perry Anderson, *Sur le marxisme occidental*, Paris, Maspero, 1977.

23. Voir mon article écrit avec la collaboration de François Moreau, « Montée et déclin du marxisme au Québec », *Critiques socialistes*, n° 1, automne 1986, pp. 101-146.
24. Karl Marx et Friedrich Engels, *Manifeste du parti communiste*, Paris, Éditions Sociales, 1976.
25. Comme défini par Marx dans *La critique du programme de Gotha*, Paris, Éditions Sociales, 1966. Voir aussi, *Démocratie socialiste et dictature du prolétariat*, résolution adoptée par le XIe Congrès de la IVe Internationale, publiée dans *Inprecor*, novembre 1979.
26. F. Engels cité dans Marx/Bakounine, *Socialisme autoritaire ou libertaire*, Paris, 10/18, 1975, p. 388.
27. Voir à ce propos, Moshe Lewin, *La grande mutation soviétique*, Paris, Éditions de Minuit, 1989 et E. Mandel, *Où va l'URSS de Gorbatchev ?*, Montreuil, Éditions La Brèche-PEC, 1989.
28. *Histoire du parti communiste (blochévik) de l'URSS*, Montréal, Librairie progressiste, 1976. Réimpression en fac-similé.
29. Voir Charles Bettelheim, *Question sur la Chine après la mort de Mao Tsé-tung* (Mao Zedong), Paris, Maspero, 1978.
30. Léon Trotsky, *La révolution trahie* et *La révolution défigurée* dans *De la révolution*, Paris, Éditions de Minuit, 1971.
31. Voir Jaurès Medvedev, *Grandeur et chute de Lyssenko*, Paris, Gallimard, 1971 et Dominique Lecourt, *Histoire réelle d'une « science prolétarienne »*, Paris, Maspero, 1976.
32. Hilary Rose et al., *L'idéologie de/dans la science*, Paris, Seuil, 1977 ; Ciccotti G. et al., *L'araignée et le tisserand. Paradigmes scientifiques et matérialisme historique*, Paris, Seuil, 1979 ; Broad W. et Wadw N., *La souris truquée. Enquête sur la fraude scientifique*, Paris, Seuil, 1987.
33. F. Engels, « Lettre à Joseph Bloch », dans Marx et Engels, *De l'État*, Moscou, Éditions du Progrès, 1986.
34. Voir E. Mandel, *La place du marxisme dans l'histoire*, *op. cit.*
35. Simone de Beauvoir, *Le deuxième sexe*, Paris, Gallimard, 1949 ainsi que Elena Gianini Belotti, *Du côté des petites filles*, Paris, Éditions des Femmes, 1977.
36. Voir à ce propos, Margaret A. Coulson, Carol Riddell, *Devenir sociologue*, Avant-propos de L. Maheu, R. Sévigny et R. Poulin, Montréal, Éditions Albert Saint-Martin, 1981.
37. K. Marx et F. Engels, *L'idéologie allemande*, Paris, Éditions Sociales, 1968, p. 46.
38. Voir à ce propos le n° 5 de la revue *Critiques socialistes*, 1er semestre 1989, qui porte sur la « Crise écologique » ainsi que le livre de J.C. Debeir, J.-P. Deléage et D. Hémery, *Les servitudes de la puissance ; une histoire de l'énergie*, Paris, Flammarion, 1986.
39. K. Marx, *Le Capital*, livre premier, tome premier, Paris, Éditions Sociales, 1974, p. 182.
40. Sur la question du passage de la communauté primitive sans classes sociales à une société fondée sur les classes, voir Ernest Mandel, *Traité d'économie marxiste*, tome 1, Paris, 10/18, 1971.
41. Sur les sociétés de transition, voir George Novack, *Understanding History, Marxist Essays*, New York, Pathfinder Press, 1974.
42. Voir Léon Trotsky, *Défense du marxisme*, Paris, EDI, 1972 et E. Mandel, *Traité d'économie marxiste*, tome 3, *op. cit.*
43. Voir Jean-Luc Dallemagne, *Construction du socialisme et révolution. Essai sur la transition du socialisme*, Paris, Maspero, 1975.
44. K. Marx, *Le Capital*, livre premier, tome III, huitième section portant sur l'accumulation primitive, Paris, Éditions Sociales, 1974.

45. Mot d'ordre du *Manifeste du parti communiste, op. cit.*
46. F. Engels, *Anti-Dürhing*, Paris, Éditions Sociales, 1973.
47. Voir George Novack, *An Introduction to the Logic of Marxism*, New York, Pathfinder Press, 1974.
48. K. Marx, *Préface à la Contribution à la critique de l'économie politique*, Moscou, Éditions du Progrès, 1975.
49. Sur l'unification italienne et ses effets migratoires, voir le premier chapitre de mon livre écrit avec C. Painchaud, *Les Italiens au Québec*, Hull, Éditions Asticou et Critiques, 1988.
50. Voir à ce propos le texte de Robert Lochhead, *Les révolutions bourgeoises*, Amsterdam, Cahiers d'étude et de recherche, n° 11/12, 1989.
51. K. Marx et F. Engels, *Manifeste du parti communiste, op. cit.*
52. *Ibidem*.
53. Sur la question de la conscience et de son analyse par les marxistes, voir Henri Weber, *Marxisme et conscience de classe*, Paris, 10/18, 1975.
54. Concepts repris de Georg Lukas, *Histoire et conscience de classe*, Paris, Éditions de Minuit, 1974.
55. L. Trotsky cité par P. Fougeyrollas, *op. cit.*, p. 176.
56. K. Marx, « Thèses sur Feuerbach », *op. cit.*
57. K. Marx et F. Engels, *Manifeste du parti communiste, op. cit.*
58. K. Marx, *Le Capital*, op. cit., livre premier, tome 1, chapitre premier.
59. Nicolas Boukharine, *La théorie du matérialisme historique*, Paris, Éditions Anthropos, 1977, chapitre VIII.
60. Note expliquative d'Engels dans le *Manifeste du parti communiste, op. cit.*
61. K. Marx, *Le 18 Brumaire de Louis Bonaparte, op. cit.*
62. Voir Pierre Clastres, *La société contre l'État*, Paris, Éditions de Minuit, 1982.
63. F. Engels, *L'origine de la famille, de la propriété privée et de l'État*, Paris, Éditions Sociales, 1972, pp. 181-182.
64. *Idem*, p. 178.
65. *Idem*, p. 180.
66. Cité par Gilberto Mathias et Pierre Salama, *L'État surdéveloppé. Des métropoles au Tiers-Monde*, Paris, La Découverte/Maspero, 1983, p. 17.
67. Sur l'État, voir les textes de K. Marx et F. Engels, *Sur l'État, op. cit.* ; V.I. Lénine, *L'État et la révolution,* Paris, Gonthier, 1969 ; Ralph Miliband, *L'État dans la société capitaliste*, Paris, Maspero, 1979 ; et E. Mandel, *Le troisième âge du capitalisme*, tome 3, Paris, 10/18, 1976.
68. V.I. Lénine, *L'impérialisme, stade suprême du capitalisme*, Moscou, Éditions du Progrès, 1971.
69. K. Marx, *Salaire, prix et profit*, Moscou, Éditions du Progrès, 1969.
70. Voir à ce propos V.I. Lénine, *Le gauchisme, maladie infantile du communisme*, Paris, 10/18, 1962.
71. K. Marx, *Salaire, prix et profit, op. cit.*

Première partie :

Sources et bases du marxisme

Vladimir Lénine

Les trois sources et les trois parties constitutives du marxisme

La doctrine de Marx suscite dans l'ensemble du monde civilisé la plus grande hostilité et la haine de toute la science bourgeoise (officielle comme libérale), qui voit dans le marxisme quelque chose comme une « secte malfaisante ». On ne peut s'attendre à une autre attitude, car dans une société fondée sur la lutte des classes, il ne saurait y avoir de science sociale « impartiale ». *Toute* la science officielle et libérale *défend*, de façon ou d'autre, l'esclavage salarié, tandis que la marxisme lui a déclaré une guerre implacable. Demander une science impartiale dans une société fondée sur l'esclavage salarié est d'une naïveté aussi puérile que de demander aux fabricants de se montrer impartiaux dans la question de savoir s'il convient de diminuer les profits du capital pour augmenter le salaire des ouvriers.

Mais ce n'est pas tout. L'histoire de la philosophie et de la science sociale montre en toute clarté que le marxisme n'a rien qui ressemble à du « sectarisme » dans le sens d'une doctrine repliée sur elle-même et ossifiée, surgie *à l'écart* de la grande voie du développement de la civilisation universelle. Au contraire, le génie de Marx est d'avoir répondu aux questions que l'humanité avancée avait déjà soulevées. Sa doctrine naquit comme la *continuation* directe et immédiate des doctrines des représentants les plus éminents de la philosophie, de l'économie politique et du socialisme.

La doctrine de Marx est toute-puissante, parce qu'elle est juste. Elle est harmonieuse et complète ; elle donne aux hommes une conception cohérente du monde, inconciliable avec toute superstition, avec toute réaction, avec toute défense de l'oppression bourgeoise. Elle est le successeur légitime de tout ce que l'humanité a créé de meilleur au XIXe siècle : la philosophie allemande, l'économie politique anglaise et le socialisme français.

C'est à ces trois sources, aux trois parties constitutives du marxisme, que nous nous arrêterons brièvement.

I

La philosophie du marxisme est le *matérialisme*. Au cours de toute l'histoire moderne de l'Europe et surtout à la fin du XVIIIe siècle, en France, où se déroulait une lutte décisive contre tout le fatras du moyen âge, contre la féodalité dans les institutions et dans les idées, le matérialisme fut l'unique philosophie conséquente, fidèle à tous les enseignements des sciences naturelles, hostile aux superstitions, cagotisme, etc. Aussi les ennemis de la démocratie s'appliquèrent-ils de toutes leurs forces à « réfuter » le matérialisme, à le discréditer, à le calomnier ; ils défendaient les diverses formes de l'idéalisme philosophique qui de toute façon se réduit toujours à la défense ou au soutien de la religion.

Marx et Engels défendirent résolument le matérialisme philosophique, et ils montrèrent maintes fois ce qu'il y avait de profondément erroné dans toutes les déviations par rapport à cette doctrine fondamentale. Leurs vues sont exposées avec le plus de clarté et de détails dans les ouvrages d'Engels : *Ludwig Feuerbach* et l'*Anti-Dühring,* qui, comme le *Manifeste du Parti communiste,* sont les livres de chevet de tout ouvrier conscient.

Mais Marx ne s'arrêta pas au matérialisme du XVIIIe siècle, il poussa la philosophie plus en avant. Il l'enrichit des acquisitions de la philosophie classique allemande, surtout du système de Hegel, lequel avait conduit à son tour au matérialisme de Feuerbach. La principale de ces acquisitions est la *dialectique,* c'est-à-dire la théorie de l'évolution, dans son aspect le plus complet, le plus profond et le plus exempt d'étroitesse, théorie de la relativité des connaissances humaines qui nous présentent l'image de la matière en perpétuel développement. Les récentes découvertes des sciences naturelles — le radium, les électrons, la transformation des éléments — ont admirablement confirmé le matérialisme dialectique de Marx, en dépit des doctrines des philosophes bourgeois et de leurs « nouveaux » retours à l'ancien idéalisme pourri.

Approfondissant et développant le matérialisme philosophique, Marx le fit aboutir à son terme logique, et il l'étendit de la connaissance de la nature à la connaissance de la *société humaine.* Le *matérialisme historique* de Marx fut la plus grande conquête de la pensée scientifique. Au chaos et à l'arbitraire qui régnaient jusque-là dans les conceptions de l'histoire et de la politique, succéda une théorie scientifique remarquablement cohérente et harmonieuse, qui montre comment, d'une forme d'organisation sociale, surgit et se développe, par suite de la croissance des forces productives, une autre forme, plus élevée, comment par exemple le capitalisme naît du féodalisme.

De même que la connaissance de l'homme reflète la nature qui existe indépendamment de lui, c'est-à-dire la matière en voie de développement, de même la *connaissance sociale* de l'homme (c'est-à-dire les différentes opinions et doctrines philosophiques, religieuses, politiques, etc.), reflètent le *régime économique* de la société. Les institutions politiques s'érigent en superstructure sur une base économique. Nous voyons, par exemple, comment les différentes formes politiques des États européens modernes servent à renforcer la domination de la bourgeoisie sur le prolétariat.

La philosophie de Marx est un matérialisme philosophique achevé, qui a donné de puissants instruments de connaissance à l'humanité et surtout à la classe ouvrière.

II

Après avoir constaté que le régime économique constitue la base sur laquelle s'érige la superstructure politique, Marx réserve essentiellement son attention à l'étude de ce régime économique. L'œuvre principale de Marx, *le Capital,* est consacrée à l'étude du régime économique de la société moderne, c'est-à-dire capitaliste.

L'économie politique classique antérieure à Marx naquit en Angleterre, le pays capitaliste le plus évolué. Adam Smith et David Ricardo, en étudiant le régime économique, marquèrent le début de la *théorie de la valeur-travail.* Marx continua leur œuvre. Il donna un fondement strictement scientifique à cette théorie et la développa de façon conséquente. Il montra que la valeur de toute marchandise est déterminée par le temps de travail socialement nécessaire à sa production.

Là où les économistes bourgeois voyaient des rapports entre objets (échange d'une marchandise contre une autre), Marx découvrit des *rapports entre hommes.* L'échange de marchandises exprime le lien établi par l'intermédiaire du marché entre les producteurs isolés. L'*argent* signifie que ce lien devient de plus en plus étroit, unissant en un tout indissoluble toute la vie économique des producteurs isolés. Le *capital* signifie le développement continu de ce lien : la force de travail de l'homme devient une marchandise. Le salarié vend sa force de travail au propriétaire de la terre, des usines, des instruments de production. L'ouvrier emploie une partie de la journée de travail à couvrir les frais de son entretien et de celui de sa famille (le salaire) ; l'autre partie à travailler gratuitement, en créant pour le capitaliste la *plus-value,* source de profit, source de richesse pour la classe capitaliste.

La théorie de la plus-value constitue la pierre angulaire de la théorie économique de Marx.

Le capital créé par le travail de l'ouvrier opprime l'ouvrier, ruine les petits patrons et crée une armée de chômeurs. Dans l'industrie, la victoire de la grosse production est visible d'emblée ;

nous observons d'ailleurs un phénomène analogue dans l'agriculture : la supériorité de la grosse exploitation agricole capitaliste s'accroît, l'emploi des machines se généralise, les exploitations paysannes voient se resserrer autour d'elles le nœud coulant du capital financier, elles déclinent et se ruinent sous le joug de leur technique arriérée. Dans l'agriculture, les formes du déclin de la petite production sont autres, mais le déclin lui-même est un fait incontestable.

Le capital qui bat la petite production conduit à augmenter la productivité du travail et à créer une situation de monopole pour les associations de gros capitalistes. La production elle-même devient de plus en plus sociale : des centaines de milliers et des millions d'ouvriers sont réunis dans un organisme économique coordonné, tandis qu'une poignée de capitalistes s'approprient le produit du travail commun. L'anarchie de la production grandit : crise, course folle à la recherche de débouchés et, de là, existence non assurée pour la masse de la population.

Tout en augmentant la dépendance des ouvriers envers le capital, le régime capitaliste crée la grande puissance du travail unifié.

Marx a suivi le développement du capitalisme depuis les premiers rudiments de l'économie marchande, l'échange simple, jusqu'à ses formes supérieures, la grande production.

Et l'expérience de tous les pays capitalistes, vieux et neufs, montre nettement d'année en année à un nombre de plus en plus grand d'ouvrier la justesse de cette doctrine de Marx.

Le capitalisme a vaincu dans le monde entier, mais cette victoire n'est que le prélude de la victoire du travail sur le capital.

III

Lorsque le régime féodal fut renversé et que la « *libre* » société capitaliste vit le jour, il apparut tout de suite que cette liberté équivalait à un nouveau système d'oppression et d'exploitation des travailleurs. Aussitôt diverses doctrines socialistes commencèrent à surgir, reflet de cette oppression et protestation contre elle. Mais le socialisme primitif était un socialisme *utopique*. Il critiquait la société capitaliste, la condamnait, la maudissait ; il rêvait de l'abolir, il imaginait un régime meilleur ; il cherchait à persuader les riches de l'immoralité de l'exploitation.

Mais le socialisme utopique ne pouvait indiquer une véritable issue. Il ne savait ni expliquer la nature de l'esclavage salarié en régime capitalisme, ni découvrir les lois de son développement, ni trouver la *force sociale* capable de devenir le créateur de la société nouvelle.

Cependant les révolutions orageuses qui accompagnèrent partout en Europe, et principalement en France, la chute de la féodalité, du servage, montraient avec toujours plus d'évidence que la *lutte de classe* est la base et la force motrice du développement.

Aucune liberté politique n'a été conquise sur la classe des féodaux sans une résistance acharnée. Aucun pays capitaliste ne s'est constitué sur une base plus ou moins libre, démocratique, sans qu'une lutte à mort n'ait mis aux prises les différentes classes de la société capitaliste.

Marx a ceci de génial qu'il fut le premier à dégager et à appliquer de façon conséquente l'enseignement que comporte l'histoire universelle. Cet enseignement, c'est la doctrine de la *lutte de classe.*

Les hommes ont toujours été et seront toujours en politique les dupes naïves des autres et d'eux-mêmes, tant qu'ils n'auront pas appris, derrière les phrases, les déclarations et les promesses morales, religieuses, politiques et sociales, à discerner les *intérêts* de telles ou telles classes. Les partisans des réformes et améliorations seront dupés par les défenseurs du vieux régime aussi longtemps qu'ils n'auront pas compris que toute vieille institution, si barbare et pourrie qu'elle paraisse, est soutenue par les forces de telles ou telles classes dominantes. Et pour briser la résistance de ces classes, il n'y a *qu'un* moyen : trouver dans la société même qui nous entoure, puis éduquer et organiser pour la lutte, les forces qui peuvent — et *doivent* de par leur situation sociale — devenir la force capable de balayer le vieux et de créer le nouveau.

Seul le matérialisme philosophique de Marx a montré au prolétariat la voie à suivre pour sortir de l'esclavage spirituel où végétaient jusque-là toutes les classes opprimées. Seule la théorie économique de Marx a expliqué la situation véritable du prolétariat dans l'ensemble du régime capitaliste.

Les organisations prolétariennes indépendantes se multiplient dans le monde entier, de l'Amérique au Japon, de la Suède à l'Afrique du Sud. Le prolétariat s'instruit et s'éduque en menant sa lutte de classe ; il s'affranchit des préjugés de la société bourgeoise, il acquiert une cohésion de plus en plus grande, il apprend à apprécier ses succès à leur juste valeur, il retrempe ses forces et grandit irrésistiblement.

(Ce texte a été écrit en 1913. Il est tiré de V. Lénine, *Œuvres,* Paris-Moscou, tome 13, pp. 13-18.)

Friedrich Engels

Socialisme utopique et socialisme scientifique

I

Par son contenu, le socialisme moderne est, avant tout, le produit de la prise de conscience, d'une part, des oppositions de classes qui règnent dans la société moderne entre possédants et non-possédants, salariés et bourgeois, d'autre part, de l'anarchie qui règne dans la production. Mais, par sa forme théorique, il apparaît au début comme une continuation plus développée et qui se veut plus conséquente, des principes établis par les grands philosophes des lumières dans la France du XVIIIe siècle. Comme toute théorie nouvelle, il a dû d'abord se rattacher au fonds d'idées préexistant, si profondément que ses racines plongent dans les faits économiques.

Les grands hommes qui, en France, ont éclairé les esprits pour la révolution qui venait, faisaient eux-mêmes figure de révolutionnaires au plus haut degré. Ils ne reconnaissaient aucune autorité extérieure, de quelque genre qu'elle fût. Religion, conception de la nature, société, organisation de l'État, tout fut soumis à la critique la plus impitoyable ; tout dut justifier son existence devant le tribunal de la raison ou renoncer à l'existence. La raison pensante fut la seule et unique mesure à appliquer à toute chose. Ce fut le temps, où, comme dit Hegel, le monde était mis sur sa tête*, en premier lieu dans ce sens que le cerveau humain et les principes découverts par sa pensée prétendaient servir de base à toute action et à toute association humaines, et, plus tard, en ce sens plus large, que la réalité en contradiction avec ces principes fut inversée en fait de

* Voici le passage sur la Révolution française : « D'un seul coup, c'était l'idée, le concept du droit qui prévalait, et contre cela le vieil échafaudage de l'injustice ne pouvait résister. C'est sur l'idée de droit qu'on a donc érigé maintenant une Constitution et c'est sur cette base que tout devait désormais reposer. Depuis que le soleil brille au firmament et que les planètes gravitent autour de lui, on n'avait pas vu encore l'homme se dresser sur la tête, c'est-à-dire sur l'idée, et construire la réalité selon l'idée. Anaxagore avait dit le premier que le Nûs, la raison, gouverne

fond en comble. Toutes les formes antérieures de société et d'État, toutes les vieilles idées traditionnelles furent déclarées déraisonnables et jetées au rebut ; le monde ne s'était jusque-là laissé conduire que par des préjugés ; tout ce qui appartenait au passé ne méritait que pitié et mépris. Enfin le jour se levait ; désormais, la superstition, l'injustice, le privilège et l'oppression devaient être balayés par la vérité éternelle, la justice éternelle, l'égalité fondée sur la nature, et les droits inaliénables de l'homme.

Nous savons aujourd'hui que ce règne de la raison n'était rien d'autre que le règne idéalisé de la bourgeoisie ; que la justice éternelle trouva sa réalisation dans la justice bourgeoise ; que l'égalité aboutit à l'égalité bourgeoise devant la loi ; que l'on proclama comme l'un des droits essentiels de l'homme... la propriété bourgeoise ; et que l'État rationnel, le contrat social de Rousseau ne vint au monde, et ne pouvait venir au monde, que sous la forme d'une République démocratique bourgeoise. Pas plus qu'aucun de leurs prédécesseurs, les grands penseurs du XVIIIe siècle ne pouvaient transgresser les barrières que leur propre époque leur avait fixées.

Mais, à côté de l'opposition entre noblesse féodale et bourgeoisie existait l'opposition universelle entre exploiteurs et exploités, riches oisifs et pauvres laborieux. Et c'est justement cette circonstance qui permit aux représentants de la bourgeoisie de se poser en représentants non pas d'une classe particulière, mais de toute l'humanité souffrante.

Il y a plus. Dès sa naissance, la bourgeoisie était grevée de son contraire : les capitalistes ne peuvent pas exister sans salariés et à mesure que le bourgeois des corporations du moyen âge devenait le bourgeois moderne, dans la même mesure le compagnon des corporations et le journalier libre devenaient le prolétaire. Et même si, dans l'ensemble, la bourgeoisie pouvait prétendre représenter également, dans la lutte contre la noblesse, les intérêts des diverses classes laborieuses de ce temps, on vit cependant, à chaque grand mouvement bourgeois, se faire jour des mouvements indépendants de la classe qui était la devancière plus ou moins développée du prolétariat moderne. Ainsi, au temps de la Réforme et de la Guerre des Paysans en Allemagne, la tendance des anabaptistes et de Thomas Münzer ; dans la grande Révolution anglaise, les niveleurs ; dans la grande Révolution française, Babeuf. À ces levées de boucliers révolutionnaires d'une classe encore embryonnaire,

---

le monde ; mais voilà que l'homme en est venu à reconnaître que l'idée doit gouverner la réalité spirituelle. Ce fut ainsi *un magnifique lever de soleil. Tous les êtres pensants se sont associés à la célébration de cette époque.* Une *émotion sublime* a régné en ce temps, *un enthousiasme de l'esprit a fait frissonner le monde entier,* comme si l'on assistait pour la première fois à la réconciliation du divin avec le monde. » (Hegel, *Philosophe de l'histoire,* 1840, p. 535.) Ne serait-il pas grand temps de mobiliser la loi antisocialiste contre le danger public que représente les doctrines révolutionnaires de feu le professeur Hegel ?

correspondaient des manifestations théoriques ; au XVIe et au XVIIe siècle, des peintures utopiques d'une société idéale ; au XVIIIe, des théories déjà franchement communistes (Morelly et Mably). La revendication de l'égalité ne se limitait plus aux droits politiques, elle devait s'étendre aussi à la situation sociale des individus ; ce n'étaient plus seulement les privilèges de classe qu'on devait supprimer, mais les différences de classes elles-mêmes.

Le premier visage de la nouvelle doctrine fut ainsi un communisme ascétique calqué sur Sparte. Puis vinrent les trois grands utopistes : Saint-Simon, chez qui la tendance bourgeoise garde encore un certain poids à côté de l'orientation prolétarienne ; Fourier et Owen : ce dernier, dans le pays de la production capitaliste la plus évoluée et sous l'impression des contradictions qu'elle engendre, développa systématiquement ses propositions d'abolition des différences de classe, en se rattachant directement au matérialisme français.

Tous trois ont ceci de commun qu'ils ne se donnent pas comme les représentants des intérêts du prolétariat que l'histoire avait engendré dans l'intervalle. Comme les philosophes de l'ère des lumières, ils veulent affranchir non une classe déterminée, mais l'humanité entière. Comme eux, ils veulent instaurer le royaume de la raison et de la justice éternelle ; mais il y a un abîme entre leur royaume et celui des philosophes des lumières. Lui aussi, le monde bourgeois, organisé d'après les principes de ces philosophes, est irrationnel et injuste, et c'est pourquoi il doit être condamné et mis dans le même sac que le féodalisme et les autres conditions sociales antérieures. Si, jusqu'ici, la raison et la justice effectives n'ont pas régné dans le monde, c'est qu'on ne les avait pas encore exactement reconnues. Il manquait précisément l'individu génial qui est venu maintenant et qui a reconnu la vérité ; qu'il soit venu maintenant, que la vérité soit reconnue juste maintenant, ce fait ne résulte pas avec nécessité de l'enchaînement du développement historique comme un événement inéluctable, c'est une simple chance. L'individu de génie aurait tout aussi bien pu naître cinq cents ans plus tôt, et il aurait épargné à l'humanité cinq cents ans d'erreur, de luttes et de souffrances.

Les philosophes français du XVIIIe siècle, eux qui préparaient la Révolution, en appelaient à la raison comme juge unique de tout ce qui existait. On devait instituer un État raisonnable, une société raisonnable ; tout ce qui contredisait la raison éternelle devait être éliminé sans pitié. Nous avons vu également que cette raison éternelle n'était en réalité rien d'autre que l'entendement idéalisé du citoyen de la classe moyenne, dont son évolution faisait justement alors un bourgeois. Or, lorsque la Révolution française eut réalisé cette société de raison et cet État de raison, les nouvelles institutions, si rationnelles qu'elles fussent par rapport aux conditions antérieures, n'apparurent pas du tout comme absolument raisonnables. L'État de raison avait fait complète faillite, le *Contrat social* de Rousseau avait trouvé sa réalisation dans l'ère de la Terreur ; et pour y échapper, la bourgeoisie, qui avait perdu la foi dans sa propre capacité politique, s'était réfugiée d'abord dans la corruption de Directoire et, finalement, sous la protection du despotisme napoléonien ; la paix éternelle qui avait été promise était convertie en une guerre de conquêtes sans fin. La société de raison n'avait pas connu un sort meilleur. L'opposition des riches et des pauvres, au lieu de se résoudre dans le bien-être général, avait été aggravée par l'élimination des privilèges corporatifs et autres qui la palliaient, et par celle des établissements de bienfaisance de l'Église qui l'adoucissaient ; l'« affranchissement de la propriété » de ses entraves féodales, une fois inscrit dans les faits, se manifestait, pour le petit bourgeois et le petit paysan, comme la liberté de vendre la petite propriété écrasée par la concurrence trop puissante du grand capital et de la grande propriété foncière, et de la vendre précisément à ces puissants seigneurs ; cet affranchissement se transformait ainsi pour le petit bourgeois et le petit paysan en affranchissement *de toute* propriété ; l'essor de l'industrie sur une base capitaliste érigea la pauvreté et la misère des masses ouvrières en condition de vie de la société. Le paiement au comptant devint de plus en plus, selon l'expression de Carlyle, le seul lien de la société. Le nombre des crimes augmenta d'année en année. Si les vices féodaux qui, autrefois, s'étalaient sans pudeur au grand jour avaient été, sinon supprimés, du moins provisoirement repoussés au second plan, les vices bourgeois, nourris jusque-là dans le secret, n'en fleurirent qu'avec plus d'exubérance. Le commerce évolua de plus en plus en escroquerie. La « fraternité » de la devise révolutionnaire se réalisa dans les chicanes et les jalousies de la concurrence. L'oppression violente fit place à la corruption ; l'épée comme premier levier de puissance sociale fit place à l'argent. Le droit de cuissage passa des seigneurs féodaux aux fabricants bourgeois. La prostitution se répandit à un degré inconnu jusqu'alors. Le mariage lui-même, qui restait comme devant une forme légalement reconnue, une couverture officielle de la prostitution, se compléta par un adultère abondant. Bref, comparées aux pompeuses promesses des philosophes des lumières, les institutions sociales et politiques établies par la « victoire de la raison » se révélèrent des caricatures amèrement décevantes. Il ne manquait plus que des hommes pour constater cette déception, et ces hommes vinrent avec le tournant du siècle. En 1802, parurent les *Lettres de Genève* de Saint-Simon ; en 1808, la première œuvre de Fourier, bien que la base de sa théorie datât déjà de 1799 ; le 1er janvier 1800, Robert Owen prit la direction de New Lanark.

Mais en ce temps, le mode de production capitaliste et, avec lui, la contradiction entre la bourgeoisie et le prolétariat étaient encore très peu développés. La grande industrie, qui venait de naître en Angleterre, était encore inconnue en France. Or, seule la grande industrie développe, d'une part, les conflits qui font d'un bouleversement du mode de production une nécessité inéluctable, — conflits non seulement entre les classes qu'elle engendre, mais encore entre les forces productives et les formes d'échange qu'elle crée ; — et, d'autre part, elle seule développe, dans ces gigantesques forces productives elles-mêmes, les moyens de résoudre aussi ces conflits. Si donc, vers 1800, les conflits issus du nouvel ordre social n'étaient encore qu'en devenir, à plus forte raison les moyens de les résoudre. Si les masses non possédantes de Paris avaient pu, pendant l'ère de la Terreur, conquérir un moment la domination et ainsi conduire à la victoire la Révolution bourgeoise *contre* la bourgeoisie elle-même, elles n'avaient fait par là que démontrer combien cette domination était impossible dans les conditions d'alors. Le prolétariat, qui commençait seulement à se détacher de ces masses non possédantes comme souche d'une nouvelle classe, tout à fait incapable encore d'une action politique indépendante, se présentait comme un ordre opprimé, souffrant, qui, dans son incapacité à s'aider lui-même, pouvait tout au plus recevoir une aide de l'extérieur, d'en haut.

Cette situation historique domina aussi les fondateurs du socialisme. À l'immaturité de la production capitaliste, à l'immaturité de la situation des classes, répondit l'immaturité des théories. La solution des problèmes sociaux, qui restait encore cachée dans les rapports économiques embryonnaires, devait jaillir du cerveau. La société ne présentait que des anomalies ; leur élimination était la mission de la raison pensante. Il s'agissait à cette fin d'inventer un nouveau système plus parfait de régime social et de l'octroyer de l'extérieur à la société, par la propagande et, si possible, par l'exemple d'expériences modèles. Ces nouveaux systèmes sociaux étaient d'avance condamnés à l'utopie. Plus ils étaient élaborés dans le détail, plus ils devaient se perdre dans la fantaisie pure.

Cela une fois établi, ne nous arrêtons pas un instant de plus à cet aspect qui appartient maintenant tout entier au passé. Que des regrattiers livresques épluchent solennellement des fantaisies qui ne sont plus aujourd'hui que divertissements ; laissons-les faire valoir la supériorité de leur esprit posé en face de telles « folies ». Nous préférons nous réjouir des germes d'idées de *génie* et des idées de génie qui percent partout sous l'enveloppe fantastique et auxquels ces philistins sont aveugles.

Saint-Simon était fils de la Révolution française ; il n'avait pas encore trente ans lorsqu'elle éclata. La Révolution était la victoire du tiers-état, c'est-à-dire de la grande masse de la nation qui était *active* dans la production et le commerce, sur les ordres privilégiés, *oisifs* jusqu'alors : la noblesse et le clergé. Mais la victoire exclusive d'une petite partie de cet ordre, comme la conquête du pouvoir politique par la couche socialement privilégiée de ce même ordre : la bourgeoisie possédante. Et, à vrai dire, cette bourgeoisie s'était encore développée rapidement pendant la Révolution en spéculant sur la propriété foncière de la noblesse et de l'Église confisquée, puis *vendue,* ainsi qu'en fraudant la nation par les fournitures aux armées. Ce fut précisément la domination de ces escrocs qui, sous le Directoire, amena la France et la Révolution au bord de la ruine et donna ainsi à Napoléon le prétexte de son coup d'État. De la sorte, dans l'esprit de Saint-Simon, l'opposition du tiers-état et des ordres privilégiés prit la forme de l'opposition entre « travailleurs » et « oisifs ». Les oisifs, ce n'étaient pas seulement les anciens privilégiés, mais aussi tous ceux qui vivaient de rentes, sans prendre part à la production et au commerce. Et les « ouvriers », ce n'étaient pas seulement les salariés, mais aussi les fabricants, les négociants, les banquiers. Il était patent que les oisifs avaient perdu la capacité de direction intellectuelle et de domination politique, et c'était définitivement confirmé par la Révolution, que les non-possédants n'eussent pas cette capacité, ce point semblait à Saint-Simon démontré par les expériences de la Terreur. Dès lors, qui devait diriger et dominer ? D'après Saint-Simon, la science et l'industrie, qu'unirait entre elles un nouveau lien religieux, destiné à restaurer l'unité des conceptions religieuses rompue depuis la Réforme, un « nouveau christianisme », nécessairement mystique et strictement hiérarchisé. Mais la science, c'était les hommes d'études, et l'industrie, c'était en première ligne les bourgeois actifs, fabricants, négociants, banquiers. Ces bourgeois devaient, certes, se transformer en une espèce de fonctionnaires publics, d'hommes de confiance de la société, mais garder cependant vis-à-vis des ouvriers une position de commandement, pourvue aussi de privilèges économiques. Les banquiers surtout devaient être appelés à régler, par la réglementation du crédit, l'ensemble de la production sociale. Cette conception correspondait tout à fait à une période où, en France, la grande industrie, et avec elle l'opposition entre bourgeoisie et prolétariat, étaient seulement en train de naître. Mais il est un point sur lequel Saint-Simon insiste tout particulièrement : partout et toujours ce qui lui importe en premier lieu, c'est le sort de « la classe la plus nombreuse et la plus pauvre ».

Déjà dans ses *Lettres de Genève,* Saint-Simon pose le principe que

> « tous les hommes travailleront »

Dans le même ouvrage, il sait déjà que la Terreur a été la domination des masses non possédantes.

> « Regardez, leur crie-t-il, ce qui est arrivé en France pendant le temps que vos camarades y ont dominé ; ils y ont fait naître la famine. »

Or, concevoir la Révolution française comme une lutte de classe entre la noblesse, la bourgeoisie et les non-possédants était, en 1802, une découverte des plus géniales. En 1816, il proclame la politique science de la production et il prédit la résorption entière de la politique dans l'*économie*. Si l'idée que la situation économique est la base des institutions politiques n'apparaît ici qu'en germe, le passage du gouvernement politique des hommes à une administration des choses et à une direction des opérations de production, donc l'abolition de l'État, dont on a fait dernièrement tant de bruit, se trouve déjà clairement énoncée ici. C'est avec la même supériorité sur ses contemporains qu'il proclame, en 1814, immédiatement après l'entrée des Alliés à Paris*, et encore en 1815, pendant la guerre des Cent-Jours, l'alliance de la France avec l'Angleterre et en deuxième ligne, celle de ces deux pays avec l'Allemagne comme la seule garantie du développement prospère et de la paix pour l'Europe. Prêcher aux Français de 1815 l'alliance avec les vainqueurs de Waterloo exigeait certes autant de courage que de sens de la perspective historique.

Si nous trouvons chez Saint-Simon une largeur de vues géniale qui fait que presque toutes les idées non strictement économiques des socialistes postérieurs sont contenues en germe chez lui, nous trouvons chez Fourier une critique des conditions sociales existantes qui, pour être faite avec une verve toute française, n'en est pas moins pénétrante. Fourier prend au mot la bourgeoisie, ses prophètes enthousiastes d'avant la Révolution et ses flagorneurs intéressés d'après. Il dévoile sans pitié la misère matérielle et morale du monde bourgeois et il la confronte avec les promesses flatteuses des philosophes des lumières, sur la société où devait régner la raison seule, sur la civilisation apportant le bonheur universel, sur la perfectibilité illimitée de l'homme, aussi bien qu'avec les expressions couleur de rose des idéologues bourgeois, ses contemporains ; il démontre comment, partout, la réalité la plus lamentable correspond à la phraséologie la plus *grandiloquente* et il déverse son ironie mordante sur ce fiasco irrémédiable de la phrase. Fourier n'est pas seulement un critique ; sa nature éternellement enjouée fait de lui un satirique, et un des plus grands satiriques de tous les temps. Il peint avec autant de maestria que l'agrément la folle spéculation qui fleurit au déclin de la Révolution ainsi que l'esprit boutiquier universellement répandu dans le commerce français de ce temps. Plus magistrale encore est la critique qu'il fait du tour donné par la bourgeoisie aux relations sexuelles et de la position de la femme dans la société bourgeoise. Il est le premier à énoncer que, dans une société donnée, le degré d'émancipation de la femme est la mesure naturelle de l'émancipation générale. Mais là où il apparaît le plus grand, c'est dans sa conception de l'histoire de la société. Il divise toute son évolution passée en quatre phases : *sauvagerie, barbarie, patriarcat, civilisation,* laquelle coïncide avec ce qu'on appelle maintenant la société bourgeoise, et il démontre

---

* Le 13 mars 1814.

« que l'ordre civilisé donne à chacun des vices auxquels la barbarie se livre avec simplicité, une forme complexe, ambiguë et hypocrite » ;

que la civilisation se meut dans un « cercle vicieux », dans des contradictions qu'elle reproduit sans cesse, sans pouvoir les surmonter, de sorte qu'elle atteint toujours le contraire de ce qu'elle veut obtenir ou prétend vouloir obtenir ; de sorte que, par exemple

«la pauvreté naît en civilisation de l'abondance même»

Fourier, comme on le voit, manie la dialectique avec la même maîtrise que son contemporain Hegel. Avec une égale dialectique, il fait ressortir que, contrairement au bavardage sur la perfectibilité indéfinie de l'homme, toute phase historique a sa branche ascendante, mais aussi sa branche descendante, et il applique aussi cette conception à l'avenir de l'humanité dans son ensemble. De même que Kant a introduit la fin à venir de la terre dans la science de la nature, Fourier introduit dans l'étude de l'histoire la fin à venir de l'humanité.

Tandis qu'en France l'ouragan de la Révolution balayait le pays, un bouleversement plus silencieux, mais non moins puissant, s'accomplissait en Angleterre. La vapeur et le machinisme nouveau transformèrent la manufacture en grande industrie moderne et révolutionnèrent ainsi tout le fondement de la société bourgeoise. La marche somnolente de la période manufacturière se transforma en une période d'ardeur irrésistible de la production. À une vitesse constamment accrue s'opéra la division de la société en grands capitalistes et en prolétaires non possédants, entre lesquels, au lieu de la classe moyenne stable d'autrefois, une masse mouvante d'artisans et de petits commerçants avaient maintenant une existence mal assurée, en formant la partie la plus fluctuante de la population. Le nouveau mode de production n'était encore qu'au début de sa branche ascendante ; il était encore le mode de production normal, le seul possible dans ces circonstances. Mais déjà il engendrait des anomalies sociales criantes : agglomération d'une population déracinée dans les pires taudis des grandes villes, — dissolution de tous les liens traditionnels de filiation, de subordination patriarcale dans la famille, — surtravail, surtout pour les femmes et les enfants, à une échelle épouvantable, — démoralisation massive de la classe travailleuse jetée brusquement dans des conditions tout à fait nouvelles, passant de la campagne à la ville, de l'agriculture à l'industrie, de conditions stables dans des conditions précaires qui changeaient chaque jour. C'est alors qu'apparut en réformateur un fabricant de vingt-neuf ans, homme d'une simplicité de caractère enfantine qui allait jusqu'au sublime et, en même temps, conducteur-né pour les hommes comme il n'y en a pas beaucoup. Robert Owen s'était assimilé la doctrine des philosophes matérialistes de l'ère des lumières, selon laquelle le caractère de l'homme est le produit, d'une part, de son organisation native et, d'autre part, des circonstances qui entourent l'homme durant sa vie, mais surtout pendant la période où il se forme. Dans la révolution industrielle, la plupart des hommes de son groupe social ne voyaient que confusion et chaos, où il faisait bon pêcher en eau trouble et s'enrichir rapidement. Il y vit l'occasion d'appliquer sa thèse favorite et de mettre par là de l'ordre dans le chaos. Il s'y était déjà essayé avec succès à Manchester, comme dirigeant des 500 ouvriers d'une fabrique ; de 1800 à 1829, il régit comme associé gérant la grande filature de coton de New Lanark en Écosse et il le fit dans le même esprit, mais avec une plus grande liberté d'action et un succès qui lui valut une réputation européenne. Une population qui monta peu à peu jusqu'à 2 500 âmes et se composait à l'origine des éléments les plus mêlés, pour la plupart fortement démoralisés, fut transformée par lui en une parfaite colonie modèle où ivrognerie, police, justice pénale, procès, assistance publique et besoin de charité étaient choses inconnues.

Et cela tout simplement en plaçant les gens dans des circonstances plus dignes de l'homme, et surtout en faisant donner une éducation soignée à la génération grandissante. Il fut l'inventeur des écoles maternelles et le premier à les introduire. Dès l'âge de deux ans, les enfants allaient à l'école, où ils s'amusaient tellement qu'on avait peine à les ramener à la maison. Tandis que ses concurrents travaillaient de treize à quatorze heures par jour, on en travaillait à New Lanark que dix heures et demie. Lorsqu'une crise de coton arrêta le travail pendant quatre mois, les ouvriers chômeurs continuèrent à toucher leur salaire entier. Ce qui n'empêcha pas l'établissement d'augmenter en valeur de plus du double et de donner jusqu'au bout de gros bénéfices aux propriétaires.

Mais tout cela ne satisfait pas Owen. L'existence qu'il avait faite à ses ouvriers était, à ses yeux, loin encore d'être digne de l'homme ;

« les gens étaient mes esclaves » :

Les circonstances relativement favorables dans lesquelles il les avait placés, étaient encore loin de permettre un développement complet et rationnel du caractère et de l'intelligence, et encore moins une libre activité vitale.

> « Et, partant, la partie laborieuse de ces 2 500 hommes produisait autant de richesse réelle pour la société qu'à peine un demi-siècle auparavant une population de 600 000 âmes pouvait en produire. Je me demandais : qu'advient-il de la différence entre la richesse consommée par 2 500 personnes et celle qu'il aurait fallu pour la consommation des 600 000 ? »

La réponse était claire. La richesse avait été employée à assurer aux propriétaires de l'établissement 5 % d'intérêt sur leur mise de fonds et, en outre, un bénéfice de plus de 300 000 livres sterling

(6 millions de marks). Et ce qui était vrai pour New Lanark l'était à plus forte raison pour toutes les fabriques d'Angleterre.

> « Sans cette nouvelle richesse créée par les machines, on n'aurait pas pu mener à bonne fin les guerres pour renverser Napoléon et maintenir les principes aristocratiques de la société. Et pourtant, cette puissance nouvelle était la création de la classe ouvrière »*.

C'est donc à elle qu'en revenaient les fruits. Les forces de production nouvelles et puissantes, qui n'avaient servi jusque-là qu'à l'enrichissement de quelques-uns et à l'asservissement des masses, offraient pour Owen la base d'une réorganisation sociale et étaient destinées à ne travailler que pour le bien-être commun, comme propriété commune de tous.

C'est de cette pure réflexion de l'homme d'affaires, comme fruit pour ainsi dire du calcul commercial, que naquit le communisme owenien. Il conserve toujours ce même caractère tourné vers la pratique. C'est ainsi qu'en 1823, Owen, proposant de remédier à la misère de l'Irlande par des colonies communistes, joignit à son projet un devis complet des frais d'établissement, des dépenses annuelles et des gains prévisibles. Ainsi encore, dans son plan définitif d'avenir, l'élaboration technique des détails est faite avec une telle compétence que, une fois admise la méthode de réforme sociale d'Owen, il y a peu de chose à dire contre le détail de l'organisation, même du point de vue technique.

Le passage au communisme fut le tournant de la vie d'Owen. Tant qu'il s'était contenté du rôle de philanthrope, il n'avait récolté que richesse, approbation, honneur et renommée. Il était l'homme le plus populaire d'Europe ; non seulement ses collègues, mais aussi des hommes d'État et des princes l'écoutaient et l'approuvaient. Mais lorsqu'il se présenta avec ses théories communistes, tout changea. Il y avait trois grands obstacles qui semblaient lui barrer surtout la route de la réforme sociale : la propriété privée, la religion et la forme actuelle du mariage. Il savait ce qui l'attendait s'il les attaquait : universelle mise au ban de la société officielle, perte de toute sa situation sociale. Mais il ne se laissa pas détourner de les attaquer sans ménagement, et il arriva ce qu'il avait prévu. Banni de la société officielle, enseveli sous la conspiration du silence de la presse, ruiné par ses expériences communistes manquées en Amérique, expériences dans lesquelles il avait sacrifié toute sa fortune, il se tourna directement vers la classe ouvrière et continua trente ans encore d'agir dans son sein. Tous les mouvements sociaux, tous les progrès réels qui furent menés à bien en Angleterre dans l'intérêt

* Ces citations sont extraites de *The Revolution in the Mind and Practice*, mémoire adressé à tous les « républicains rouges, communistes et socialistes d'Europe », au gouvernement provisoire français de 1848, ainsi qu'à « la reine Victoria et à ses conseillers responsables ».

des travailleurs se rattachent au nom d'Owen. C'est ainsi qu'après cinq ans d'efforts, il fit passer en 1819 la première loi limitant le travail des femmes et des enfants dans les fabriques. C'est ainsi qu'il présida le premier congrès au cours duquel les trade-unions de toute l'Angleterre s'assemblèrent en une seule grande association syndicale. C'est ainsi qu'il introduisit, comme mesure de transition menant à une organisation entièrement communiste de la société, d'une part, les sociétés coopératives (coopératives de consommation et de production), qui, depuis, ont au moins fourni la preuve pratique que le marchand ainsi que le fabricant sont des personnages dont on peut très bien se passer ; d'autre part, les *bazars du travail,* établissements pour l'échange de produits du travail au moyen d'une monnaie-papier du travail, dont l'unité était constituée par l'heure de travail ; ces établissements, nécessairement voués à l'échec, étaient une anticipation complète de la *banque d'échange* que Proudhon devait instituer bien plus tard, et ne s'en distinguaient que par le fait qu'ils ne représentaient pas la panacée des maux sociaux, mais seulement un premier pas vers une transformation de la société.

La manière de voir des utopistes a longtemps dominé les idées socialistes du XIXe siècle et les domine encore en partie. Elle était encore, il y peu de temps, celle de tous les socialistes anglais et français ; c'est à elle que se rattachent les premiers socialistes allemands, Weitling compris. Le socialisme est l'expression de la vérité, de la raison et de la justice absolues, et il suffit qu'on le découvre pour qu'il conquière le monde par la vertu de sa propre force ; comme la vérité absolue est indépendante du temps, de l'espace et du développement de l'histoire humaine, la date et le lieu de sa découverte sont un pur hasard. Cela étant, la vérité, la raison et la justice absolues redeviennent différentes avec chaque fondateur d'école ; et comme l'espèce de vérité, de raison et de justice absolues qui est particulière à chacun d'eux dépend de son entendement subjectif, de ses conditions de vie, du degré de ses connaissances et de la formation de sa pensée, la seule solution possible à ce conflit de vérités absolues, c'est qu'elles s'usent l'une contre l'autre. Rien d'autre ne pouvait sortir de là qu'une espèce de socialisme éclectique moyen, comme celui qui règne, aujourd'hui encore, en fait dans l'esprit de la plupart des ouvriers socialistes de France et d'Angleterre : un mélange, admettant la plus grande variété de nuances, où entrent, dans ce qu'elles ont de moins insolite, les observations critiques des divers fondateurs de secte, leurs thèses économiques et leurs peintures de la société future ; et ce mélange s'opère d'autant plus facilement que, dans chaque élément composant, les arêtes vives de la précision ont été émoussées au fil des débats comme les galets au fil du ruisseau. Pour faire du socialisme une science, il fallait d'abord le placer sur un terrain réel.

II

Cependant, à côté et à la suite de la philosophie française du XVIIIe siècle, la philosophie allemande moderne était née et avait trouvé son achèvement en Hegel. Son plus grand mérite fut de revenir à la *dialectique* comme à la forme suprême de la pensée. Les philosophes grecs de l'antiquité étaient tous dialecticiens par naissance, par excellence de nature, et l'esprit le plus encyclopédique d'entre eux, Aristote, a déjà étudié les formes les plus essentielles de la pensée dialectique. La philosophie moderne, par contre, bien que la dialectique y eût aussi de brillants représentants (par exemple Descartes et Spinoza), s'était de plus en plus embourbée, surtout sous l'influence anglaise, dans le mode de pensée dit métaphysique, qui domine aussi presque sans exception les Français du XVIIIe siècle, du moins dans leurs œuvres spécialement philosophiques. En dehors de la philosophie proprement dite, ils étaient néanmoins en mesure de produire des chefs-d'œuvre de dialectique ; nous rappellerons seulement *Le Neveu de Rameau* de Diderot et le *Discours sur l'origine et les fondements de l'inégalité parmi les hommes* de Rousseau. Indiquons ici, brièvement, l'essentiel des deux méthodes ; nous y reviendrons encore dans le détail.

Lorsque nous soumettons à l'examen de la pensée la nature ou l'histoire humaine ou notre propre activité mentale, ce qui s'offre d'abord à nous, c'est le tableau d'un enchevêtrement infini de relations et d'actions réciproques, où rien ne reste ce qu'il était, là où il était et comme il était, mais où tout se meut, change devient et périt. Nous voyons donc d'abord le tableau d'ensemble, dans lequel les détails s'effacent encore plus ou moins ; nous prêtons plus d'attention au mouvement, aux passages de l'un à l'autre, aux enchaînements qu'à *ce qui* se meut, passe et s'en chaîne. Cette manière primitive, naïve, mais correcte quant au fond, d'envisager le monde est celle des philosophes grecs de l'antiquité, et le premier à la formuler clairement fut Héraclite : *Tout est et n'est pas* car tout est *fluent,* tout est sans cesse en train de se transformer, de devenir et de périr. Mais cette manière de voir, si correctement qu'elle saisisse le caractère général du tableau que présente l'ensemble des phénomènes, ne suffit pourtant pas à expliquer les détails dont ce tableau d'ensemble se compose ; et tant que nous ne sommes pas capables de les expliquer, nous n'avons pas non plus une idée nette du tableau d'ensemble. Pour reconnaître ces détails, nous sommes obligés de les détacher de leur enchaînement naturel ou historique et de les étudier individuellement dans leurs qualités, leurs causes et leurs effets particuliers, etc. C'est au premier chef la tâche de la science de la nature et de la recherche historique, branches d'investigation qui, pour d'excellentes raisons, ne prenaient chez les Grecs de la période classique qu'une place subordonnée puisque les Grecs avaient auparavant à rassembler les matériaux. Il faut d'abord avoir réuni, jusqu'à un certain point, des données naturelles et historiques pour pouvoir passer au dépouillement critique, à la composition ou à la division en classes, ordres et genres.

Les rudiments de la science exacte de la nature ne sont développés que par les Grecs de la période alexandrine, et plus tard, au moyen âge, par les Arabes ; encore, une science effective de la nature ne se rencontre-t-elle que dans la deuxième moitié du XVe siècle, date depuis laquelle elle a progressé à une vitesse sans cesse croissante. La décomposition de la nature en ses parties singulières, la séparation des divers processus et objets naturels en classes déterminées, l'étude de la constitution interne des corps organiques dans la variété de leurs aspects anatomiques, telles étaient les conditions fondamentales des progrès gigantesques que les quatre derniers siècles nous ont apportés dans la connaissance de la nature. Mais cette méthode nous a également légué l'habitude d'appréhender les objets et les processus naturels dans leur isolement, en dehors de la grande connexion d'ensemble, par conséquent non dans leur mouvement, mais dans leur repos ; comme des éléments non essentiellement variables, mais fixes ; non dans leur vie, mais dans leur mort. Et quand, grâce à Bacon et à Locke, cette manière de voir passa de la science de la nature à la philosophie, elle produisit l'étroitesse d'esprit spécifique des derniers siècles, le mode de pensée métaphysique.

Pour le métaphysicien, les choses et leurs reflets dans la pensée, les *concepts,* sont des objets d'étude isolés, à considérer l'un après l'autre et l'un sans l'autre, fixes, rigides, donnés une fois pour toutes. Il ne pense que par antithèses sans moyen terme : il dit oui, oui, non, non ; ce qui va au-delà ne vaut rien. Pour lui, ou bien une chose existe, ou bien elle n'existe pas ; une chose ne peut pas non plus être à la fois elle-même et une autre. Le positif et le négatif s'excluent absolument ; la cause et l'effet s'opposent de façon tout aussi rigide.

Si ce mode de penser nous paraît au premier abord tout à fait plausible, c'est qu'il est celui de ce qu'on appelle le *bon sens.* Mais si respectable que soit ce compagnon tant qu'il reste cantonné dans le domaine prosaïque de ses quatre murs, le bon sens connaît des aventures tout à fait étonnantes dès qu'il se risque dans le vaste monde de la recherche, et la manière de voir métaphysique, si justifiée et si nécessaire soit-elle dans de vastes domaines dont l'étendue varie selon la nature de l'objet, se heurte toujours, tôt ou tard, à une barrière au-delà de laquelle elle devient étroite, bornée, abstraite, et se perd en contradictions insolubles : la raison en est que, devant les objets singuliers, elle oublie leur enchaînement ; devant leur être, leur devenir et leur périr ; devant leur repos, leur mouvement ; les arbres l'empêchent de voir la forêt.

Pour les besoins de tous les jours, nous savons, par exemple, et nous pouvons dire avec certitude, si un animal existe ou non ; mais une étude plus précise nous fait trouver que ce problème est parfois des plus embrouillés, et les juristes le savent très bien, qui se sont évertués en vain à découvrir la limite rationnelle à partir de laquelle tuer un enfant dans le sein de sa mère est un meurtre ; et il est tout aussi impossible de constater le moment de la mort, car la physiologie démontre que la mort n'est pas un événement unique et instantané, mais un processus de très longue durée. Pareillement, tout être organique est, à chaque instant, le même et non le même ; à chaque instant, il assimile des matières étrangères et en élimine d'autres ; à chaque instant des cellules de son corps dépérissent et d'autres se forment ; au bout d'un temps plus ou moins long, la substance de ce corps s'est totalement renouvelée, elle a été remplacée par d'autres atomes de matière de sorte que tout être organisé est constamment le même et cependant un autre. À considérer les choses d'un peu près, nous trouvons encore que les deux pôles d'une contradiction, comme positif et négatif, sont tout aussi inséparables qu'opposés et qu'en dépit de toute leur valeur d'antithèse, ils se pénètrent mutuellement ; pareillement, que cause et effet sont des représentations qui ne valent comme telles qu'appliquées à un cas particulier, mais que, dès que nous considérons ce cas particulier dans sa connexion générale avec l'ensemble du monde, elles se fondent, elles se résolvent dans la vue de l'universelle action réciproque, où causes et effets permutent continuellement, où ce qui était effet maintenant ou ici, devient cause ailleurs ou ensuite et *vice versa*.

Tous ces processus, toutes ces méthodes de pensée n'entrent pas dans le cadre de la pensée métaphysique. Pour la dialectique, par contre, qui appréhende les choses et leurs effets conceptuels essentiellement dans leur connexion, leur enchaînement, leur mouvement, leur naissance et leur fin, les processus mentionnés plus haut sont autant de vérifications du comportement qui lui est propre. La nature est le banc d'essai de la dialectique et nous devons dire à l'honneur de la science moderne de la nature qu'elle a fourni pour ce banc d'essai une riche moisson de faits qui s'accroît tous les jours, en prouvant ainsi que dans la nature les choses se passent, en dernière analyse, dialectiquement et non métaphysiquement, que la nature ne se meut pas dans l'éternelle monotonie d'un cycle sans cesse répété, mais parcourt une histoire effective. Avant tout autre, il faut citer ici Darwin, qui a porté le coup le plus puissant à la conception métaphysique de la nature en démontrant que toute la nature organique actuelle, les plantes, les animaux et, par conséquent, l'homme aussi, est le produit d'un processus d'évolution qui s'est poursuivi pendant des millions d'années. Mais comme jusqu'ici on peut compter les savants qui ont appris à penser dialectiquement, le conflit entre les résultats découverts et le mode de pensée traditionnel explique l'énorme confusion qui règne actuellement dans la théorie des sciences de la nature et qui met au désespoir maîtres et élèves, auteurs et lecteurs.

Une représentation exacte de l'univers, de son évolution et de celle de l'humanité, ainsi que du reflet de cette évolution dans le cerveau des hommes, ne peut donc se faire que par voie dialectique, en tenant constamment compte des actions réciproques universelles du devenir et du finir, des changements progressifs et régressifs. Et c'est dans ce sens que s'est immédiatement affirmée la philosophie allemande moderne. Kant a commencé sa carrière en résolvant le système solaire stable de Newton et sa durée éternelle — une fois donné le fameux choc initial — en un processus historique : la naissance du soleil et de toutes les planètes à partir d'une masse nébuleuse en rotation. Et il en tirait déjà cette conclusion qu'étant donné qu'il était né, le système solaire devait nécessairement mourir un jour. Cette vue, un demi-siècle plus tard, a été confirmée mathématiquement par Laplace et, un siècle après, le spectroscope a démontré l'existence dans l'univers de semblables masses gazeuses incandescentes à différents degrés de condensation.

Cette philosophie allemande moderne a trouvé sa conclusion dans le système de Hegel, dans lequel, pour la première fois — et c'est son grand mérite — le monde entier de la nature, de l'histoire et de l'esprit était représenté comme un processus, c'est-à-dire comme étant engagé dans un mouvement, un changement, une transformation et une évolution constants, et où l'on tentait de démontrer l'enchaînement interne de ce mouvement et de cette évolution. De ce point de vue, l'histoire de l'humanité n'apparaissait plus comme un enchevêtrement chaotique de violences absurdes, toutes également condamnables devant le tribunal de la raison philosophique arrivée à maturité et qu'il est préférable d'oublier aussi rapidement que possible, mais comme le processus évolutif de l'humanité lui-même ; et la pensée avait maintenant pour tâche d'en suivre la lente marche progressive à travers tous ses détours et d'en démontrer la logique interne à travers toutes les contingences apparentes.

Que Hegel n'ait par résolu ce problème, cela importe peu ici. Son mérite, qui fait époque, est de l'avoir posé. Ce problème est précisément de ceux qu'aucun individu à lui seul ne pourra jamais résoudre. Bien que Hegel fût — avec Saint-Simon — la tête la plus encyclopédique de son temps, il était tout de même limité, d'abord par l'étendue nécessairement restreinte de ses propres connaissances, ensuite par l'étendue et la profondeur également restreintes des connaissances et des vues de son époque. Mais il faut tenir compte encore d'une troisième circonstance. Hegel était idéaliste, ce qui veut dire qu'au lieu de considérer les idées de son esprit comme les reflets plus ou moins abstraits des choses et des processus réels, il considérait à l'inverse les objets et leur développement comme de simples copies réalisées de l'« Idée » existant on ne sait où dès avant le monde. De ce fait, tout était mis sur la tête et l'enchaînement réel du monde entièrement inversé. Et bien que Hegel eût appréhendé mainte relation particulière avec tant de justesse et de génie, les raisons indiquées rendaient inévitable que le détail aussi tourne souvent au ravaudage, à l'artifice, à la construction, bref, à la perversion du vrai. Le système de Hegel comme tel a été un colossal avortement — bien que le dernier du genre. En effet, ne souffrait-il pas toujours d'une contradiction interne incurable ? D'une part, son postulat essentiel était la conception historique selon laquelle l'histoire de l'humanité est un processus évolutif qui, par nature, ne peut trouver sa conclusion intellectuelle dans la découverte d'une prétendue vérité absolue ; mais d'autre part, il prétend être précisément la somme de cette vérité absolue. Un système de connaissance de la nature et de l'histoire embrassant tout et arrêté une fois pour toutes est en contradiction avec les lois fondamentales de la pensée dialectique ; ce qui toutefois n'exclut nullement, mais implique, au contraire, que la connaissance systématique de l'ensemble du monde extérieur puisse marcher à pas de géant de génération en génération.

Une fois démêlée la totale perversion caractéristique de l'idéalisme allemand du passé, il fallait forcément revenir au matérialisme, mais — notons-le — non pas au matérialisme, purement métaphysique, exclusivement mécanique du XVIIIe siècle. En face de la condamnation pure et simple, naïvement révolutionnaire de toute l'histoire antérieure, le matérialisme moderne voit, dans l'histoire, le processus d'évolution de l'humanité, et sa tâche est de découvrir ses lois motrices. En face de la représentation de la nature qui régnait tant chez les Français du XVIIIe siècle que chez Hegel, et qui en faisait un tout restant semblable à lui-même et se mouvant en cycles étroits, avec des corps célestes éternels, ainsi que l'enseigne Newton, et des espèces organiques immuables, ainsi que l'enseigne Linné, le matérialisme moderne synthétise, au contraire, les progrès modernes de la science de la nature, d'après lesquels la nature, elle aussi, a son histoire dans le temps ; les corps célestes, commes les espèces vivantes susceptibles d'y vivre dans des circonstances favorables, naissent et périssent, et les cycles de révolution, dans la mesure où on peut les admettre, prennent des dimensions infiniment plus grandioses. Dans les deux cas, il est essentiellement dialectique et n'a que faire d'une philosophie placée au-dessus des autres sciences. Dès lors que chaque science spéciale est invitée à se rendre un compte exact de la place qu'elle occupe dans l'enchaînement général des choses et de la connaissance des choses, toute science particulière de l'enchaînement général devient superflue. De toute l'ancienne philosophie, il ne reste plus alors à l'état indépendant, que la doctrine de la pensée et de ses lois, la logique formelle et la dialectique. Tout le reste se résout dans la science positive de la nature et de l'histoire.

Mais tandis que le revirement dans la conception de la nature ne pouvait s'accomplir que dans la mesure où la recherche fournissait la quantité correspondante de connaissances positives, des faits historiques s'étaient déjà imposés beaucoup plus tôt, qui amenèrent un tournant décisif dans la conception de l'histoire. En 1831 avait eu lieu à Lyon la première insurrection ouvrière ; de 1838 à 1842, le premier mouvement ouvrier national, celui des *chartistes* anglais, atteignait son point culminant. La lutte de classe entre prolétariat et la bourgeoisie passait au premier plan de l'histoire des pays les plus avancés d'Europe, proportionnellement au développement de la grande industrie d'une part, de la domination politique nouvellement conquise par la bourgeoisie d'autre part. Les enseignements de l'économie bourgeoise sur l'identité des intérêts du capital et du travail, sur l'harmonie universelle et la prospérité universelle résultant de la libre concurrence, étaient démentis de façon de plus en plus brutale par les faits. Il n'était plus possible de réfuter tous ces faits, pas plus que le socialisme français et anglais qui, malgré toutes ses imperfections, en était l'expression théorique. Mais l'ancienne conception idéaliste de l'histoire qui n'était pas encore refoulée, ne connaissait pas de luttes de classe reposant sur des intérêts matériels, ni même, en général, d'intérêts matériels ; la production et toutes les relations économiques n'y apparaissaient qu'à titre accessoire, comme éléments secondaires de l'« histoire de la civilisation ».

Les faits nouveaux obligèrent à soumettre toute l'histoire du passé à un nouvel examen et il apparut que *toute* histoire passée était l'histoire de luttes de classes, que ces classes sociales en lutte l'une contre l'autre sont toujours des produits des rapports de production et d'échange, en un mot des rapports *économiques* de leur époque ; que, par conséquent, la structure économique de la société constitue chaque fois la base réelle qui permet, en dernière analyse, d'expliquer toute la superstructure des institutions juridiques et politiques, aussi bien que des idées religieuses, philosophiques et autres de chaque période historique. Ainsi l'idéalisme était chassé de son dernier refuge, la conception de l'histoire ; une conception matérialiste de l'histoire était donnée et la voie était trouvée pour expliquer la conscience des hommes en partant de leur être, au lieu d'expliquer leur être en partant de leur conscience, comme on l'avait fait jusqu'alors.

En conséquence, le socialisme n'apparaissait plus maintenant comme une découverte fortuite de tel ou tel esprit de génie, mais comme le produit nécessaire de la lutte de deux classes produites par l'histoire, le prolétariat et la bourgeoisie. Sa tâche ne consistait plus à fabriquer un système social aussi parfait que possible, mais à étudier le développement historique de l'économie qui avait engendré d'une façon nécessaire ces classes et leur antagonisme, et à découvrir dans la situation économique ainsi créée les moyens de résoudre le conflit.

Mais le socialisme antérieur était aussi incompatible avec cette conception matérialiste de l'histoire que la conception de la nature du matérialisme français l'était avec la dialectique et la science moderne de la nature. Certes, le socialisme antérieur critiquait le mode de production capitaliste existant et ses conséquences, mais il ne pouvait pas l'expliquer, ni par conséquent en venir à bout ; il ne pouvait que le rejeter purement et simplement comme mauvais. Plus il s'emportait avec violence contre l'exploitation de la classe ouvrière qui en est inséparable, moins il était en mesure d'indiquer avec netteté en quoi consiste cette exploitation et quelle en est la source.

Le problème était, d'une part, de représenter ce mode de production capitaliste dans sa connexion historique et sa nécessité pour une période déterminée de l'histoire, avec par conséquent la nécessité de sa chute, d'autre part, de mettre à nu aussi son caractère interne encore caché, la critique s'étant jusque-là jetée plutôt sur ses conséquences mauvaises que sur sa marche même.

C'est ce que fit la découverte de la *plus-value*. Il fut prouvé que l'appropriation de travail non payé est la forme fondamentale du mode de production capitaliste et de l'exploitation de l'ouvrier qui en résulte ; que même lorsque le capitalisme paie la *force de travail* de son ouvrier à la pleine valeur qu'elle a sur le marché en tant que marchandise, il en tire pourtant plus de valeur qu'il n'en a payé pour elle ; et que cette plus-value constitue, en dernière analyse, la somme de valeur d'où provient la masse de capital sans cesse croissante accumulée entre les mains des classes possédantes. La marche de la production capitaliste, aussi bien que de la production de capital, se trouvait expliquée.

Ces deux grandes découvertes : la *conception matérialiste de l'histoire* et la révélation du mystère de la production capitaliste au moyen de la *plus-value*, nous les devons à *Marx*. C'est grâce à elles que le socialisme est devenu une science, qu'il s'agit maintenant d'élaborer dans tous ses détails.

III

La conception matérialiste de l'histoire part de la thèse que la production, et après la production, l'échange de ses produits, constitue le fondement de tout régime social, que dans toute société qui apparaît dans l'histoire, la répartition des produits, et, avec elle, l'articulation sociale en classes ou en ordres se règle sur ce qui est produit et sur la façon dont cela est produit ainsi que sur la façon dont on échange les choses produites. En conséquence, ce n'est pas dans la tête des hommes, dans leur compréhension croissante de la vérité et de la justice éternelles, mais dans les modifications du mode de production et d'échange qu'il faut chercher les causes dernières de toutes les modifications sociales et de tous les bouleversements politiques ; il faut les chercher non dans la *philosophie*, mais dans l'*économie* de l'époque intéressée. Si l'on s'éveille à la compréhension que les institutions sociales existantes sont déraisonnables et injustes, que la raison est devenue sottise et le bienfait fléau*, ce n'est là qu'un indice qu'il s'est opéré en secret dans les méthodes de production et les formes d'échange des transformations avec lesquelles ne cadre plus le régime social adapté à des conditions économiques plus anciennes. Cela signifie, en même temps, que les moyens d'éliminer les anomalies découvertes existent forcément, eux aussi, — à l'état plus ou moins développé, — dans les rapports de production modifiés. Il faut donc non pas *inventer* ces moyens dans son cerveau, mais les *découvrir* à l'aide de son cerveau dans les faits matériels de production qui sont là.

Quelle est en conséquence la position du socialisme moderne ?

Le régime social existant, — ceci est assez généralement admis, — a été créé par la classe actuellement dominante, la bourgeoisie. Le mode de production *capitaliste* était incompatible avec les privilèges des localités et des ordres, de même qu'avec les liens personnels réciproques du régime féodal. La bourgeoisie a mis en pièces le régime féodal et édifié sur ses ruines la constitution bourgeoise de la société, empire de la libre concurrence, de la liberté d'aller et venir, de l'égalité juridique des possesseurs de marchandises et autres splendeurs bourgeoises. Le mode de production capitaliste pouvait maintenant se déployer librement. Les forces productives élaborées sous la direction de la bourgeoisie se sont développées, depuis que la vapeur et le nouveau machinisme ont transformé la vieille manufacture en grande industrie, avec une rapidité et une ampleur inouïes jusque-là. Mais de même que, en leur temps, la manufacture et l'artisanat développés sous son influence étaient entrés en conflit avec les entraves féodales des corporations, de même la grande industrie, une fois développée plus complètement, entre en conflit avec les barrières dans lesquelles le mode de production capitaliste la tient enserrée. Les *forces* de production nouvelles ont déjà débordé la *forme* bourgeoise de leur emploi ; et ce conflit entre les forces productives et le mode de production n'est pas un conflit né dans la tête des hommes comme, par exemple, celui du péché originel et de la justice divine : il est là, dans les faits, objectivement, en dehors de nous, indépendamment de la volonté ou de la marche même de ceux des hommes qui l'ont provoqué. Le socialisme moderne n'est rien d'autre que le reflet dans la pensée de ce conflit effectif, sa réflexion, sous forme d'idées,

* Paroles de Méphistophélès dans *Faust* de Gœthe.

tout d'abord dans les cerveaux de la classe qui en souffre directement, la classe ouvrière.

Or, en quoi consiste ce conflit ?

Avant la production capitaliste, donc au moyen âge, on était en présence partout de la production, que fondait la propriété privée des travailleurs sur leurs moyens de production : agriculture des petits paysans libres ou serfs, artisanat des villes. Les moyens de travail, — terre, instruments aratoires, atelier, outils de l'artisan, — étaient des moyens de travail de l'individu, calculés seulement pour l'usage individuel ; ils étaient donc nécessairement mesquins, minuscules, limités. Mais, pour cette raison même, ils appartenaient normalement au producteur même. Concentrer, élargir ces moyens de production dispersés et étriqués, en faire les leviers puissants de la production actuelle, tel fut précisément le rôle historique du mode de production capitaliste et de la classe qui en est le support, la bourgeoisie. Dans la quatrième section du *Capital,* Marx a décrit dans le détail comment elle a mené cette œuvre à bonne fin depuis le XVe siècle, aux trois stades de la *coopération simple,* de la *manufacture* et de la *grande industrie.* Mais, comme il le prouve également au même endroit, la bourgeoisie ne pouvait pas transformer ces moyens de production limités en puissantes forces productives sans transformer les moyens de production de l'individu en moyens de production *sociaux,* utilisables seulement par un *ensemble d'hommes.* Au lieu du rouet, du métier de tisserand à la main, du marteau de forgeron ont apparu la machine à filer, le métier mécanique, le marteau à vapeur ; au lieu de l'atelier individuel, la fabrique qui commande la coopération de centaines et de milliers d'hommes. Et de même que les moyens de production, la production elle-même se transforme d'une série d'actes individuels en une série d'actes sociaux et les produits, de produits d'individus, en produits sociaux. Le fil, le tissu, la quincaillerie qui sortaient maintenant de la fabrique étaient le produit collectif de nombreux ouvriers, par les mains desquels ils passaient forcément tour à tour avant d'être finis. Pas un individu qui puisse dire d'eux : c'est moi qui ai fait cela, c'est *mon* produit.

Mais là où la division naturelle du travail à l'intérieur de la société est la forme fondamentale de la production, elle imprime aux produits la forme de *marchandises,* dont l'échange réciproque, l'achat et la vente mettent les producteurs individuels en état de satisfaire leurs multiples besoins. Et c'était le cas au moyen âge. Le paysan, par exemple, vendait à l'artisan des produits des champs et lui achetait en compensation des produits de l'artisanat. C'est dans cette société de producteurs individuels, de producteurs de marchandises, que s'est donc infiltré le mode de production nouveau. On l'a vu introduire au beau milieu de cette division du travail naturelle, *sans méthode,* qui régnait dans toute la société, la division *méthodique* du travail telle qu'elle était organisée dans la fabrique individuelle, à côté de la *production individuelle* apparut la production *sociale*. Les produits de l'une et de l'autre se vendaient sur le même marché, donc à des prix égaux au moins approximativement. Mais l'organisation méthodique était plus puissante que la division du travail naturelle ; les fabriques travaillant socialement produisaient à meilleur marché que les petits producteurs isolés. La production individuelle succomba dans un domaine après l'autre, la production sociale révolutionna tout le vieux mode de production. Mais ce caractère révolutionnaire, qui lui est propre, fut si peu reconnu qu'on l'introduisit, au contraire, comme moyen d'élever et de favoriser la production marchande. Elle naquit en se rattachant directement à certains leviers déjà existants de la production marchande et de l'échange des marchandises : capital commercial, artisanat, travail salarié. Du fait qu'elle se présentait elle-même comme une forme nouvelle de production marchande, les formes d'appropriation de la production marchande restèrent en pleine vigueur pour elle aussi.

Dans la production marchande telle qu'elle s'était développée au moyen âge, la question ne pouvait même pas se poser de savoir à qui devait appartenir le produit du travail. En règle générale, le producteur individuel l'avait fabriqué avec des matières premières qui lui appartenaient et qu'il produisait souvent lui-même, à l'aide de ses propres moyens de travail et de son travail manuel personnel ou de celui de sa famille. Le produit n'avait nullement besoin d'être approprié d'abord par lui, il lui appartenait de lui-même. La propriété de produits reposait donc sur le *travail personnel*. Même là où l'on utilisait l'aide d'autrui, celle-ci restait en règle générale accessoire et, en plus du salaire, elle recevait fréquemment une autre rémunération : l'apprenti ou le compagnon de la corporation travaillaient moins pour la nourriture et le salaire que pour leur propre préparation à la maîtrise. C'est alors que vint la concentration des moyens de production dans des grands ateliers et des manufactures, leur transformation en moyens de production effectivement sociaux. Mais les moyens de production et les produits sociaux furent traités comme si, après comme avant, ils étaient restés les moyens de production et les produits d'individus. Si, jusqu'alors, le possesseur des moyens de travail s'était approprié le produit parce que, en règle générale, il était son propre produit et que l'appoint du travail d'autrui était l'exception, le possesseur des moyens de travail continua maintenant à s'approprier le produit bien qu'il ne fût plus *son* produit, mais exclusivement le produit du *travail d'autrui*. Ainsi, les produits désormais créés socialement ne furent pas appropriés par ceux qui avaient mis réellement en œuvre les moyens de production et avaient réellement fabriqué les produits, mais par le *capitalisme*. Moyens de production et produit sont devenus essentiellement sociaux ; mais on les assujettit à une forme d'appropriation qui présuppose la production privée d'individus, dans laquelle donc chacun possède et porte au marché son propre produit. On assujettit le mode de production à cette forme d'appropriation bien qu'il en supprime la condition préalable*. Dans cette contradiction qui confère au nouveau mode de production son caractère capitaliste gît *déjà en germe toute la grande collision du présent.* À mesure que le nouveau mode de production arrivait à dominer dans tous les secteurs décisifs de la production et dans tous les pays économiquement décisifs et par suite évinçait la production individuelle jusqu'à la réduire à des restes insignifiants, *on voyait forcément apparaître d'autant plus crûment l'incompatibilité de la production sociale et de l'appropriation capitaliste.*

Les premiers capitalistes trouvèrent déjà toute prête la forme du travail salarié. Mais ils la trouvèrent comme exception, occupation accessoire, ressource provisoire, situation transitoire. Le travailleur rural qui, de temps à autre, allait travailler à la journée, avait ses quelques arpents de terre qu'il possédait en propre et dont à la rigueur il pouvait vivre. Les règlements des corporations veillaient à ce que le compagnon d'aujourd'hui devînt le maître de demain. Mais dès que les moyens de production se furent transformés en moyens sociaux et furent concentrés entre les mains de capitalistes, tout changea. Le moyen de production ainsi que le produit du petit producteur individuel se déprécièrent de plus en plus ; il ne lui resta plus qu'à aller travailler pour un salaire chez le capitaliste. Le travail salarié, autrefois exception et ressource provisoire, devint la règle et la forme fondamentale de toute la production ; autrefois occupation accessoire, il devint alors l'activité exclusive du travailleur. Le salarié à temps se transforma en salarié à vie. La foule des salariés à vie fut, de plus, énormément accrue par l'effondrement simultané du régime féodal, la dissolution des suites des seigneurs féodaux, l'expulsion des paysans hors de leurs fermes, etc. La séparation était accomplie entre les moyens de production concentrés dans les mains des capitalistes d'un côté, et les producteurs réduits à ne posséder que leur force de travail de l'autre. *La contradiction entre production sociale et appropriation capitaliste se manifeste comme l'antagonisme du prolétariat et de la bourgeoisie.*

Nous avons vu que le mode production capitaliste s'est infiltré dans une société de producteurs de marchandises, producteurs indi-

* Il est inutile d'expliquer ici que même si la *forme* de l'appropriation reste la même, le *caractère* de l'appropriation n'est pas moins révolutionné que la production par le processus décrit ci-dessus. Que je m'approprie mon propre produit ou le produit d'autrui, cela fait naturellement deux genres très différents d'appropriation. Ajoutons en passant ceci : le travail salarié dans lequel est déjà en germe tout le mode de production capitaliste est très ancien ; à l'état sporadique et disséminé, il a coexisté pendant des siècles avec l'esclavage. Mais ce germe n'a pu se développer pour devenir le mode de production capitaliste que le jour où les conditions historiques préalables ont été réalisées.

viduels dont la cohésion sociale avait pour moyen, l'échange de leurs produits. Mais toute société reposant sur la production marchande a ceci de particulier que les producteurs y ont perdu la domination sur leurs propres relations sociales. Chacun produit pour soi, avec ses moyens de production dus au hasard et pour son besoin individuel d'échange. Nul ne sait quelle quantité de son article parviendra sur le marché ni même quelle quantité il en faudra ; nul ne sait si son produit individuel trouvera à son arrivée un besoin réel, s'il retirera ses frais ou même s'il pourra vendre. C'est le règne de l'anarchie de la production sociale. Mais la production marchande comme toute autre forme de production a ses lois originales, immanentes, inséparables d'elle ; et ces lois s'imposent malgré l'anarchie, en elle, par elle. Elles se manifestent dans la seule forme qui subsiste de lien social, dans l'échange, et elles prévalent en face des producteurs individuels comme lois cœrcitives de la concurrence. Elles sont donc, au début, inconnues à ces producteurs eux-mêmes et il faut d'abord qu'ils les découvrent peu à peu par une longue expérience. Elles s'imposent donc sans les producteurs et contre les producteurs comme lois naturelles de leur forme de production, lois à l'action aveugle. Le produit domine les producteurs.

Dans la société du moyen âge, notamment dans les premiers siècles, la production était essentiellement orientée vers la consommation personnelle. Elle ne satisfaisait, en ordre principal, que les besoins du producteur et de sa famille. Là où, comme à la campagne, existaient des rapports personnels de dépendance, elle contribuait aussi à satisfaire des besoins du seigneur féodal. Il ne se produisait donc là aucun échange, et par suite, les produits ne prenaient pas non plus le caractère de marchandise. La famille du paysan produisait presque tout ce dont elle avait besoin, aussi bien outils et vêtements que vivres. C'est seulement lorsqu'elle en vint à produire un excédent au-delà de ses propres besoins et des redevances en nature dues au seigneur féodal qu'elle produisit aussi des marchandises ; cet excédent jeté dans l'échange social, mis en vente, devint marchandise. Les artisans des villes ont été certes forcés de produire dès le début pour l'échange. Mais, eux aussi, couvraient par leur travail la plus grande partie de leurs propres besoins ; ils avaient des jardins et des petits champs ; ils envoyaient leur bétail dans la forêt communale, qui leur donnait en outre du bois de construction et du combustible ; les femmes filaient le lin, la laine, etc. La production en vue de l'échange, la production marchande n'était qu'à ses débuts. D'où échange limité, marché limité, mode de production stable, isolement du côté de l'extérieur, association locale du côté de l'intérieur : la *Marche* (communauté agraire) dans la campagne, la corporation dans la ville.

Mais avec l'extension de la production marchande et surtout l'avènement du mode de production capitaliste, les lois de la production marchande, qui sommeillaient jusque-là, entrèrent aussi en action d'une manière plus ouverte et plus puissante. Les cadres anciens se relâchèrent, les vieilles barrières d'isolement furent percées, les producteurs transformés de plus en plus en producteurs de marchandises indépendants et isolés. L'anarchie de la production sociale vint au jour et fut en plus en plus poussée à son comble.

Mais l'instrument principal avec lequel le mode de production capitaliste accrut cette anarchie dans la production sociale était cependant juste le contraire de l'anarchie : l'organisation croissante de la production sociale dans chaque établissement de production isolé. C'est avec ce levier qu'il mit fin à la paisible stabilité d'autrefois. Là où il fut introduit dans une branche d'industrie, il ne souffrit à côté de lui aucune méthode d'exploitation plus ancienne. Là où il s'empara de l'artisanat, il anéantit le vieil artisanat. Le champ du travail devint un terrain de bataille. Les grandes découvertes géographiques et les entreprises de colonisation qui les suivirent multiplièrent les débouchés et accélérèrent la transformation de l'artisanat en manufactures. La lutte n'éclata pas seulement entre les producteurs locaux individuels ; les luttes locales grandirent de leur côté jusqu'à devenir des luttes nationales : les guerres commerciales du XVIIe et du XVIIIe siècle. La grande industrie, enfin, et l'établissement du marché mondial ont universalisé la lutte et lui ont donné en même temps une violence inouïe. Entre capitalistes isolés, de même qu'entre industries entières et pays entiers, ce sont les conditions naturelles ou artificielles de la production qui, selon qu'elles sont plus ou moins favorables, décident de l'existence. Le vaincu est éliminé sans ménagement. C'est la *lutte* darwinienne *pour l'existence* de l'individu, transposée de la nature dans la société avec une rage décuplée. La condition de l'animal dans la nature apparaît comme l'apogée du développement humain. La contradiction entre production sociale et appropriation capitaliste se reproduit comme *antagonisme entre l'organisation de la production dans la fabrique individuelle et l'anarchie de la production dans l'ensemble de la société*.

C'est dans ces deux formes de présentation de la contradiction immanente au mode de production capitaliste de par son origine que se meut ce mode de production, en décrivant sans pouvoir en sortir ce « cercle vicieux » que Fourier découvrait déjà en lui. Toutefois, ce que Fourier ne pouvait encore voir de son temps, c'est que ce cercle se rétrécit peu à peu, que le mouvement représente plutôt une spirale, laquelle, comme celle des planètes, doit atteindre sa fin en entrant en collision avec le centre. C'est la force motrice de l'anarchie sociale de la production qui transforme de plus en plus la grande majorité des hommes en prolétaires et ce sont à leur tour les masses prolétariennes qui finiront par mettre un terme à l'anarchie de la production. C'est la force motrice de l'anarchie sociale de la production qui transforme la perfectibilité infinie des machines de la grande industrie en une loi impérative pour chaque capitaliste industriel pris à part, en l'obligeant à perfectionner de plus en plus son machinisme sous peine de ruine. Mais perfectionner les machines, cela signifie rendre du travail humain superflu. Si introduction et accroissement des machines signifient évictions de millions de travailleurs à la main par un petit nombre de travailleurs à la machine, amélioration du machinisme signifie évictions de travailleurs à la machine de plus en plus nombreux et, en dernière analyse, production d'un nombre de salariés disponibles qui dépasse le besoin d'emploi moyen du capital, d'une armée de réserve industrielle complète, selon la dénomination que j'ai employée dès 1845*, armée disponible pour les périodes où l'industrie travaille à haute pression, jetée sur le pavé par le krach qui suit nécessairement, boulet que la classe ouvrière traîne aux pieds en tout temps dans sa lutte pour l'existence contre le capital, régulateur qui maintient le salaire au bas niveau correspondant au besoin capitaliste. C'est ainsi que le machinisme devient, pour parler comme Marx, l'arme la plus puissante du capital contre la classe ouvrière, que le moyen de travail arrache sans cesse le moyen de subsistance des mains de l'ouvrier, que le propre produit de l'ouvrier se transforme en un instrument d'asservissement de l'ouvrier**. C'est ainsi que d'emblée, l'économie des moyens de travail devient, en même temps, la dilapidation la plus brutale de la force de travail, un vol sur les conditions normales de la fonction du travail ; que le machinisme, le moyen le plus puissant de réduire le temps de travail, se convertit en le plus infaillible moyen de transformer l'entière durée de la vie de l'ouvrier et de sa famille en temps de travail disponible pour faire valoir le capital ; c'est ainsi que le surmenage des uns détermine le chômage des autres et que la grande industrie, qui va à la chasse, par tout le globe, du consommateur nouveau, limite à domicile la consommation des masses à un minimum de famine et sape ainsi son propre marché intérieur.

« La loi qui toujours équilibre le progrès de l'accumulation du capital et celui de la surpopulation relative ou de l'armée de réserve industrielle, rive le travailleur au capital plus solidement que les coins de Vulcain ne rivaient Prométhée à son rocher. C'est cette loi qui établit une corrélation fatale entre l'accumulation du capital et l'accumulation de la misère, de telle sorte qu'accumulation de richesse à un pôle égale accumulation de pauvreté, de souffrance, d'ignorance, d'abrutissement, de dégradation morale, d'esclavage au pôle opposé, du côté de la classe *qui produit le capital même* ». (Marx : *Le Capital,* p. 671)

---

* La situation de la classe laborieuse en Angleterre, p. 109. (Note d'Engels). (Voir F. Engels, *La situation de la classe laborieuse en Angleterre,* Éditions Sociales, Paris, 1961, p. 128.)

** Voir K. Marx, *le Capital,* livre 1er, tome II, Éditions Sociales, Paris, 1969, pp. 116-165.

Quant à attendre du mode de production capitaliste une autre répartition des produits, ce serait demander aux électrodes d'une batterie qu'elles ne décomposent pas l'eau et qu'elles ne développent pas de l'oxygène au pôle positif et de l'hydrogène au pôle négatif alors qu'elles sont en communication avec la batterie.

Nous avons vu comment la perfectibilité poussée au maximum du machinisme moderne se transforme, par l'effet de l'anarchie de la production dans la société, en une loi impérative pour le capitaliste industriel isolé, en l'obligeant à améliorer sans cesse son machinisme, à accroître sans cesse sa force de production. La simple possibilité de fait d'agrandir le domaine de sa production se transforme pour lui en une autre loi tout aussi impérative. L'énorme force d'expansion de la grande industrie, à côté de laquelle celle des gaz est un véritable jeu d'enfant, se manifeste à nous maintenant comme un *besoin* d'expansion qualitatif et quantitatif, qui se rit de toute contre-pression. La contre-pression est constituée par la consommation, le débouché, les marchés pour les produits de la grande industrie. Mais la possibilité d'expansion des marchés, extensive aussi bien qu'intensive, est dominée en premier lieu par des lois toutes différentes, dont l'action est beaucoup moins énergique. L'expansion des marchés ne peut pas aller de pair avec l'expansion de la production. La collision est inéluctable et comme elle ne peut engendrer de solution tant qu'elle ne fait pas éclater le mode de production capitaliste lui-même elle devient périodique. La production capitaliste engendre un nouveau « cercle vicieux ».

En effet, depuis 1825, date où éclata la première crise générale, la totalité du monde industriel et commercial, la production et l'échange de l'ensemble des peuples civilisés et de leurs appendices plus ou moins barbares se détraquent environ une fois tous les dix ans. Le commerce s'arrête, les marchés sont encombrés, les produits sont là aussi en quantités aussi massives qu'ils sont invendables, l'argent comptant devient invisible, le crédit disparaît, les fabriques s'arrêtent, les masses travailleuses manquent de moyens de subsistance pour avoir produit trop de moyens de subsistance, les faillites succèdent aux faillites, les ventes forcées aux ventes forcées. L'engorgement dure des années, forces productives et produits sont dilapidés et détruits en masse jusqu'à ce que les masses de marchandises accumulées s'écoulent enfin avec une dépréciation plus ou moins forte, jusqu'à ce que production et échange reprennent peu à peu leur marche. Progressivement, l'allure s'accélère, passe au trot, le trot industriel se fait galop et ce galop augmente à son tour jusqu'au ventre à terre d'un *steeple chase* complet de l'industrie, du commerce, du crédit et de la spéculation, pour finir, après les sauts les plus périlleux, par se retrouver... dans le fossé du krach. Et toujours la même répétition. Voilà ce que nous n'avons pas vécu moins de cinq fois depuis 1825, et ce que nous vivons en cet instant (1877) pour la sixième fois. Et le caractère de ces crises est oi nettement marqué que Fourier a mis le doigt sur toutes en qualifiant la première de *crise pléthorique**.

On voit, dans les crises, la contradiction entre production sociale et appropriation capitaliste arriver à l'explosion violente. La circulation des marchandises est momentanément anéantie ; le moyen de circulation, l'argent, devient obstacle à la circulation ; toutes les lois de la production et de la circulation des marchandises sont mises sens dessus dessous. La collision économique atteint son maximum : *le mode de production se rebelle contre le mode d'échange, les forces productives se rebellent contre le mode production pour lequel elles sont devenues trop grandes.*

Le fait que l'organisation sociale de la production à l'intérieur de la fabrique s'est développée jusqu'au point où elle est devenue incompatible avec l'anarchie de la production dans la société, qui subsiste à côté d'elle et au-dessus d'elle — ce fait est rendu palpable aux capitalistes eux-mêmes par la puissante concentration des capitaux qui s'accomplit pendant les crises moyennant la ruine d'un nombre élevé de grands capitalistes et d'un nombre plus élevé encore de petits capitalistes. L'ensemble du mécanisme du mode de production capitaliste refuse le service sous la pression des forces productives qu'il a lui-même engendrées. Le mode de production ne peut plus transformer cette masse de moyens de production tout entière en capital ; ils chôment, et c'est pourquoi l'armée de réserve industrielle doit chômer aussi. Moyens de production, moyens de subsistance, travailleurs disponibles, tous les éléments de la production et de la richesse générale existent en excédent. Mais « la pléthore devient la source de la pénurie et de la misère » (Fourier), car c'est elle précisément qui empêche la transformation des moyens de production et de subsistance en capital. Car, dans la société capitaliste, les moyens de production, ne peuvent entrer en activité à moins qu'ils ne soient auparavant transformés en capital, en moyens pour l'exploitation de la force de travail humaine. La nécessité pour les moyens de production et de subsistance de prendre la qualité de capital se dresse comme un spectre entre eux et les ouvriers. C'est elle seule qui empêche la conjonction des leviers matériels et personnels de la production ; c'est elle seule qui interdit aux moyens de production de fonctionner aux ouvriers de travailler et de vivre. D'une part, donc, le mode de production capitaliste est convaincu de sa propre incapacité de continuer à administrer ces forces productives. D'autre part, ces forces productives elles-mêmes poussent avec une puissance croissante à la suppression de la contradiction, à leur affranchissement de leur qualité de capital, à *la reconnaissance effective de leur caractère de forces productives sociales.*

---

* En français dans le texte.

C'est cette réaction des forces productives en puissance croissante contre leur qualité de capital, c'est cette nécessité grandissante où l'on est de reconnaître leur nature sociale, qui obligent la classe des capitalistes elle-même à les traiter de plus en plus, dans la mesure tout au moins où c'est possible à l'intérieur du rapport capitaliste, comme des forces de production sociales. La période industrielle de haute pression, avec gonflement illimité du crédit, aussi bien que le krach lui-même, par l'effondrement de grands établissements capitalistes, poussent à cette forme de socialisation de masses considérables de moyens de production qui se présente à nous dans les différents genres de sociétés par actions. Beaucoup de ces moyens de production et de communication sont, d'emblée, si colossaux qu'ils excluent, comme les chemins de fer, toute autre forme d'exploitation capitaliste. Mais, à un certain degré de développement, cette forme elle-même ne suffit plus ; les gros producteurs nationaux d'une seule et même branche industrielle s'unissent en un « trust », union qui a pour but la réglementation de la production ; ils déterminent la quantité totale à produire, la répartissent entre eux et arrachent ainsi le prix de vente fixé à l'avance. Mais comme ces trusts, en général, se disloquent à la première période de mauvaises affaires, ils poussent précisément par là à une socialisation encore plus concentrée ; toute la branche industrielle se transforme en une seule grande société par actions, la concurrence intérieure fait place au monopole intérieur de cette société unique ; c'est ce qui est arrivé encore en 1890 avec la production anglaise de l'alcali qui, après fusion des 48 grandes usines sans exception, est maintenant dans les mains d'une seule société à direction unique, avec un capital de 120 millions de marks.

Dans les trusts, la libre concurrence se convertit en monopole, la production sans plan de société capitaliste capitule devant la production planifiée de la société socialiste qui s'approche. Tout d'abord, certes, pour le plus grand bien des capitalistes. Mais ici l'exploitation devient si palpable qu'il faut qu'elle s'effondre. Pas un peuple ne supporterait une production dirigée par des trusts, une exploitation à ce point cynique de l'ensemble par une petite bande d'encaisseurs de coupons.

Quoi qu'il en soit, avec trusts ou sans trusts, il faut finalement que le représentant officiel de la société capitaliste, l'État, en prenne la direction*. La nécessité de la transformation en propriété

* Je dis : *il faut.* Car ce n'est que dans le cas où les moyens de production et de communication sont *réellement* trop grands pour être dirigés par les sociétés par action, où donc l'étatisation est devenue une nécessité *économique,* c'est seulement en ce cas qu'elle signifie qu'on atteint à un nouveau stade, préalablement à la prise de possession de toutes les forces productives par la société elle-même. Mais on a vu récemment depuis que Bismarck s'est lancé dans les étatisations, apparaître certain faux socialisme qui même, çà et là, a dégénéré en quelque servilité, et qui proclame socialiste sans autre forme de procès, *toute* étatisation, même celle de Bismarck.

d'État apparaît d'abord dans les grands organismes de communication : postes, télégraphes, chemins de fer.

Si les crises ont fait apparaître l'incapacité de la bourgeoisie à continuer à gérer les forces productives modernes, la transformation des grands organismes de production et de communication en sociétés par actions et en propriétés d'État montre combien on peut se passer de la bourgeoisie pour cette fin. Toutes les fonctions sociales du capitaliste sont maintenant assurées par des employés rémunérés. Le capitaliste n'a plus aucune activité sociale hormis celle d'empocher les revenus, de détacher les coupons et de jouer à la Bourse, où les divers capitalistes se dépouillent mutuellement de leur capital. Le mode de production capitaliste, qui a commencé par évincer des ouvriers, évince maintenant les capitalistes et, tout comme les ouvriers, il les relègue dans la population superflue, sinon dès d'abord dans l'armée industrielle de réserve.

Mais ni la transformation en sociétés par actions, ni la transformation en propriété d'État ne supprime la qualité de capital des forces productives. Pour les sociétés par actions, cela est évident. Et l'État moderne n'est à son tour que l'organisme que la société bourgeoise se donne pour maintenir les conditions extérieures générales du mode de production capitaliste contre des empiétements venant des ouvriers comme des capitalistes isolés. L'État moderne, quelle qu'en soit la forme, est une machine essentiellement capitaliste : l'État des capitalistes, le capitaliste collectif en idée. Plus il fait passer de forces productives dans sa propriété, et plus il devient capitaliste collectif en fait, plus il exploite de citoyens. Les ouvriers restent des salariés, des prolétaires. Le rapport capitaliste n'est pas supprimé, il est au contraire poussé à son comble. Mais, arrivé à ce comble, il se renverse. La propriété d'État sur les forces productives n'est pas la solution du conflit, mais elle renferme en elle le moyen formel, la façon d'approcher de la solution.

Cette solution peut consister seulement dans le fait que la nature sociale des forces productives modernes est effectivement reconnue, que donc le mode de production, d'appropriation et

---

Évidemment, si l'étatisation du tabac était socialiste, Napoléon et Metternich compteraient parmi les fondateurs du socialisme. Si l'État belge, pour des raisons politiques et financières très terre à terre, a construit lui-même ses chemins de fer principaux ; si Bismarck, sans aucune nécessité économique, a étatisé les principales lignes de chemin de fer de la Prusse, simplement pour pouvoir mieux les organiser et les utiliser en temps de guerre, pour faire des employés du chemin de fer un bétail électoral au service du gouvernement et surtout pour se donner une nouvelle source de revenus indépendante des décisions du Parlement, — ce n'était nullement là des mesures socialistes, directes ou indirectes, conscientes ou inconscientes. Autrement ce seraient des institutions socialistes que la Société royale de commerce maritime, la Manufacture royale de porcelaine et même, dans la troupe, le tailleur de compagnie, voire l'étatisation proposée avec le plus grand sérieux, vers les années 30, sous Frédéric-Guillaume III, par un gros malin, — celle des bordels.

d'échange est mis en harmonie avec le caractère social des moyens de production. Et cela ne peut se produire que si la société prend possession ouvertement et sans détours des forces productives qui sont devenues trop grandes pour toute autre direction que la sienne. Ainsi, les producteurs font prévaloir en pleine conscience que le caractère social des moyens de production et des produits, qui se tourne aujourd'hui contre les producteurs eux-mêmes, qui fait éclater périodiquement le mode de production et d'échange et ne s'impose que dans la violence et la destruction comme une loi de la nature à l'action aveugle ; dès lors, de cause de trouble et d'effondrement périodique qu'il était, il se transforme en un levier puissant entre tous de la production elle-même.

Les forces socialement agissantes agissent tout à fait comme les forces de la nature : aveugles, violentes, destructrices tant que nous ne les connaissons pas et ne comptons pas avec elles. Mais une fois que nous les avons reconnues, que nous en avons saisi l'activité, la direction, les effets, il ne dépend plus que de nous de les soumettre de plus en plus à notre volonté et d'atteindre nos buts grâce à elles. Et cela est particulièrement vrai des énormes forces productives actuelles. Tant que nous nous refusons obstinément à en comprendre la nature et le caractère, — et c'est cette compréhension que regimbent le mode de production capitaliste et ses défenseurs, — ces forces produisent tout leur effet malgré nous, contre nous, elles nous dominent, comme nous l'avons exposé dans le détail. Mais une fois saisies dans leur nature, elles peuvent, dans les mains des producteurs associés, se transformer de maîtresse démoniaques en servantes dociles. C'est là la différence qu'il y a entre la force destructrice de l'électricité dans l'éclair de l'orage et l'électricité domptée du télégraphe et de l'arc électrique, la différence entre l'incendie et le feu agissant au service de l'homme. En traitant de la même façon les forces productives actuelles après avoir enfin reconnu leur nature, on voit l'anarchie sociale de la production remplacée par une réglementation socialement planifiée de la production, selon les besoins de la communauté comme de chaque individu ; ainsi, le mode capitaliste d'appropriation, dans lequel le produit asservit d'abord le producteur, puis l'appropriation lui-même, est remplacé par le mode d'appropriation des produits fondé sur la nature des moyens modernes de production eux-mêmes : d'une part, appropriation sociale directe comme moyen d'entretenir et de développer la production, d'autre part, appropriation individuelle directe comme moyen d'existence et de jouissance.

En transformant de plus en plus la grande majorité de la population en prolétaires, le mode de production capitaliste crée la puissance qui, sous peine de périr, est obligée d'accomplir ce bouleversement. En poussant de plus en plus à la transformation des grands moyens de production socialisés en propriétés d'État, il montre lui-même la voie à suivre pour accomplir ce bouleversement. *Le prolétariat s'empare du pouvoir d'État et transforme les moyens de production d'abord en propriété d'État.* Mais par là, il se supprime lui-même en tant que prolétariat, il supprime toutes les différences de classe et oppositions de classes et également l'État en tant qu'État. La société antérieure, évoluant dans des oppositions de classes, avait besoin de l'État, c'est-à-dire, dans chaque cas, d'une organisation de classe exploiteuse pour maintenir ses conditions de production extérieures, donc surtout pour maintenir par la force la classe exploitée dans les conditions d'oppression données par le mode de production existant (esclavage, servage, salariat). L'État était le représentant officiel de toute la société, sa synthèse en un corps visible, mais cela, il ne l'était que dans la mesure où il était l'État de la classe qui, pour son temps, représentait elle-même toute la société : dans l'antiquité, État des citoyens propriétaires d'esclaves ; au moyen âge, de la noblesse féodale ; à notre époque, de la bourgeoisie. Quand il finit par devenir effectivement le représentant de toute la société, il se rend lui-même superflu. Dès qu'il n'y a plus de classe sociale à tenir dans l'oppression ; dès que, avec la domination de classe et la lutte pour l'existence individuelle motivée par l'anarchie antérieure de la production, sont éliminés également les collisions et les excès qui en résultent, il n'y a plus rien à réprimer qui rende nécessaire un pouvoir de répression, un État. Le premier acte dans lequel l'État apparaît réellement comme représentant de toute la société, — la prise de possession des moyens de production au nom de la société, — est en même temps son dernier acte propre en tant qu'État. L'intervention d'un pouvoir d'État dans des rapports sociaux devient superflue dans un domaine après l'autre, et entre alors naturellement en sommeil. Le gouvernement des personnes fait place à l'administration des choses et à la direction des opérations de production. L'État n'est pas « aboli », *il s'éteint.* Voilà qui permet de juger la phrase creuse sur l'« État populaire libre », tant du point de vue de sa justification temporaire comme moyen d'agitation que du point de vue de son insuffisance définitive comme idée scientifique ; de juger également la revendication de ceux qu'on appelle les anarchistes, d'après laquelle l'État doit être aboli du jour au lendemain.

Depuis l'apparition historique du mode de production capitaliste, la prise de possession de l'ensemble des moyens de production par la société a bien souvent flotté plus ou moins vaguement devant les yeux tant d'individus que de sectes entières, comme idéal d'avenir. Mais elle ne pouvait devenir possible, devenir une nécessité historique qu'une fois données les conditions matérielles de sa réalisation. Comme tout autre progrès social, elle devient praticable non par la compréhension acquise du fait que l'existence des classes contredit à la justice, à l'égalité, etc., non par la simple volonté d'abolir ces classes, mais par certaines conditions économiques nouvelles. La scission de la société en une classe exploiteuse et une classe exploitée, en une classe dominante et une classe opprimée était une conséquence nécessaire du faible développement de la production dans le passé. Tant que le travail total de la société ne fournit qu'un rendement excédant à peine ce qui est nécessaire pour assurer strictement l'existence de tous, tant que le travail réclame donc tout ou presque tout le temps de la grande majorité des membres de la société, celle-ci se divise nécessairement en classes. À côté de cette grande majorité, exclusivement vouée à la corvée du travail, il se forme une classe libérée du travail directement productif, qui se charge des affaires communes de la société : direction du travail, affaires politiques, justice, science, beaux-arts, etc. C'est donc la loi de la division du travail qui est à la base de la division en classes. Cela n'empêche pas d'ailleurs que cette division en classes n'ait été accomplie par la violence et le vol, la ruse et la fraude, et que la classe dominante, une fois mise en selle, n'ait jamais manqué de consolider sa domination aux dépens de la classe travailleuse et de transformer la direction sociale en exploitation des masses.

Mais si, d'après cela, la division en classes à une certaine légitimité historique, elle ne l'a pourtant que pour un temps donné, pour des conditions sociales données. Elle se fondait sur l'insuffisance de la production ; elle sera balayée par le plein déploiement des forces productives modernes. Et en effet, l'abolition des classes sociales suppose un degré de développement historique où l'existence non seulement de telle ou telle classe dominante déterminée, mais d'une classe dominante en général, donc de la distinction des classes elle-même, est devenue un anachronisme, une vieillerie. Elle suppose donc un degré d'élévation du développement de la production où l'appropriation des moyens de production et des produits, et par suite, de la domination politique, du monopole de la culture et de la direction intellectuelle par une classe sociale particulière est devenue non seulement une superfétation, mais aussi, au point de vue économique, politique et intellectuel, un obstacle au développement. Ce point est maintenant atteint. Si la faillite politique et intellectuelle de la bourgeoisie n'est plus guère un secret pour elle-même, sa faillite économique se répète régulièrement tous les dix ans. Dans chaque crise, la société étouffe sous le fait de ses propres forces productives et de ses propres produits inutilisables pour elle, et elle se heurte impuissante à cette contradiction absurde : les producteurs n'ont rien à consommer, parce qu'on manque de consommateurs. La force d'expansion des moyens de production fait sauter les chaînes dont le mode de production capitaliste l'avait chargée. Sa libération de ces chaînes est la seule condition requise pour un développement des forces productives ininterrompu, progressant à un rythme toujours plus rapide, et par suite, pour un accroissement pratiquement sans bornes de la production elle-même. Ce n'est pas tout. L'appropriation sociale des moyens de production élimine non seulement l'inhibition artificielle de la production qui existe maintenant, mais aussi le gaspillage et la destruction effectifs de forces productives et de produits, qui sont actuellement les corollaires inéluctables de la production et atteignent leur paroxysme dans les crises. En outre, elle libère une masse de moyens de production et de produits pour la collectivité en éliminant la dilapidation stupide que représente le luxe des classes actuellement dominantes et de leurs représentants politiques. La possibilité d'assurer, au moyen de la production sociale, à tous les membres de la société une existence non seulement parfaitement suffisante au point de vue matériel et s'enrichissant de jour en jour, mais leur garantissant aussi l'épanouissement et l'exercice libres et complets de leurs dispositions physiques et intellectuelles, cette possibilité existe aujourd'hui pour la première fois, mais *elle existe**.

Avec la prise de possession des moyens de production par la société, la production marchande est éliminée, et par suite, la domination du produit sur le producteur. L'anarchie à l'intérieur de la production sociale est remplacée par l'organisation planifiée consciente. La lutte pour l'existence individuelle cesse. Par là, pour la première fois, l'homme se sépare, dans un certains sens, définitivement du règne animal, passe de conditions animales d'existence à des conditions réellement humaines. Le cercle des conditions de vie entourant l'homme, qui jusqu'ici dominait l'homme, passe maintenant sous la domination et le contrôle des hommes, qui, pour la première fois, deviennent des maîtres réels et conscients de la nature, parce que et en tant que maîtres de leur propre socialisation. Les lois de leur propre pratique sociale qui, jusqu'ici, se dressaient devant eux comme des lois naturelles, étrangères et dominatrices, sont dès lors appliquée par les hommes en pleine connaissance de cause et par là dominées. La propre socialisation des hommes qui, jusqu'ici, se dressait devant eux comme octroyée par la nature et l'histoire, devient maintenant leur acte propre et libre. Les puissances étrangères, objectives qui, jusqu'ici, dominaient l'histoire, passent sous le contrôle des hommes eux-mêmes. Ce n'est qu'à partir de ce moment que les hommes feront eux-mêmes leur histoire en pleine conscience ; ce n'est qu'à partir de ce

---

* Quelques chiffres pourront donner une idée approximative de l'énorme force d'expansion des moyens de production modernes, même sous la pression capitaliste. D'après les derniers calculs de Giffen, la richesse totale de l'Angleterre et de l'Irlande atteignait en chiffres ronds :

en	1814 — 2 200	millions de livres	=	44 milliards de marks
	1865 — 6 100	"	=	122 "
	1875 — 8 500	"	=	170 "

Quant à la dévastation de moyens de production et de produits dans les crises, le IIe Congrès des industriels allemands à Berlin, le 21 février 1878, a estimé la perte totale rien que pour *l'industrie du fer allemand* au cours du dernier krach à 455 millions de marks.

moment que les causes sociales mises par eux en mouvement auront aussi d'une façon prépondérante, et dans une mesure toujours croissante, les effets voulus par eux. C'est le bond de l'humanité, du règne de la nécessité dans le règne de la liberté.

Pour conclure, résumons brièvement la marche de notre développement :

1. *Société médiévale.* — Petite production individuelle. Moyens de production adaptés à l'usage individuel, donc d'une lourdeur primitive, mesquins, d'effet minuscule. Production pour la consommation immédiate, soit du producteur lui-même, soit de son seigneur féodal. Là seulement où on rencontre un excédent de production sur cette consommation, cet excédent est offert en vente et tombe dans l'échange : production marchande seulement à l'état naissant, mais elle contient déjà en germe l'*anarchie dans la production sociale.*

2. *Révolution capitaliste.* — Transformation de l'industrie, d'abord au moyen de la coopération simple et de la manufacture. Concentration des moyens de production jusque-là dispersés en de grands ateliers, par suite transformation des moyens de production de l'*individu* en moyens *sociaux,* — transformation qui ne touche pas à la forme de l'échange dans son ensemble. Les anciennes formes d'appropriation restent en vigueur. Le *capitaliste* apparaît ; en sa qualité de propriétaire des moyens de production, il s'approprie aussi les produits et en fait des marchandises. La production est devenue un acte social ; l'échange et avec lui l'appropriation restent des actes individuels, actes de l'homme singulier : *le produit social est approprié par le capitalisme individuel.* Contradiction fondamentale, d'où jaillissent toutes les contradictions dans lesquelles se meut la société actuelle et que la grande industrie fait apparaître en pleine lumière.

A. Séparation du producteur d'avec les moyens de production. Condamnation de l'ouvrier au salariat à vie. *Opposition du prolétariat et de la bourgeoisie.*

B. Manifestation de plus en plus nette et efficacité croissante des lois qui dominent la production des marchandises. Lutte de concurrence effrénée. *Contradiction de l'organisation sociale dans chaque fabrique et de l'anarchie sociale dans l'ensemble de la production.*

C. D'un côté, perfectionnement du machinisme, dont la concurrence fait une loi impérative pour tout fabricant et qui équivaut à une élimination toujours croissante d'ouvriers : *armée industrielle de réserve.* — De l'autre côté, extension sans limite de la production, également loi coercitive de la concurrence pour chaque fabricant. — Des deux côtés, développement inouï des forces productives, excédent de l'offre sur la demande, surproduction, encombrement des marchés, crises décennales, cercle vicieux : *excédent, ici, de moyens de production et de produits — excédent, là, d'ou-*

vriers sans emploi et sans moyens d'existence ; mais ces deux rouages de la production et du bien-être social ne peuvent s'engrener, du fait que la forme capitaliste de la production interdit aux forces productives d'agir, aux produits de circuler, à moins qu'ils ne soient précédemment transformés en *capital :* ce que leur surabondance même empêche. La contradiction s'est intensifiée en contre-raison : *le mode de production se rebelle contre la forme d'échange.* La bourgeoisie est convaincue d'incapacité à diriger davantage ses propres forces productives sociales.

D. Reconnaissance partielle du caractère social des forces productives s'imposant aux capitalistes eux-mêmes. Appropriation des grands organismes de production et de communication, d'abord par des *sociétés par actions,* puis par des trusts, ensuite par l'État. La bourgeoisie s'avère comme une classe superflue ; toutes ses fonctions sociales sont maintenant remplies par des employés rémunérés.

3. *Révolution prolétarienne.* Résolution des contradictions : le prolétariat s'empare du pouvoir public et, en vertu de ce pouvoir, transforme les moyens de production sociaux qui échappent des mains de la bourgeoisie en propriété publique. Par cet acte, il libère les moyens de production de leur qualité antérieure de capital et donne à leur caractère social pleine liberté de s'imposer. Une production sociale suivant un plan prédéterminé est désormais possible. Le développement de la production fait de l'existence ultérieure de classes sociales différentes un anachronisme. Dans la mesure où l'anarchie de la production sociale disparaît, l'autorité politique de l'État entre en sommeil. Les hommes, enfin maîtres de leur propre socialisation, deviennent aussi par là même, maîtres de la nature, maîtres d'eux-mêmes, libres.

Accomplir cet acte libérateur du monde, voilà la mission historique du prolétariat moderne. En approfondir les conditions historiques et par là, la nature même, et ainsi donner à la classe qui a mission d'agir, classe aujourd'hui opprimée, la conscience des conditions et de la nature de sa propre action, voilà la tâche du socialisme scientifique, expression théorique du mouvement prolétarien.

(Ce texte, écrit en mars 1880, est tiré de K. Marx et F. Engels, *Œuvres choisies,* Moscou, Éditions du Progrès, 1975.)

Karl Marx

Thèses sur Feuerbach

I

Le principal défaut de tout le matérialisme passé — y compris celui de Feuerbach — est que l'objet, la réalité, le monde sensible n'y sont saisis que sous la forme d'*objet* ou d'*intuition,* mais non pas en tant qu'*activité humaine concrète,* en tant que *praxis,* de façon subjective. C'est ce qui explique pourquoi le côté *actif* fut développé par l'idéalisme en opposition au matérialisme, — mais seulement abstraitement, car l'idéalisme ne connaît naturellement pas l'activité réelle, concrète, comme telle. Feuerbach veut des objets concrets, réellement distincts des objets de la pensée ; mais il ne considère pas l'activité humaine elle-même en tant qu'activité *objective.* C'est pourquoi, dans l'*Essence du christianisme,* il ne considère comme vraiment humaine que l'activité théorique, tandis que la pratique n'est saisie et fixée par lui que dans sa manifestation juive sordide. C'est pourquoi il ne comprend pas l'importance de l'activité « révolutionnaire », de l'activité « pratique-critique ».

II

La question de savoir si la pensée humaine peut aboutir à une vérité objective n'est pas une question théorique, mais une question *pratique.* C'est dans la pratique qu'il faut que l'homme prouve la vérité, c'est-à-dire la réalité, et la puissance, l'en-deçà de sa pensée. La discussion sur la réalité ou l'irréalité de la pensée, isolée de la pratique, est purement *scolastique.*

III

La doctrine matérialiste qui veut que les hommes soient des produits des circonstances et de l'éducation, que, par conséquent, des hommes transformés soient des produits d'autres circonstances et d'une éducation modifiée, oublie que ce sont précisément les hommes qui transforment les circonstances et que l'éducateur a lui-même besoin d'être éduqué. C'est pourquoi elle tend inévitablement à diviser la société en deux parties dont l'une est au-dessus de la société (par exemple chez Robert Owen).

La coïncidence du changement des circonstances et de l'activité humaine ne peut être considérée et comprise rationnellement qu'en tant que *pratique révolutionnaire.*

IV

Feuerbach part du fait que la religion rend l'homme étranger à lui-même et dédouble le monde en un monde religieux, objet de représentation, et un monde réel. Son travail consiste à résoudre le monde religieux en sa base temporelle. Il ne voit pas que, ce travail une fois accompli, le principal reste encore à faire. Le fait, notamment, que la base temporelle se détache d'elle-même, et se fixe dans les nuages, constituant ainsi un royaume indépendant, ne peut s'expliquer précisément que par le déchirement et la contradiction interne de cette base temporelle. Il faut donc d'abord comprendre celle-ci dans sa contradiction pour la révolutionner ensuite pratiquement, en supprimant la contradiction. Donc, une fois qu'on a découvert, par exemple, que la famille terrestre est le secret de la sainte famille, c'est la première désormais dont il faudra faire la critique théorique et qu'il faudra révolutionner dans la pratique.

V

Feuerbach, que ne satisfait pas la *pensée abstraite,* en appelle à l'*intuition sensible ;* mais il ne considère pas le monde sensible en tant qu'activité *pratique* concrète de l'homme.

VI

Feuerbach résout l'essence religieuse en l'essence humaine. Mais l'essence humaine n'est pas une abstraction inhérente à l'individu isolé. Dans sa réalité, elle est l'ensemble des rapports sociaux.

Feuerbach, qui n'entreprend pas la critique de cet être réel, est par conséquent obligé :

1. De faire abstraction du cours de l'histoire et de faire de l'esprit religieux une chose immuable, existant pour elle-même, en supposant l'existence d'un individu humain abstrait, *isolé.*

2. De considérer, par conséquent, l'être humain uniquement en tant que « genre », en tant qu'une universalité interne, muette, liant d'une façon purement *naturelle* la multiplicité des individus.

VII

C'est pourquoi Feuerbach ne voit pas que l'« esprit religieux » est lui-même un *produit social* et que l'individu abstrait qu'il analyse appartient en réalité à une forme sociale déterminée.

VIII

La vie sociale est essentiellement *pratique*. Tous les mystères qui détournent la théorie vers le mysticisme trouvent leur solution rationnelle dans la praxis humaine et dans la compréhension de cette praxis.

Le point le plus élevé auquel atteint le matérialisme *intuitif*, c'est-à-dire le matérialisme qui ne conçoit pas le monde matériel comme activité pratique, est la façon de voir des individus de la « société bourgeoise » pris isolément.

X

Le point de vue de l'ancien matérialisme est la société « bourgeoise ». Le point de vue du nouveau matérialisme, c'est la société humaine, ou l'humanité socialisée.

XI

Les philosophes n'ont fait qu'*interpréter* le monde de différentes manières ; mais ce qui importe, c'est de le *transformer*.

(Écrit en 1845, ce texte est tiré de K. Marx et F. Engels, *Œuvres choisies,* Moscou, Éditions du progrès, 1975.)

Deuxième partie :

Critique du capitalisme

Karl Marx

Salaire, prix et profit

Avant-propos

Citoyen,

Avant d'aborder ce qui est, à proprement parler, mon sujet, permettez-moi de faire quelques remarques préliminaires.

Il règne actuellement sur le continent une véritable épidémie de grèves et, de tous côtés, on réclame, à grands cris, des augmentations de salaires. Cette question sera traitée à notre congrès. Vous devez, vous qui êtes à la tête de l'Association Internationale, avoir un point de vue net sur cette très importante question. Je considère donc pour ma part que c'est mon devoir, même au risque de mettre votre patience à une rude épreuve, de traiter à fond le sujet.

Je dois faire, en ce que concerne le citoyen Weston, une autre remarque préliminaire. Il n'a pas seulement développé devant vous, mais aussi défendu en public des conceptions qu'il sait être tout à fait impopulaires parmi les ouvriers, mais qu'il considère être dans leur intérêt. Chacun de nous ne peut qu'estimer hautement de tels exemples de courage moral. En dépit du style sans fard de mon exposé, il verra, je l'espère, à la fin de celui-ci, que je suis d'accord avec ce qui me paraît être dans sa thèse l'idée essentielle, mais je considère cette idée, dans son expression actuelle, comme fausse en théorie et dangereuse en pratique.

Et maintenant, j'en viens à mon sujet.

1. Production et salaire

La démonstration du citoyen Weston s'appuyait essentiellement sur deux hypothèses : 1° que le *montant de la production nationale* est une chose *invariable*, ou comme dirait un mathématicien, une quantité ou une grandeur *constante* ; 2° que le montant du salaire réel mesuré par la quantité de marchandises qu'il permet d'acheter, est une somme *fixe*, une grandeur *constante*.

Or, sa première hypothèse est évidemment une erreur. Vous constaterez que la valeur et la quantité de la production s'accroissent d'année en année, que les forces productives du travail national augmentent et que la somme d'argent nécessaire à la circulation de cette production croissante change continuellement. Ce qui est vrai à la fin de l'année et pour des années différentes comparées entre elles, est vrai également pour chaque journée moyenne de l'année. La quantité ou grandeur de la production nationale change continuellement. Ce n'est pas une grandeur *constante*, mais une grandeur *variable* et, si l'on fait abstraction complète des variations dans le chiffre de la population, il ne peut en être autrement, étant donnée la modification continuelle de l'*accumulation du capital* et la *force productive du travail*. Il est tout à fait exact que si une *hausse du taux général des salaires* survenait, quels qu'en soient finalement les effets, *en soi* elle ne modifierait pas *immédiatement* le montant de la production. Elle partirait tout d'abord de l'état de choses existant. Mais si *avant* la hausse des salaires la production nationale *varie* et *n'est pas fixe*, elle continuera également *après* l'élévation des salaires à être variable et non fixe.

Mais supposons que le montant de la production nationale soit *constant* et non *variable*. Même alors, ce que notre ami Weston regarde comme une déduction logique resterait une simple affirmation gratuite. Si j'ai un nombre déterminé, disons 8, les limites absolues de ce nombre n'empêchent point ses parties de modifier leurs limites *relatives*. Si les profits sont 6 et les salaires 2, les salaires peuvent monter à 6 et les profits tomber à 2 et cependant le montant restera 8. Ainsi le montant fixe de la production ne prouverait nullement que le montant des salaires soit fixe. comment donc notre ami Weston prouve-t-il cette fixité ? En l'affirmant, tout simplement.

Mais même si nous admettons comme exacte son affirmation, elle agirait dans deux directions différentes, alors qu'il ne la fait jouer que dans une seule. Si le montant des salaires est une grandeur fixe, celle-ci ne peut être ni levée ni abaissée. Si donc les ouvriers agissaient follement en arrachant une augmentation passagère des salaires, les capitalistes, commettraient une non moindre folie en imposant une diminution momentanée des salaires. Notre ami Weston ne nie pas que, dans certaines circonstances, les ouvriers *puissent* arracher des augmentations de salaires, mais, d'après lui, comme le montant des salaires a la fixité d'un fait naturel, il s'en suivra fatalement une réaction. Mais il sait également d'autre part que les capitalistes *peuvent* imposer des diminutions de salaires, et, en effet, ils s'y efforcent sans relâche. En vertu du principe du niveau constant des salaires, une réaction devrait nécessairement s'ensuivre dans ce second cas aussi bien que dans le premier. Les ouvriers, par conséquent, auraient raison de se rebeller contre la tentative d'abaisser les salaires ou sa réalisation. Donc, ils sont en droit d'arracher des *augmentations de salaires*, car *chaque réaction contre les réductions de salaires* est une *action* en faveur de leur augmentation. Par conséquent, suivant le principe même du *niveau constant des salaires* du citoyen Weston, les ouvriers devraient, dans certaines circonstances, s'unir et lutter pour des augmentations de salaires.

S'il nie cette conclusion, il lui faut renoncer à l'hypothèse dont elle découle. Au lieu de dire que le montant des salaires est une *grandeur constante*, il devrait dire que, bien qu'ils ne puissent ni ne doivent *monter* ils pourraient et devraient plutôt *baisser*, dès qu'il plaît au capital de les réduire. S'il plaît au capitaliste de vous nourrir de pommes de terre au lieu de viande, et de bouillie d'avoine au lieu de pain blanc, il vous faut subir sa volonté comme une loi de l'économie politique et vous y soumettre. Si dans un pays, par exemple aux États-Unis, les taux des salaires sont plus élevés qu'en Angleterre, vous devrez expliquer cette différence dans le niveau des salaires comme une différence entre la volonté des capitalistes américains et celle des capitalistes anglais, méthode qui simplifierait beaucoup l'étude non seulement des phénomènes économiques, mais aussi de tous les autres phénomènes.

Mais même alors, nous pourrions demander *pourquoi* la volonté des capitalistes américains diffère donc de celle des capitalistes anglais. Et pour répondre à cette question, il nous faudrait aller au-delà du domaine de la *volonté*. Un curé peut me dire que Dieu a une volonté en France et une autre en Angleterre. Si je le mets en demeure de m'expliquer la dualité de cette volonté, il aura peut-être le front de me répondre qu'il plaît à Dieu d'avoir une volonté en France et une autre en Angleterre. Mais notre ami Weston sera certainement le dernier à tirer argument d'une négation aussi complète de toute raison.

La *volonté* du capitaliste consiste certainement à prendre le plus possible. Ce que nous avons à faire, ce n'est pas de disserter sur sa *volonté*, mais étudier sa *puissance*, les limites *de cette puissance* et le *caractère de ces limites*.

2. Production, salaire, profit

La conférence que le citoyen Weston nous a faite aurait pu tenir dans une coquille de noix.

Toute son argumentation aboutit à ceci : si la classe ouvrière contraint la classe capitaliste à lui payer 5 shillings au lieu de 4, sous forme de salaires en argent, le capitaliste lui rendra, par contre, sous forme de marchandises la valeur de 4 shillings au lieu de 5. La classe ouvrière aurait alors 5 shillings à payer pour ce qu'elle achetait 4 shillings avant la hausse des salaires. Mais pourquoi en est-il ainsi ? Pourquoi le capitaliste ne donne-t-il que la valeur de 4 shillings pour 5 ? Parce que le montant des salaires est fixe. Mais pourquoi est-il fixé à la valeur de 4 shillings de marchandises et pas 3 ou 2 shillings ou à une autre somme quelconque ? Si la limite du montant des salaires est fixé par une loi économique, indépendante aussi bien de la volonté des capitalistes que de celle des ouvriers, le citoyen Weston aurait dû tout d'abord exposer cette loi et la démontrer. Il aurait dû, en outre, prouver que la somme des salaires effectivement payés à chaque moment donné correspond toujours exactement à la somme nécessaire des salaires et ne s'en écarte jamais. Si, d'autre part, la limite donnée de la somme des salaires dépend de la *simple volonté* du capitaliste ou des bornes de sa cupidité, c'est une limite arbitraire. Elle n'a rien de nécessaire en soi. Elle peut être modifiée *par* la volonté des capitalistes et peut, par conséquent l'être également *contre* leur volonté.

Pour illustrer sa théorie, le citoyen Weston vous raconte que si une soupière contient une quantité déterminée de soupe qui doit être mangée par un nombre déterminé de personnes, une augmentation de la largeur des cuillers n'amènerait pas une augmentation de la quantité de soupe. Il faut qu'il me permette de trouver son explication un peu drôle. Elle me rappelle un peu la comparaison à laquelle eut recours Menenius Agrippa. Lorsque les plébéiens romains entrèrent en lutte contre les patriciens, le patricien Agrippa leur raconta que la panse patricienne nourrissait les membres plébéiens du corps politique. Agrippa ne réussit point à prouver que l'on nourrit les membres d'un homme en remplissant le ventre d'un autre. Le citoyen Weston, de son côté, a oublié que la soupière dans laquelle mangent les ouvriers est remplie du produit tout entier du travail national et que ce qui les empêche d'y prendre davantage, ce n'est ni la petitesse de la soupière ni la quantité infime de son contenu, mais uniquement la petitesse de leurs cuillers.

Grâce à quel artifice le capitaliste est-il à même de donner une valeur de 4 shillings pour 5 shillings ? Grâce à l'élévation du prix des marchandises qu'il vend. Mais alors, l'élévation des prix ou, pour nous exprimer de façon plus générale, le changement de prix des marchandises dépend donc de la simple volonté des capitalistes ? Ou bien des circonstances déterminées ne sont-elles pas nécessaires, au contraire, pour que cette volonté entre en jeu ? Sans cela la hausse et la baisse, les variations incessantes des prix du marché deviennent une énigme insoluble.

Puisque nous supposons qu'il ne s'est produit absolument aucun changement ni dans les forces productives du travail, ni dans la quantité de capital et de travail employés, ni dans la valeur de l'argent dans laquelle est exprimée la valeur des produits, mais qu'il n'y a eu *de changement que dans les taux des salaires* comment cette *hausse des salaires* pourrait-elle influer sur les *prix des marchandises* ? Uniquement en influant sur le rapport existant entre la demande et l'offre de ces marchandises.

Il est tout à fait exact que la classe ouvrière, considérée dans son ensemble, dépense et doit forcément dépenser son revenu tout entier en *moyens de subsistance*. Une hausse générale des salaires provoquerait donc une augmentation de la demande de *moyens de subsistance* et, par conséquent, aussi une hausse de leur *prix sur le marché*. Les capitalistes qui les produisent se dédommageraient des augmentations des salaires par les prix croissants de leurs marchandises sur le marché. Mais qu'advient-il des autres capitalistes qui *ne* fabriquent *pas* les objets de première nécessité ? Et vous ne devez pas vous imaginer que leur nombre est infime. Si vous réfléchissez que les deux tiers de la production nationale sont consommé par le cinquième de la population, — un membre de la Chambre des communes affirmait récemment que c'est par un septième de la population seulement, — vous comprendrez qu'il faut qu'une partie énorme de la production nationale soit formée d'objets de luxe ou *échangée* contre des objets de luxe, et qu'une quantité énorme d'articles de première nécessité soit gaspillée pour la valetaille, les chevaux, les chats, etc., gaspillage qui, comme nous le savons par expérience, diminue toujours avec la hausse du prix des moyens de subsistance.

Or, quelle sera la situation des capitalistes qui ne produisent pas d'objets de première nécessité ? Le *taux de leur profit baissant* par suite des augmentations générales des salaires, ils ne pourraient pas se rattraper par *l'élévation des prix de leurs marchandises* puisque la demande de ces marchandises n'aurait pas augmenté. Leur revenu diminuerait, et c'est avec ce revenu amoindri qu'il leur faudrait payer davantage pour la même quantité d'articles courants de prix accru. Mais ce ne serait pas tout. Leur revenu diminuant, ils auraient également moins à dépenser en objets de luxe et, de cette façon, il y aurait un recul dans la demande réciproque de leurs marchandises respectives. Cette diminution dans la demande ferait baisser les prix de leurs marchandises. Donc, dans ces branches d'industrie, *le taux des profits baisserait* non pas simplement en proportion de l'élévation générale des salaires, mais aussi en rapport avec l'action combinée de la hausse générale des salaires, de l'augmentation des prix des objets de première nécessité et de la baisse des prix des objets de luxe.

Quelle serait la conséquence de *cette différence entre les taux de profit* pour les capitaux employés dans les différentes branches d'industrie ? La même conséquence qui se produit chaque fois que, pour une raison quelconque, surviennent des différences dans *les taux moyens des profits* dans les diverses sphères de la production. Le capital et le travail seraient transférés des branches les moins rémunératrices dans les plus rémunératrices, et ce processus de transfert durerait jusqu'à ce que l'offre dans une branche d'industrie eût augmenté proportionnellement à la demande accrue, et qu'elle eût baissé dans les autres branches d'industrie en raison de la demande diminuée. Une fois ce changement effectué *le taux général du profit s'égaliserait* de nouveau dans les différentes branches de l'industrie. Comme, à l'origine, tout ce déplacement proviendrait d'un simple changement dans les rapports entre l'offre et la demande des différentes marchandises, la cause cessant, l'effet cesserait aussi, et les *prix* reviendraient à leur niveau et à leur équilibre précédents. Au lieu d'être bornée à quelques branches d'industrie, la *baisse de taux du profit* par suite des augmentations de salaires serait *générale*. Conformément à notre supposition, il ne serait survenu aucun changement ni dans les forces productives du travail ni dans la somme totale de la production, mais *la quantité de production donnée n'aurait fait que changer de forme*.

Une plus grande partie de la quantité de produits existerait sous la forme d'objets de première nécessité, une partie moindre sous la forme d'objets de luxe, ou, ce qui reviendrait au même, une partie moindre serait échangée contre des objets de luxe venus de l'étranger et serait consommée sous sa forme primitive ; ou bien encore, une partie plus grande de la production nationale serait échangée contre des objets de première nécessité venus de l'étranger et non contre des objets de luxe. Par conséquent, la hausse générale des salaires, après une perturbation momentanée dans les prix du marché, n'amènerait que la baisse générale du taux du profit sans aucun changement durable quelconque dans les prix des marchandises.

Si l'on m'objecte que, dans l'argumentation précédente, j'admets que tout l'accroissement des salaires est dépensé en articles de première nécessité, je répondrai que j'ai fait la supposition la plus favorable à l'opinion du citoyen Weston. Si l'accroissement des salaires était dépensé en objets ne figurant pas auparavant dans la consommation des ouvriers, il ne serait pas nécessaire de prouver l'augmentation effective de leur puissance d'achat. Mais comme elle n'est que la conséquence de l'élévation de leur salaire, il faut bien que cette augmentation du pouvoir d'achat des ouvriers corresponde exactement à la diminution du pouvoir d'achat des capitalistes. Par conséquent, ce ne serait pas la *demande totale des marchandises* qui augmenterait, mais les parties constituantes de cette demande qui se *modifieraient*. La demande croissante d'un côté serait compensée par la demande décroissante de l'autre. De cette façon, la demande totale restant échangée, aucun changement ne pourrait se produire dans les prix des marchandises sur le marché.

Vous vous voyez, par conséquent, placés devant le dilemme suivant : ou bien l'accroissement du salaire entraîne une dépense répartie également sur tous les objets de consommation, et dans ce cas, il faut que l'augmentation de la demande de la part de la classe ouvrière soit compensée par la baisse de la demande du côté de la classe capitaliste, ou bien l'accroissement du salaire n'est dépensé que pour quelques objets dont les prix du marché vont monter temporairement. Alors, la hausse du taux du profit qui s'ensuivra dans quelques branches d'industrie et la baisse du taux du profit dans d'autres branches provoqueront un changement dans la distribution du capital et du travail, jusqu'à ce que l'offre se soit adaptée à la demande accrue dans une branche d'industrie et à la demande diminuée dans les autres branches.

Dans une des hypothèses, il ne se produira pas de changement dans les prix des marchandises : dans l'autre, les valeurs d'échange des marchandises, après quelques fluctuations des prix du marché, reviendront à leur niveau antérieur. Dans les deux hypothèses, la hausse générale du taux des salaires n'entraînera, finalement rien d'autre qu'une baisse générale du taux du profit.

Pour mettre en jeu vos facultés imaginatives, le citoyen Weston vous a invités à réfléchir aux difficultés que susciterait une élévation générale des salaires des ouvriers agricoles anglais de 9 à 18 shillings. songez un peu, s'est-il écrié, à la hausse énorme de la demande d'objets de première nécessité et à la montée effrayante des prix qui en résulterait ! Or, vous savez tous que les salaires moyens des ouvriers agricoles américains sont du double de ceux des ouvriers agricoles anglais, bien que les prix des produits agricoles soient plus bas aux États-Unis que dans le Royaume-Uni, bien qu'aux États-Unis l'ensemble des rapports entre le capital et le travail soit le même qu'en Angleterre. Pourquoi donc notre ami sonne-t-il ainsi le tocsin ? Uniquement pour détourner notre attention de la véritable question qui se pose devant vous. Une augmentation subite de salaire de 9 à 18 shillings constituerait une augmentation subite de cent pour cent. Or, nous ne discutons nullement la question de savoir si le taux général des salaires en Angleterre pourrait être brusquement élevé de cent pour cent. Nous n'avons nullement à nous occuper de la *grandeur* de l'augmentation qui dépend, dans chaque cas particulier, de circonstances données auxquelles elle doit s'adapter. La seule chose que nous ayons à rechercher, c'est l'effet que va produire une élévation générale du taux des salaires, serait-elle limitée à un pour cent.

Laissant donc de côté la hausse imaginaire de cent pour cent de l'ami Weston, je veux attirer votre attention sur la hausse réelle des salaires qui eut lieu en Angleterre de 1849 à 1859.

Vous connaissez tous la loi de 10 heures ou plus exactement de 10 heures 1/2, mise en vigueur en 1848. Ce fut un des plus grands changements économiques dont nous ayons été témoins. Ce fut une augmentation des salaires subite et imposée non point à quelques industries locales quelconques, mais aux branches industrielles maîtresses qui assurent la suprématie de l'Angleterre sur les marchés mondiaux. Ce fut une hausse des salaires en des circonstances singulièrement défavorables. Le docteur Ure, le professeur Senior et tous les autres porte-parole officiels de l'économie de la bourgeoisie « prouvèrent », — et je suis obligé de le dire, avec des raisons bien meilleures que notre ami Weston, — qu'on sonnait ainsi le glas de l'industrie anglaise. Ils prouvèrent qu'il ne s'agissait pas d'une simple augmentation des salaires, mais bien d'une augmentation des salaires provoquée par une diminution de la quantité de travail employé, et fondée sur cette diminution. Ils affirmèrent que la douzième heure que l'on voulait ravir aux capitalistes était précisément la seule heure dont ils tiraient leur profit. Ils annoncèrent la diminution de l'accumulation du capital, l'augmentation des prix, la perte des marchés, la réduction de la production et, pour conséquence inévitable, la diminution des salaires et finalement la ruine. En fait, ils déclaraient que la loi du maximum de Robespierre était une bagatelle en comparaison de celles-là et, en un certain sens, ils avaient raison. Eh bien ! Quel en fut le résultat ? Une hausse des salaires en argent des ouvriers d'usine malgré la diminution de la journée de travail, une augmentation importante du nombre des ouvriers occupés dans les usines, une baisse ininterrompue des prix de leurs produits, un développement merveilleux de la force productive de leur travail, une extension continuelle inouïe du marché pour leurs marchandises. À Manchester, j'ai entendu, en 1860, à la Société pour l'avancement des sciences, M. Newman reconnaître que lui, le Docteur Ure, Senior et tous les autres porte-parole autorisés de l'économie politique s'étaient trompés, alors que l'instinct du peuple s'était révélé juste. Je cite Monsieur W. Newman — et non le professeur Francis Newman— parce qu'il occupe, en économie politique, un rang éminent comme collaborateur et éditeur de l'*Histoire des prix* de M. Thomas Tooke, cet ouvrage magnifique qui suit pas à pas l'histoire des prix de 1793 à 1856. Si l'idée fixe de notre ami Weston d'un montant fixe des salaires, d'une quantité fixe de la production totale, d'un niveau fixe de la force productive du travail, d'une volonté fixe et constante des capitalistes, si tout le reste de sa fixité et de sa finalité étaient exactes, les pressentiments sinistres du professeur Senior auraient été justes et c'est Robert Owen qui aurait eut tort, lui qui réclamait, dès 1816, une diminution générale de la journée de travail comme le premier pas dans la voie de l'émancipation de la classe ouvrière et qui, malgré le préjugé régnant, l'introduisait effectivement et de sa propre initiative dans sa fabrique de textile de New-Lanark.

Au moment même où se produisait l'instauration de la journée de dix heures et l'augmentation des salaires qui s'ensuivit, il y eut, en Angleterre, pour des raisons qui ne sauraient être énumérées ici, une *hausse générale des salaires des ouvriers agricoles*.

Bien que ce ne soit pas indispensable pour mon propos immédiat, je veux, afin de ne pas vous laisser sur une fausse route, présenter ici quelques remarques préliminaires.

Si un homme dont le salaire hebdomadaire était de 2 shillings avait son salaire porté à 4 shillings, le *taux du salaire* aurait monté de cent pour cent. Ce serait, considéré comme taux du salaire, une chose admirable, bien que le *montant réel du salaire*, 4 shillings par semaine, restât toujours un salaire infime, misérable, un salaire de famine. Vous ne devez donc pas vous laisser égarer par les pourcentages impressionnants du *taux* du salaire. Il faut toujours vous demander quel était le montant *primitif*.

Il faut bien que vous compreniez aussi que si 10 ouvriers reçoivent chacun 2 shillings par semaine, 5 ouvriers chacun 5 shillings et 5 autres ouvriers chacun 11 shillings, ces 20 personnes réunies recevront par semaine 100 shillings ou 5 livres. Si alors la somme totale de leurs salaires hebdomadaire montait, disons, de vingt pour cent, de 5 livres elle passerait à 6 livres. Si nous prenons la moyenne, nous pourrions dire que le *taux général des salaires* aurait monté de 20 % bien qu'en réalité les taux des salaires de dix ouvriers soient restés les mêmes, que les salaires d'un des groupes de 5 ouvriers ne se soient élevés que de 5 à 6 shillings et que la somme des salaires de l'autre groupe de 5 ouvriers ait monté de 55 à 70 shillings. La moitié des ouvriers n'aurait nullement amélioré leur situation, un quart d'entre eux l'aurait améliorée de façon imperceptible, et un quart seulement y aurait trouvé un bénéfice réel. Cependant, si on fait la *moyenne*, la somme totale des salaires de ces 20 ouvriers aurait augmenté de 20 % et, dans la mesure où entrent en ligne de compte la masse du capital qui les emploie et les prix des marchandises qu'ils produisent, cela est exactement la même chose que s'ils avaient tous participé également à l'augmentation moyenne des salaires. Dans le cas des ouvriers agricoles, étant donné que les salaires courants sont très différents dans les comtés d'Angleterre et d'Écosse, l'augmentation se manifesta d'une manière inégale.

Enfin, au moment où eurent lieu les augmentations de salaires, on put constater des influences contraires, comme, par exemple, les nouveaux impôts qu'entraîna la guerre de Crimée, la démolition d'une partie considérable des habitations des ouvriers agricoles, etc.

Ces réserves faites, je constate maintenant que, de 1849 à 1859, il se produisit en Grande-Bretagne une *hausse d'environ* 40 % dans les taux moyens des salaires des ouvriers agricoles. Je pourrais vous donner d'amples détails à l'appui de mes affirmations, mais je considère qu'il me suffira, pour le but que je poursuis, de vous renvoyer au travail critique si consciencieux présenté en 1860 par feu M. John C. Morton à la Société des arts et métiers de Londres sur *les forces employées dans l'agriculture*. M. Morton y fournit des statistiques tirées de factures et autres documents authentiques recueillis chez une centaine de cultivateurs de douze comtés écossais et de trente-cinq comtés anglais.

D'après la façon de voir de notre ami Weston, et considérant l'augmentation simultanée des salaires des ouvriers de fabriques, il aurait dû se produire entre 1849 et 1859 une énorme augmentation des prix des produits agricoles. Or, qu'arriva-t-il ? Malgré la guerre de Crimée et les mauvaises récoltes successives de 1854 à 1856, le prix moyen du blé, le principal produit agricole de l'Angleterre, tomba du prix de 3 livres environ par *quarter*, pour les années 1838 à 1848, à 2 livres 10 shillings environ *le quarter* de 1849 à 1859. Cela constitue une baisse du prix du blé de plus de 16 %, parallèlement à une hausse moyenne des salaires des ouvriers agricoles de 40 %. Dans la même période, si nous en comparons la fin avec le début, c'est-à-dire 1859 avec 1849, le nombre des indigents inscrits tomba de 934 419 à 860 470, ce qui fait une différence de 73 949, diminution très minime, je l'avoue, et qui fut reperdue les années suivantes, mais diminution tout de même.

On peut dire que, par suite de l'abolition des lois sur les céréales, l'importation des grains étrangers doubla de 1849 à 1859, comparativement à la période de 1839 à 1848. Mais qu'est-ce que cela signifierait ? Du point de vue du citoyen Weston, il eût fallu s'attendre à voir cette demande subite, énorme et toujours croissante sur les marchés étrangers faire monter les prix des produits agricoles à une hauteur effrayante, puisque l'effet de la demande accrue, que celle-ci vienne de l'extérieur ou de l'intérieur, reste, n'est-ce pas, toujours le même. Or qu'arriva-t-il en réalité ? À part quelques années de mauvaises récoltes, la chute désastreuse du prix des céréales fut pendant tout ce temps l'objet de plaintes continuelles en France. Les Américains furent contraints, à maintes reprises, de brûler leur production en excédent, et la Russie, s'il faut en croire M. Urquhart, formata la guerre civile aux États-Unis parce que son exportation de produits agricoles sur les marchés européens était paralysée par la concurrence américaine.

Ramenée à sa forme abstraite, la façon de voir du citoyen Weston aboutirait à ceci : Toute augmentation de la demande se produit toujours sur la base d'un montant donné de la production. Par conséquent, elle ne peut *jamais augmenter l'offre des articles demandés*, mais uniquement *relever leur prix en argent*. Or, la plus simple observation montre que dans certains cas une demande accrue ne fait nullement varier les prix des marchandises sur le marché, alors que dans d'autres cas elle provoque une hausse passagère des prix sur le marché, suivie d'une offre accrue, entraînant à son tour un retour des prix à leur niveau antérieur et, dans beaucoup de cas, *au-dessous* de leur niveau primitif. Que l'augmentation de la demande soit le fait de l'accroissement du salaire ou de toute autre cause, cela ne change rien aux conditions du problème. Du point de vue du citoyen Weston, le fait général était aussi difficile à expliquer que lorsque le problème provenait des circonstances exceptionnelles de l'élévation des salaires. Sa façon de voir est donc sans valeur pour le sujet que nous traitons. Elle ne fait qu'exprimer son embarras lorsqu'il faut expliquer les lois selon lesquelles une demande accrue provoque une offre plus grande au lieu d'aboutir à une augmentation des prix du marché.

3. Salaire et circulation monétaire

Au second jour des débats, notre ami Weston a revêtu ses anciennes affirmations de formes nouvelles. Il a dit : « À la suite d'une hausse générale des salaires en argent, il faudra plus d'argent pour payer les mêmes salaires. Comme la quantité de l'argent en circulation est *fixe*, comment pourrez-vous avec ces moyens fixes payer cette plus grande quantité de salaires en argent ?» Tout d'abord la difficulté provenait du fait que malgré la hausse des salaires en argent des ouvriers, la quantité des marchandises leur revenant restait constante : elle provient maintenant de l'augmentation des salaires en argent, malgré les quantités fixes de marchandises. Naturellement, si vous rejetez son dogme initial, les difficultés qui en résultent disparaîtront également.

Je veux néanmoins vous prouver que cette question de l'argent en circulation n'a absolument rien à faire avec le sujet que nous traitons.

Dans votre pays, le mécanisme des moyens de paiement est de beaucoup plus perfectionné qu'en aucun autre pays d'Europe. Grâce à l'extension et à la concentration de votre système bancaire, on a besoin de beaucoup moins de monnaie pour faire circuler la même somme de valeurs et pour procéder au règlement d'un nombre d'affaires égal ou supérieur. En ce qui concerne les salaires, par exemple, l'ouvrier de fabrique anglais porte son salaire au boutiquier qui le remet chaque semaine à la banque ; celui-ci se retourne hebdomadairement au fabricant qui le paie à nouveau à ses ouvriers, et ainsi de suite. Par ce procédé, le salaire annuel d'un ouvrier, disons de 52 livres, peut être payé avec un seul souverain* qui parcourt chaque semaine le même cycle. Même en Angleterre le mécanisme des moyens de paiement est moins parfait qu'en Écosse et il n'a pas atteint partout la même perfection. C'est pourquoi nous voyons, par exemple, que dans quelques districts agricoles, comparativement aux régions à caractère industriel marqué, on a besoin de beaucoup plus de monnaie pour faire circuler une quantité bien moindre de valeurs.

Si vous traversez la Manche, vous constaterez que les *salaires en argent* sont de beaucoup inférieurs à ceux de l'Angleterre, mais qu'en Allemagne, en Italie, en Suisse et en France, leur circulation se fait par le moyen de *quantités beaucoup plus grandes de monnaie*. Le même souverain n'est pas saisi aussi rapidement par les banques ou renvoyé aussi vite au capitaliste industriel. Aussi, au lieu d'un souverain pour la circulation annuelle du 52 livres, a-t-on

* Monnaie d'or anglaise équivalent à une livre sterling.

besoin peut-être de 3 souverains pour faire circuler des salaires annuels s'élevant à 25 livres. Si vous comparez sur ce point les pays continentaux à l'Angleterre, vous constaterez aussitôt que de bas salaires en argent peuvent parfois exiger pour leur circulation de plus grandes quantités de numéraire, et que ceci n'est en réalité qu'une question technique tout à fait étrangère à notre sujet.

D'après les meilleurs calculs que je connaisse, le revenu annuel de la classe ouvrière de ce pays peut être estimé à 250 millions de livres sterling. Cette somme énorme circule au moyen de 3 millions de livres environ. Supposons qu'il se produise une hausse de 50 % sur les salaires. Au lieu de 3 millions d'argent en circulation, il en faudrait alors 4 millions 1/2. Comme une partie importante des dépenses journalières de l'ouvrier est payée en pièces d'argent et de cuivre, — c'est-à-dire avec de simples signes monétaires dont la valeur par rapport à l'or est fixée arbitrairement par la loi, comme celle du papier-monnaie à cours forcé, — une augmentation de 50 % sur les salaires en or, représenterait, au pis aller, une circulation accrue, disons, d'un million de souverains. Il circulerait un million de plus, million qui se trouve actuellement sous forme de lingots ou de monnaie dans les caves de la Banque d'Angleterre ou de banques privées. Mais même la minime dépense de ce million pourrait être évitée et le serait en effet si une gêne quelconque devait résulter du besoin accru de numéraire. Vous savez tous que la monnaie en circulation de ce pays se partage en deux grands groupes. L'un, composé de billets de banque des plus divers, sert aux transactions entre commerçants ainsi qu'aux paiements importants entre consommateurs et commerçants, alors que l'autre espèce de moyens de circulation, les pièces de monnaie métalliques, circule dans le commerce de détail. Bien que tout à fait différentes, ces deux espèces de moyens de circulation s'entremêlent. C'est ainsi que même pour des paiements importants, la monnaie d'or entre en forte proportion dans la circulation pour toutes les sommes d'appoint inférieures à 5 livres. Si demain, on émettait des billets de banque de 4 livres, ou de 3 livres, ou de 2 livres, l'or qui remplit actuellement ces canaux de circulation en serait aussitôt refoulé et se dirigerait dans ceux où, par suite de l'augmentation des salaires en argent, le besoin s'en fait sentir. De cette manière, le million supplémentaire que nécessiterait une augmentation de salaire de 50 % serait obtenu sans apport d'un seul souverain. Le même effet pourrait être obtenu sans augmentation d'un seul billet de banque par une circulation accrue de lettres de change, comme cela se fit, pendant longtemps, dans le Lancashire.

Si une augmentation générale du taux des salaires, de 100 % par exemple, comme le citoyen Weston le suppose pour les salaires des ouvriers agricoles, provoquait une forte hausse dans les prix des denrées de première nécessité et si, à son avis, elle exigeait une quantité supplémentaire de moyens de paiement qu'on ne pourrait se procurer, une *baisse générale des salaires* ne pourrait manquer d'avoir le même effet d'une envergure aussi grande, mais dans le sens opposé. Or, vous savez tous que les années les plus favorables pour l'industrie cotonnière furent celles de 1858 à 1860, qu'en particulier l'année 1860 n'eut pas sa pareille dans les annales de l'industrie, et que, à la même époque, les autres branches industrielles jouirent également d'une grande prospérité. Les salaires des ouvriers du coton et de tous les autres ouvriers se rattachant à cette industrie furent en 1860 plus élevés que jamais. Survint la crise américaine et, d'un seul coup, tous ces salaires furent ramenés à un quart environ de leur montant antérieur. Cela aurait signifié, dans le sens opposé, une hausse de 300 %. Lorsque les salaires montent de 5 à 20, nous disons qu'ils sont monté de 300 %, lorsqu'ils tombent de 20 à 5, nous disons qu'ils baissent de 75 %; mais le montant de la hausse dans un cas et celui de la baisse dans l'autre eussent été les mêmes, c'est-à-dire de 15 shillings. C'était donc un changement subit sans précédent dans le taux des salaires et qui s'étendait en même temps à un nombre d'ouvriers tel que si nous comptons non seulement les ouvriers occupés dans l'industrie cotonnière, mais encore ceux qui en dépendent indirectement, il dépassait de moitié le nombre des ouvriers agricoles. Or, le blé baissa-t-il de prix ? Non, il passa de son prix moyen annuel de 47 sh. 8 pence le *quartet*, pendant les trois années 1858-1859-1860, au prix moyen annuel de 55 sh. 10 pence le *quarter*, pendant les trois années 1861-1863. En ce qui concerne les moyens de paiement, on frappa, en 1861, 8 673 232 livres contre 3 378 102 livres en 1860, c'est-à-dire qu'on monnaya 5 295 130 livres de plus en 1861 qu'en 1860. Il est vrai que la circulation des billets de banques en 1861, fut inférieure de 1 319 000 livres à celle de 1860. Retranchons-les. Il reste encore un excédent de moyens de paiement pour l'année 1861, comparée à l'année favorable de 1860, qui s'éleva à 3 976 130 livres, soit 4 millions de livres en chiffres ronds ; mais la réserve d'or de la Banque d'Angleterre avait baissé en même temps, sinon dans la même proportion, du moins dans une proportion presque égale.

Comparez un peu 1862 à 1842. Abstraction faite de l'augmentation formidable de la valeur et de la quantité des marchandises en circulation, le capital employé aux transactions régulières sur les actions, emprunts, etc., pour les chemins de fer en Angleterre et dans le pays de Galles s'éleva à lui seul à 320 000 000 de livres, somme qui, en 1842, aurait paru fabuleuse. Et pourtant, la somme totale des moyens de paiement en circulation fut approximativement la même en 1862 qu'en 1842. Face à un énorme accroissement de valeur non seulement dans les marchandises, mais aussi dans toutes les transactions monétaires, vous remarquerez une tendance générale à la diminution constante des moyens de paiement. Du point de vue de notre ami Weston, il y a là une énigme insoluble.

S'il avait pénétré un peu plus avant dans son sujet, il aurait trouvé que, abstraction faite des salaires, et même en admettant qu'ils restent fixes, la valeur et la quantité des marchandises à mettre en circulation et, en général, le montant des transactions monétaires à régler varient chaque jour, que le montant des billets de banque émis varie chaque jour ; que le montant des paiements effectués sans recours à aucune sorte de monnaie, au moyen d'effets, de chèques, de comptes courants, de *clearing houses*, varie chaque jour ; que dans la mesure où on a vraiment besoin de monnaie métallique, le rapport entre les pièces de monnaie en circulation et les réserves d'or dans les caves des banques varie chaque jour ; que le montant d'or non monnayé nécessaire à la circulation nationale et celui qui est expédié à l'étranger pour la circulation internationale varient chaque jour. Il aurait trouvé que ce dogme d'une quantité fixe des moyens de paiement est une erreur monstrueuse et qu'il est incompatible avec les faits de tous les jours. Il aurait recherché les lois qui permettent aux moyens de paiement de s'adapter à des circonstances en fluctuation constante, au lieu de se servir de sa fausse conception des lois de la circulation monétaire comme d'un argument contre l'élévation des salaires.

4. L'offre et la demande

Notre ami Weston fait sien le proverbe latin : *repetitio est mater studiorum*, c'est-à-dire : la répétition est la mère de l'étude ; c'est pourquoi il reprend son dogme primitif, sous une autre forme, à savoir que le resserrement des moyens de circulation monétaires causé par l'élévation des salaires amènerait une diminution du capital, etc. Comme j'ai déjà démontré la fausseté de sa théorie périmée des moyens de circulation monétaires, je considère comme tout à fait inutile de m'arrêter aux conséquences fantaisistes, qui dans son imagination résultent des avatars imaginaires de la circulation monétaire. Je vais donc immédiatement ramener à sa forme *théorique la plus simple* son *dogme* qu'il reproduit sous des formes si variées, mais qui reste *toujours le même*.

Une seule remarque montre de toute évidence l'absence d'esprit critique avec laquelle il traite son sujet. Il se dresse contre l'argumentation des salaires ou contre les hauts salaires qui en résultent. Mais alors je lui demande : Qu'est-ce que de hauts salaires et qu'est-ce que des bas salaires ? Pourquoi considère-t-on, par exemple, 5 shillings par semaine comme un bas salaire et 20 shillings par semaine comme un salaire élevé ? Si 5 est bas par rapport à 20, 20 est encore plus bas par rapport à 200. Si quelqu'un fait une conférence sur le thermomètre, il ne nous apprendra rien en se mettant à déclamer sur le degrés inférieurs et les degrés supérieurs. Il faudra qu'il m'explique tout d'abord comment on détermine le point de congélation et le point d'ébullition de l'eau, et qu'il démontre que ces points de comparaison sont fixés par des lois naturelles et non par le caprice des marchands ou des fabricants de thermomètres. Or, en ce qui concerne les salaires et les profits, le citoyen Weston non seulement a négligé de déduire des lois économiques ces point fixes, mais il n'a même pas ressenti la nécessité de les chercher. Il s'est contenté d'adopter les termes courants de haut et de bas, comme s'ils signifiaient quelque chose de fixe, alors qu'il est tout à fait évident que l'on ne peut qualifier des salaires de hauts ou de bas que comparativement à un étalon d'après lequel on mesure leur grandeur.

Il sera incapable de me dire pourquoi on paie une certaine somme d'argent pour une certaine quantité de travail. S'il me répondait : « La chose est établie par la loi de l'offre et de la demande », je lui demanderais par quelle loi l'offre et la demande sont réglées elles-mêmes. Et une telle réponse le mettrait aussitôt hors de combat. Les rapports entre l'offre et la demande de travail sont soumis à des modifications constantes et avec elles se modifient les prix du travail sur le marché. Si la demande dépasse l'offre, les salaires montent ; si l'offre l'emporte sur la demande, les salaires baissent, bien qu'il soit nécessaire, en pareille circonstance *d'éprouver* l'état réel de la demande et de l'offre, par exemple, par une grève ou par toute autre méthode. Si vous considérez l'offre et la demande comme la loi qui règle les salaires, il serait aussi puéril qu'inutile de déclamer contre l'élévation des salaires, car d'après la loi suprême que vous évoquez, l'augmentation périodique des salaires est aussi nécessaire et aussi justifiée que leur baisse périodique. Mais si vous ne considérez pas l'offre et la demande comme la loi régulatrice des salaires, je reprends encore une fois ma question : « Pourquoi donne-t-on une certaine somme d'argent pour une certaine quantité de travail ?»

Mais examinons la question d'un point de vue plus large. Vous seriez tout à fait dans l'erreur si vous admettiez que la valeur du travail ou de toute autre marchandise est, en dernière analyse, déterminée par l'offre et la demande. L'offre et la demande ne règlent pas autre chose que les *fluctuations* momentanées des prix du marché. Elles vous expliqueront pourquoi le prix du marché pour une marchandise s'élève au-dessus ou descend au-dessous de sa *valeur* elle-même. Supposons que l'offre et la demande s'équilibrent ou, comme disent les économistes, se couvrent réciproquement. Eh bien ! au moment même où ces forces antagonistes sont d'égale puissance, elles s'annihilent réciproquement et cessent d'agir dans un sens ou dans un autre. Au moment ou l'offre et la demande s'équilibrent et par conséquent cessent d'agir, le *prix du marché* pour une marchandise coïncide avec sa *valeur réelle*, avec le prix fondamental autour duquel oscille son prix sur le marché. Lorsque nous recherchons la nature de cette *valeur*, nous n'avons pas à nous préoccuper des effets passagers de l'offre et de la demande sur les prix du marché. Cela est vrai pour les salaires comme pour le prix de toutes les autres marchandises.

5. Salaire et prix

Ramenés à leur expression théorique la plus simple, tous les arguments de notre ami se réduisent à un seul dogme : « Les prix des marchandises sont déterminés ou réglés par les salaires. »

Je pourrais en appeler à l'observation pratique et invoquer son témoignage contre cette erreur surannée qu'on ne commet plus depuis longtemps. Je pourrais raconter qu'en Angleterre, les ouvriers des fabriques, des mines, des chantiers navals et autres, dont le travail est relativement bien payé, l'emportent sur toutes les autres nations par le bon marché de leurs produits, alors que les ouvriers agricoles anglais, par exemple, dont le travail est relativement mal payé, sont dépassés par presque toutes les autres nations à cause de la cherté de leurs produits. En comparant article par article dans un même pays et les marchandises de divers pays les unes avec les autres, je pourrais vous montrer que, à part quelques exceptions plus apparentes que réelles, c'est en moyenne le travail bien payé qui produit les marchandises bon marché et le travail mal payé qui produit les marchandises chères. Bien entendu, cela ne prouverait pas que le prix élevé du travail dans un cas et son bas prix dans l'autre soient les causes respectives de ces effets diamétralement opposés, mais cela prouve à coup sûr que les prix des marchandises ne sont pas déterminés par les prix du travail. Mais nous n'avons nul besoin d'employer cette méthode empirique.

On pourrait nier peut-être que le citoyen Weston ait jamais prétendu que : « *les prix des marchandises sont déterminés ou réglés par les salaires* ». En effet, il n'a jamais formulé cela. Il a dit, au contraire, que le profit et la rente forment des éléments constituants du prix des marchandises, parce que c'est sur les prix des marchandises que se paient non seulement les salaires du travail, mais aussi les profits du capitaliste et les rentes du propriétaire foncier. Mais comment, à son avis, les prix sont-ils formés ? D'abord par les salaires. Puis on ajoute au prix un pourcentage en faveur du capitaliste et un autre en faveur du propriétaire foncier. Supposons que les salaires des ouvriers qui sont employés à la production d'une marchandise soient 10. Si le taux du profit s'élevait à 100 %, le capitaliste ajouterait aux salaires déboursés 10, et si la rente foncière s'élevait également à 100 % du salaire, on ajouterait 10 de plus. Le prix total de la marchandise s'élèverait à 30. Mais une détermination des prix de ce genre serait leur simple détermination d'après les salaires. Si, dans le cas ci-dessus, les salaires montaient à 20, le prix des marchandises s'élèverait à 60, etc. Voilà pourquoi tous les économistes en retraite qui soutenaient que les salaires règlent les prix ont cherché à le prouver en traitant le profit et la rente comme de *simples additions de pourcentages aux salaires*. Naturellement, aucun d'eux n'a été capable de ramener les limites de ces pourcentages à une loi économique quelconque. Ils ont semblé croire, au contraire, que le profit est établi par la tradition, la coutume, la volonté du capitaliste ou quelque autre méthode également arbitraire et inexplicable. Lorsqu'ils prétendent que les profits sont déterminés par la concurrence entre les capitalistes, cela ne signifie rien en tout. Cette concurrence arrive sûrement à égaliser les différents taux de profit dans les diverses branches d'industrie ou à les ramener à un niveau moyen, mais elle ne saurait jamais déterminer ce niveau lui-même, c'est-à-dire le taux général du profit.

Lorsque nous disons que les prix des marchandises sont déterminés par les salaires, qu'entendons-nous par là ? Comme les salaires ne sont qu'un mot pour désigner le prix du travail, nous voulons dire que les prix des marchandises sont réglés par le prix du travail. Comme le « *prix* » est la « valeur d'échange », — et lorsque je parle de valeur, c'est toujours de la valeur d'échange que je veux parler, — à savoir, la *valeur* d'échange *exprimée en argent*, la chose revient à dire que « *la valeur de la marchandise est déterminée par la valeur du travail* » ou que « *la valeur de travail est la mesure générale des valeurs* ».

Mais, alors, comment est déterminée la « *valeur du travail* » elle-même ? Nous arrivons ici à un point mort. Naturellement à un point mort, si nous essayons de raisonner logiquement. Or, les défenseurs de cette opinion ne s'embarrassent pas beaucoup de scrupules de logique. Voyez, par exemple, l'ami Weston. Tout d'abord, il nous raconte que les salaires règlent les prix des marchandises et que, par conséquent, les prix ne peuvent moins faire que de monter lorsque les salaires montent. Puis, il fait demi-tour pour nous montrer qu'une hausse des salaires ne servirait à rien parce que les prix des marchandises monteraient et que les salaires sont mesurés en fait sur les prix des marchandises pour lesquelles ils sont dépensés. On commence par affirmer que la valeur du travail détermine la valeur de la marchandise, et on finit en prétendant que la valeur de la marchandise détermine la valeur du travail. On tourne et retourne ainsi dans un cercle vicieux, sans arriver à aucune conclusion.

En définitive, il est évident que si nous faisons de la valeur d'une marchandise quelconque, par exemple, le travail, le blé, ou toute autre marchandise, l'étalon général et le régulateur de la valeur, nous ne faisons que déplacer la difficulté, car nous déterminons une valeur par une autre qui, de son côté, a besoin d'être déterminée.

Exprimée dans sa forme la plus abstraite, l'assertion que « les salaires déterminent les prix des marchandises » revient à ceci : « la valeur est déterminée par la valeur », et cette tautologie signifie, en fait, que nous ne savons rien de la valeur. Si nous acceptons cette prémisse, toute discussion sur les lois générales de l'économie politique devient du pur verbiage. Aussi, le grand mérite de Ricardo fut-il de détruire de fond en comble dans ses *Principes d'économie politique*, publiés en 1817, le vieux sophisme communément admis et rebattu que « les salaires déterminent les prix », sophisme qu'Adam Smith et ses prédécesseurs français avaient répudié dans les parties vraiment scientifiques de leurs recherches, mais qu'ils n'en avaient pas moins repris dans les chapitres de leurs œuvres plus superficielles et destinées à la vulgarisation.

6. Valeur et travail

Citoyens, j'en suis arrivé au point où il me faut aborder le développement réel de la question. Je ne puis promettre de le faire d'une manière très satisfaisante, car il me faudrait pour cela parcourir le champ entier de l'économie politique. Je ne puis, comme disent les Français, qu'« effleurer la question* », ne toucher qu'à ses points principaux.

La première question que nous avons à nous poser est celle-ci : Qu'est-ce que la *valeur* d'une marchandise ? Comment la détermine-t-on ?

Au premier abord, il semblerait que la valeur d'une marchandise fût une chose tout à fait *relative*, qui ne saurait être fixée sans qu'on considère une marchandise dans ses rapports avec d'autres marchandises. En effet, lorsque nous parlons de la valeur, de la valeur d'échange d'une marchandise, nous avons dans l'esprit les quantités relatives dans lesquelles elle peut être échangée contre toutes les autres marchandises. Mais alors se présente la question : Comment sont réglés les rapports suivant lesquels les marchandises sont échangées les unes contre les autres ?

Nous, savons, par expérience, que ces rapports sont infiniment variés. Prenons une seule marchandise, du blé, par exemple, nous trouverons qu'un *quarter* de blé s'échange suivant les proportions presque infiniment variables contre différentes marchandises. Et, cependant, *sa valeur restant toujours la même*, qu'elle soit exprimée en soie, en or, ou en toute autre marchandise, il faut qu'elle soit chose distincte et indépendante des *diverses proportions suivant lesquelles elle s'échange* contre d'autres articles. Il doit être possible d'exprimer, sous une forme tout à fait différente, ces diverses équivalences entre diverses marchandises.

En outre, lorsque je dis qu'un *quarter* de blé s'échange contre du fer suivant une certaine proportion, ou que la valeur d'un *quarter* de blé est exprimée par une certaine quantité de fer, je dis que la valeur du blé et son équivalent en fer sont égaux à une *troisième*

* En français dans le texte.

chose quelconque qui n'est ni du blé ni du fer, puisque j'admets qu'ils expriment la même grandeur sous deux formes différentes. Chacun d'eux, le blé aussi bien que le fer, doit, par conséquent, indépendamment de l'autre, pouvoir être réduit à cette troisième chose qui constitue leur commune mesure.

Pour éclaircir ce point, je vais recourir à un exemple géométrique très simple. Lorsque nous comparons les surfaces de triangles de formes et de grandeurs les plus diverses, ou lorsque nous comparons des triangles avec des rectangles, ou avec toute autre figure rectiligne, comment procédons-nous ? Nous ramenons la surface d'un triangle quelconque à une expression tout à fait différente de sa forme visible. Ayant trouvé, d'après la nature du triangle, que sa surface est égale à la moitié du produit de sa base par sa hauteur, nous pouvons comparer entre elles les valeurs différentes de toutes sortes de triangles et de toutes les figures rectilignes, puisqu'elles peuvent toutes se résoudre en un certain nombre de triangles.

Il faut recourir au même procédé pour les valeurs des marchandises. Il faut arriver à les ramener à une expression qui leur soit commune, en les distinguant que par la proportion suivant laquelle elles contiennent cette commune mesure.

Comme les *valeurs d'échange* des marchandises ne sont que les *fonctions sociales* de ces objets et n'ont rien de commun avec leurs qualités *naturelles*, il faut tout d'abord nous demander : Quelle est la *substance sociale commune* à toutes les marchandises ? C'est le *travail*. Pour produire une marchandise, il faut y appliquer, y faire entrer une quantité déterminée de travail. Et je ne dis pas seulement de *travail*, mais de *travail social*. Un homme qui produit un objet pour son usage personnel immédiat, en vue de le consommer lui-même, crée un *produit*, mais non une *marchandise*. En tant que producteur subvenant à lui-même, il n'a rien de commun avec la société. Mais pour produire une *marchandise*, il faut que cet homme produise non seulement un article qui satisfasse à quelque besoin *social*, mais il faut encore que son travail soit un élément ou une fraction de la somme totale du travail utilisé par la société. Il faut que son travail soit subordonné à la *division du travail qui existe au sein de la société*. Il n'est rien sans les autres subdivisions du travail et à son tour il est nécessaire pour les compléter.

Lorsque nous considérons les *marchandises en tant que valeurs*, nous les regardons exclusivement sous le seul aspect de *travail social réalisé, fixé*, ou, si vous voulez, *cristallisé* en elles. Sous ce rapport, elles ne peuvent *se distinguer* les unes des autres que par le fait qu'elles représentent des quantités plus ou moins grandes de travail : par exemple, on emploie une plus grande quantité de travail pour un mouchoir de soie que pour une tuile. Mais comment mesure-t-on la *quantité de travail* ? D'après le *temps que dure le travail*, en mesurant le travail à l'heure, à la journée, etc. Naturellement, pour se servir de cette mesure, on ramène tous les genres de travail au travail moyen, ou travail simple considéré comme leur unité.

Nous arrivons donc à cette conclusion : une marchandise a une *valeur* parce qu'elle est une *cristallisation de travail social. La grandeur* de sa valeur, sa valeur *relative* dépend de la quantité plus ou moins grande de cette substance sociale qu'elle contient, c'est-à-dire de la quantité relative de travail nécessaire à sa production. Les *valeurs relatives des marchandises* sont donc déterminées par les *quantités ou sommes respectives de travail qui sont employées, réalisées, fixées en elles*. Les quantités de marchandises *correspondantes*, qui peuvent être produites *dans le même temps de travail*, sont de valeur *égale*. Ou encore, la valeur d'une marchandise est à la valeur d'une autre marchandise comme la quantité de travail représentée dans l'une est à la quantité de travail représentée dans l'autre.

Mais j'imagine que beaucoup d'entre vous vont me demander : Y a-t-il donc réellement une si grande différence ou même une différence quelconque entre la détermination des valeurs des marchandises d'après les *salaires* ou leur détermination d'après les *quantités relatives de travail* nécessaires à leur production ? Vous devez pourtant savoir que la *rémunération* du travail et la *quantité* de travail sont deux choses tout à fait distinctes. Supposons, par exemple, que des *quantités égales de travail* soient fixées dans un *quarter* de blé et dans une once d'or. Je prends cet exemple, parce que Benjamin Franklin s'en est servi dans son premier Essai, publié en 1729, sous le titre *A modest Enquiry into the nature and necessity of a paper currency* [Modeste enquête sur la nature et la nécessité d'une monnaie de papier], où il découvrit, un des premiers, la véritable nature de la valeur. Bien. Nous supposons donc qu'un *quarter* de blé et une once d'or ont des *valeurs égales*, c'est-à-dire, sont des *équivalents* parce qu'ils sont la *cristallisation de quantités égales de travail moyen*, et qu'ils représentent la fixation de tant de jours ou tant de semaines de travail dans chacune de ces marchandises. En déterminant ainsi les valeurs relatives de l'or et du blé, nous occupons-nous, en quoi que ce soit, des *salaires* des ouvriers agricoles et de ceux des mineurs ? Pas le moins du monde. Nous laissons tout à fait *indéterminée la façon* dont on a payé leur travail quotidien, ou hebdomadaire, ou même la question de savoir s'il a été employé du travail salarié. S'il en a été ainsi, les salaires ont pu être très inégaux. L'ouvrier dont le travail est incorporé dans un *quarter* de blé peut n'en avoir reçu pour cela que deux boisseaux, par contre l'ouvrier occupé dans la mine aura reçu peut-être la moitié de l'once d'or. Ou encore, à supposer que leurs salaires soient égaux, ceux-ci peuvent s'écarter suivant tous les rapports possibles des valeurs des marchandises qu'ils ont produites. Ils peuvent s'élever à la moitié, au tiers, au quart, au cinquième, ou à toute autre fraction proportionnelle d'un *quarter* de blé ou d'une once d'or. Évidemment, leurs *salaires* ne peuvent pas *dépasser* les valeurs des marchandises produites ; ils ne peuvent pas être *plus élevés* qu'elles, mais ils peuvent leur être *inférieurs* à tous les degrés possibles. Leurs *salaires* sont *limités* par les *valeurs* des produits, mais les *valeurs des produits* ne sont pas limitées par les salaires. Et, par-dessus tout, les valeurs, les valeurs relatives du blé et de l'or, par exemple, ont été fixées sans tenir aucun compte de la valeur du travail employé, c'est-à-dire, des *salaires*. La détermination des valeurs des marchandises au moyen des *quantités relatives de travail qui y sont incorporées* est donc quelque chose de tout à fait différent de la méthode tautologique de la détermination des valeurs des marchandises par la valeur du travail ou par les *salaires*. Ce point, d'ailleurs s'éclaircira encore au cours de notre examen.

Dans le calcul de la valeur d'échange d'une marchandise, il nous faut encore ajouter à la quantité de travail employée en *dernier lieu* la quantité de travail *antérieurement* incorporée dans la matière première de la marchandise, ainsi que la quantité de travail appliquée aux moyens de travail, aux outils, aux machines et aux bâtiments qui ont servi pour ce travail. Par exemple, la valeur d'une certaine quantité de filé de coton est la quantité de travail cristallisée, ajoutée au coton au cours du filage, plus la quantité de travail précédemment réalisée dans le coton lui-même, la quantité de travail incorporée dans le charbon, l'huile et les autres matières auxiliaires employées, la quantité de travail fixée dans la machine à vapeur, les broches, les bâtiments de la fabrique et ainsi de suite. Les moyens de travail proprement dits, tels que les outils, les machines, les bâtiments, servent et resservent encore pendant un temps plus ou moins long au cours de processus de production répétés. S'il étaient consommés entièrement comme la matière première, leur valeur entière serait aussitôt transmise à la marchandise qu'ils aident à produire. Mais, comme une broche, par exemple, ne s'use que peu à peu, on fait un calcul moyen dont la base est le temps moyen de sa durée, son usure moyenne, pendant un temps déterminé, disons, une journée ; de cette façon, on calcule combien il passe de la valeur de la broche dans le filé produit en une journée et, par conséquent, quelle part de la quantité totale de travail incorporée dans une livre de filé, par exemple, revient à la quantité de travail antérieurement réalisée dans la broche. Pour notre présent objet, il n'est pas nécessaire de nous arrêter plus longtemps sur ce point.

Il pourrait sembler que, si la valeur d'une marchandise est déterminée par la *quantité de travail consacrée à sa production*, il s'ensuit que plus un ouvrier sera paresseux et maladroit, plus la marchandise fabriquée par lui aura de valeur, puisque le temps de travail nécessaire à sa fabrication aura été plus long. Ce serait pourtant une regrettable erreur. Rappelez-vous que j'ai employé l'expression « travail *social* » et que ce qualificatif « *social* » implique beaucoup de choses. Lorsque nous disons que la valeur d'une marchandise est déterminée par la *quantité de travail* incorporée ou cristallisée qu'elle contient, nous entendons la *quantité de travail qu'il faut* pour la produire dans un état social donné, dans certaines conditions sociales moyennes de production, et étant donné une intensité et une habileté sociales moyennes dans le travail employé. Lorsqu'en Angleterre, le métier actionné à la vapeur vint faire concurrence au métier à bras, il ne fallut plus que la moitié du temps de travail antérieur pour transformer une quantité déterminée de filé en une aune de cotonnade ou de toile. Le pauvre tisserand travailla alors 17 à 18 heures par jour au lieu de 9 à 10 heures comme précédemment. Mais le produit de ces 20 heures de travail ne représenta plus que 10 heures de temps de travail social, c'est-à-dire les 10 heures de travail social nécessaires pour transformer une quantité déterminée de filé en étoffe tissée. Le produit de ses 20 heures de travail n'avait donc pas plus de valeur que son produit fabriqué auparavant en 10 heures.

Si donc c'est la quantité de travail socialement nécessaire incorporée dans les marchandises qui en détermine la valeur d'échange, tout accroissement de la quantité de travail qu'exige la production d'une marchandise ne peut qu'augmenter sa valeur, et toute diminution doit la réduire.

Si la quantité de travail nécessaire à la production des marchandises dont nous parlons restait constante, leurs valeurs relatives resteraient également constantes. Mais tel n'est point le cas. La quantité de travail nécessaire à la production d'une marchandise varie constamment avec la modification de la force productive du travail employé. Plus la force productive du travail est grande plus on produit dans un temps de travail déterminé ; moins la force productive est grande, et moins on produit dans le même temps. Si, par exemple, par suite de l'accroissement de la population, il devenait nécessaire de cultiver un sol moins fertile, la même quantité de production ne pourrait être obtenue que par l'emploi d'une quantité plus grande de travail, et la valeur des produits agricoles s'élèverait en conséquence. D'autre par, si, avec les moyens modernes de production, un seul fileur transforme en filé, dans une journée de travail, mille et mille fois plus de coton qu'il ne pouvait le faire auparavant dans le même temps avec le rouet, il est clair que chaque livre de coton absorbera mille et mille fois moins de travail qu'auparavant et que, par conséquent, la valeur ajoutée par le filage à chaque livre de coton sera mille et mille fois moindre qu'auparavant. La valeur du filé tombera d'autant.

Abstraction faite des différences dans l'énergie naturelle et l'habileté acquise dans le travail chez les différents peuples, la force productive du travail doit, de toute nécessité, dépendre principalement :

1. Des conditions *naturelles* du travail, telles que fertilité du sol, richesse des mines, etc.

2. Du perfectionnement continuel des *forces de travail sociales*, telles qu'elles se développent par la production en grand, la concentration du capital et la coopération dans le travail, la division plus poussée du travail, les machines, l'amélioration des méthodes, l'utilisation de moyens chimiques et autres forces naturelles, la réduction du temps et de l'espace grâce aux moyens de communication et de transport, et toute autre découverte au moyen de laquelle la science capte les forces naturelles et les mets au service de celui-ci se trouve développé. Plus la force productive du travail est grande, moins il y a de travail employé à une quantité déterminée de produits et, partant, plus la valeur du produit est petite. Moins la force productive du travail est grande, plus il y a de travail employé à la même quantité de produits, et alors plus leur valeur est grande. Ainsi pouvons-nous établir comme une loi générale :

Les valeurs des marchandises sont directement proportionnelles au temps de travail employé à leur production et inversement proportionnelles à la force productive du travail employé.

N'ayant parlé jusqu'ici que de la valeur, j'ajouterais également quelques mots sur le *prix* qui est une forme particulière prise par la valeur.

En lui-même, le *prix* n'est autre chose que *l'expression monétaire de la valeur*. Les valeurs de toutes les marchandises de ce pays, par exemple, sont exprimées en prix-or, alors que sur le continent elles le sont principalement en prix-argent. La valeur de l'or ou de l'argent, tout comme celle de toutes les autres marchandises, est déterminée par la quantité de travail nécessaire à leur extraction. Vous échangez une certaine somme de votre production nationale, dans laquelle est cristallisée une quantité déterminée de votre travail national, contre la production des pays fournisseurs d'or et d'argent, production dans laquelle est cristallisée une quantité déterminée de *leur* travail. C'est de cette façon, en fait par un troc, que vous apprenez à exprimer en or et en argent les valeurs de toutes les marchandises, c'est-à-dire les quantités de travail respectives employées à leur fabrication. Si vous pénétrez plus avant dans *l'expression monétaire de la valeur*, ou, ce qui revient au même, dans la conversion de la valeur en prix, vous trouverez que c'est un procédé par lequel vous donnez aux *valeurs* de toutes les marchandises une *forme indépendante* et *homogène*, ou par lequel vous les exprimez comme des quantités d'*un même* travail social. Dans la mesure où le prix n'est que l'expression monétaire de la valeur, il fut appelé par Adam Smith *prix naturel* et par les physiocrates français *prix nécessaire*.

Quel est donc le rapport entre la *valeur* et le *prix naturel* et le *prix du marché* ? Vous savez tous que le *prix du marché* est le *même* pour toutes les marchandises de même sorte, aussi différentes que puissent être les conditions de production des producteurs pris individuellement. Le prix du marché n'exprime que la *quantité moyenne de travail social* nécessaire, dans les conditions moyennes de production, pour approvisionner la marché d'une certaine quantité d'un article déterminé. Il est calculé d'après la quantité totale d'une marchandise d'une sorte déterminée.

C'est à ce point de vue que le *prix du marché* d'une marchandise coïncide avec sa *valeur*. D'autre part, les fluctuations des prix du marché qui tantôt dépassent la valeur ou le prix naturel, tantôt tombent au-dessous, dépendent des fluctuations de l'offre et de la demande. Les écarts entre le prix du marché et la valeur sont continuels, mais comme le dit Adam Smith :

> « Le prix naturel est... le prix central autour duquel les prix de toutes les marchandises ne cessent de graviter. Diverses circonstances peuvent parfois les tenir suspendus fort au dessus de ce point et parfois les précipiter un peu au-dessous. Mais quels que soient les obstacles qui les empêchent de se fixer dans ce centre de repos et d'immuabilité, ils y tendent constamment. »

Je ne puis, actuellement, soumettre ce point à un examen approfondi. Il suffit de dire que *si* l'offre et la demande s'équilibrent, les prix du marché des marchandises correspondent à leurs prix naturels, c'est-à-dire à leurs valeurs qui sont déterminées par les quantités de travail respectives nécessaires à leur production. Mais l'offre et la demande *doivent* tendre continuellement à s'équilibrer bien qu'elles ne le fassent que par la compensation d'une oscillation par une autre, d'une augmentation par une diminution ou inversement. Si au lieu de ne considérer que les fluctuations journalières, vous analysez le mouvement des prix du marché pour de plus longues périodes, comme l'a fait, par exemple, Tooke dans son *Histoire des prix*, vous trouverez que les oscillations des prix du marché, leurs écarts par rapport à la valeur, leur hausse et leur baisse, s'annihilent et se compensent, de telle sorte que, si l'on fait abstraction de l'action des monopoles et de quelques effets restrictifs sur lesquels il me faut passer en ce moment, les marchandises de toutes sortes sont vendues, en moyenne, à leurs *valeurs* respectives, c'est-à-dire à leurs prix naturels. Les laps de temps moyens pendant lesquels les fluctuations des prix du marché se compensent sont différents pour les différentes sortes de marchandises, parce qu'il est plus facile avec telle marchandise qu'avec telle autre d'ajuster l'offre à la demande.

Si donc, en gros et pour de longues périodes, toutes les sortes de marchandises sont vendues à leurs valeurs respectives, il est absurde de supposer que le profit, non point le profit réalisé dans des cas particuliers, mais le profit constant et ordinaire des diverses industries provient d'une *majoration* du prix des marchandises, c'est-à-dire du fait qu'elles sont vendues à un prix dépassant considérablement leur *valeur*. L'absurdité de cette façon de voir apparaît clairement lorsqu'on la généralise. Ce qu'un homme gagnerait constamment comme vendeur, il lui faudrait le perdre constamment comme acheteur. Il ne servirait à rien de dire qu'il y a des gens qui sont acheteurs sans être vendeurs, ou consommateurs sans être producteurs. Ce que ces gens paient au producteur, il faudrait tout d'abord qu'ils l'aient reçu de lui pour rien. Si un homme commence par vous prendre votre argent et vous le rend ensuite en vous achetant vos marchandises, vous ne vous enrichiez jamais, même en lui vendant trop cher. Cette sorte d'affaire peut bien limiter une perte, mais elle ne peut jamais contribuer à réaliser un profit.

Par conséquent, pour expliquer la *nature générale du profit*, il faut partir du principe qu'en moyenne, les marchandises *sont vendues à leur valeur réelle et* que *les profits proviennent du fait qu'on vend les marchandises à leur valeur*, c'est-à-dire proportionnellement à la quantité de travail qui y est incorporée. Si vous ne pouvez expliquer le profit sur cette base, vous ne pouvez pas l'expliquer du tout. Cela paraît paradoxal et en contradiction avec vos observations journalières. Il est paradoxal aussi de dire que la terre tourne autour du soleil et que l'eau se compose de deux gaz très inflammables. Les vérités scientifiques sont toujours paradoxales lorsqu'on les soumet au contrôle de l'expérience de tous les jours qui ne saisit que l'apparence trompeuse des choses.

7. La force de travail

Après avoir étudié, autant qu'on pouvait le faire en un examen aussi rapide, la nature de la *valeur d'une marchandise quelconque*, il nous faut porter notre attention sur la *valeur* spéciale du *travail*. Et sur ce point, je vais être obligé de susciter à nouveau votre étonnement par un paradoxe apparent. Vous êtes tous absolument persuadés que ce que vous vendez journellement, c'est votre travail, que, par conséquent, le travail a un prix, et que le prix d'une marchandise n'étant que l'expression monétaire de sa valeur, il doit très certainement, exister quelque chose comme une *valeur du travail* au sens ordinaire du mot. Nous avons vu que c'est la quantité de travail nécessaire, cristallisée dans une marchandise qui en constitue la valeur. Mais, appliquant cette notion de la valeur, comment pourrions-nous déterminer par exemple, la valeur d'une journée de travail de dix heures ? Combien y a-t-il de travail contenu dans cette journée ? Dix heures de travail. Si nous disions que la valeur d'une journée de travail de dix heures égale dix heures de travail, ou bien la quantité de travail qu'elle renferme, ce serait une tautologie et, par-dessus le marché, une absurdité. Naturellement, une fois que nous aurons trouvé le sens véritable, mais caché, de l'expression « *valeur du travail* », nous serons en mesure d'expliquer cette application irrationnelle et apparemment impossible de la valeur, de la même manière que nous sommes en mesure d'expliquer les mouvements des corps célestes, qu'il soient visibles ou perçus seulement sous certaines formes, lorsque nous avons découvert leurs mouvements réels.

Ce que l'ouvrier vend, ce n'est pas directement son *travail*, mais *sa force de travail* dont il cède au capitaliste la disposition momentanée. Cela est si vrai, que la loi, — je ne sais si c'est le cas en Angleterre, mais c'est une chose certaine dans plusieurs pays du continent, — fixe le *maximum du temps* pendant lequel un homme a le droit de vendre sa force de travail. S'il lui était permis de le faire pour un temps indéfini, l'esclavage serait du même coup rétabli. Si, par exemple, une vente de ce genre était conclue pour la vie entière de l'ouvrier, elle ferait instantanément de celui-ci l'esclave à vie de son patron.

Thomas Hobbes, un des plus anciens économistes et un des philosophes les plus originaux de l'Angleterre, avait déjà, d'instinct dans son *Leviathan*, signalé ce point qui a échappé à tous ses successeurs. Il avait dit :

> « *La valeur d'un homme*, est, pour toutes les autres choses, son prix : c'est-à-dire exactement ce qu'on en donne pour l'*usage de sa force*. »

Si nous partons de cette base, nous serons à même de déterminer la *valeur de travail* comme celle de toutes les autres marchandises.

Mais avant de le faire nous pourrions nous demander d'où vient ce singulier phénomène qui fait qu'on trouve sur le marché un groupe d'acheteurs en possession du sol, de machines, de matières premières et des moyens de subsistance, toutes choses qui, sauf la terre dans son état primitif, sont des *produits du travail*, et, de l'autre côté, un groupe de vendeurs n'ayant rien à vendre que leur force de travail, leurs bras et leurs cerveaux agissants ? Que l'un des groupes achète continuellement pour réaliser du profit et s'enrichir pendant que l'autre groupe vend continuellement pour gagner sa vie ? L'étude de cette question nous conduirait à la recherche de ce que les économistes appellent l'*accumulation antérieure ou primitive*, mais qui devrait être appelée l'*expropriation primitive*. Nous trouverions que cette prétendue *accumulation primitive* ne signifie rien d'autre qu'une série de processus historiques aboutissant à une *dissociation de l'unité primitive* qui existait entre le travailleur et ses moyens de travail. Toutefois, une recherche de ce genre sort des bornes de mon sujet. Une fois accomplie, la *séparation* entre le travailleur et ses moyens de travail va subsister et se poursuivre à une échelle toujours croissante, jusqu'à ce qu'une révolution nouvelle, bouleversant de fond en comble le système de production, vienne le renverser et restaurer l'unité primitive sous une forme historique nouvelle.

Qu'est-ce donc que la *valeur de la force de travail* ?

Exactement comme celle de toute autre marchandise, sa valeur est déterminée par la quantité de travail nécessaire à sa production. La force de travail d'un homme ne consiste que dans son individualité vivante. Pour pouvoir se développer et entretenir sa vie, il faut qu'il consomme une quantité déterminée de moyens de subsistance. Mais l'individu, comme la machine, s'use, et il faut le remplacer par un autre. Outre la quantité d'objets de nécessité courante dont il a besoin pour sa *propre* subsistance, il lui faut une autre quantité de ces mêmes denrées de première nécessité pour élever un certain nombre d'enfants qui puissent le remplacer sur le marché du travail et y perpétuer la race des travailleurs. De plus, pour le développement de sa force de travail et l'acquisition d'une certaine habileté, il faut qu'il dépense encore une nouvelle somme de valeurs. Pour notre objectif, il nous suffira de considérer le travail *moyen* dont les frais de formation et de perfectionnement sont des grandeurs insignifiantes. Mais je n'en veux pas moins profiter de l'occasion pour constater que les frais de production des forces de travail de qualités différentes diffèrent exactement de la même façon que les valeurs des forces de travail employées dans les diverses industries. La revendication de l'*égalité des salaires* repose par conséquent sur une erreur, sur un désir *insensé* qui ne sera jamais satisfait. Elle a sa source dans ce radicalisme faux et superficiel qui accepte les prémisses et cherche à se dérober aux conclusions. Sous le régime du salariat, la valeur de la force de travail se détermine comme celle de toute autre marchandise. Et comme les différentes sortes de travail ont des valeurs différentes, c'est-à-dire nécessitent pour leur production des quantités de travail différentes, elles *doivent* nécessairement avoir des prix différents sur le marché du travail. Réclamer une *rénumération égale ou même équitable* sous le régime du salariat équivaut à réclamer la *liberté* sous le régime de l'esclavage. Ce que vous considérez comme juste et équitable n'entre donc pas en ligne de compte. La question qui se pose est la suivante : Qu'est-ce qui est nécessaire et inévitable au sein d'un système de production donné ?

Après ce que nous avons dit, on voit que la *valeur de la force de travail est* déterminée par la *valeur des objets de première nécessité*, qu'il faut pour produire, développer, conserver et perpétuer la force de travail.

8. La production de la plus-value

Supposons que la quantité moyenne des objets courants nécessaires à la vie d'un ouvrier exigent pour leur production 6 *heures de travail moyen*. Supposons, en outre, que 6 heures de travail moyen soient réalisés dans une quantité d'or égale à 3 shillings. Ces 3 shillings seraient le *prix*, ou l'expression monétaire de la *valeur journalière* de la *force de travail* de cet homme. S'il travaillait six heures par jour, il produirait chaque jour une valeur suffisante pour acheter la quantité moyenne des objets dont il a journellement besoin, c'est-à-dire pour se conserver comme ouvrier.

Mais notre homme est un ouvrier salarié. Il lui faut, par conséquent, vendre sa force de travail au capitaliste. S'il la vend 3 shillings par jour ou 18 shillings par semaine, il la vend à sa valeur. Supposons que ce soit un ouvrier fileur. S'il travaille six heures par jour, il ajoutera chaque jour une valeur de 3 shillings. Cette valeur qu'il ajoute chaque jour au coton constituerait l'équivalent exact de son salaire, c'est-à-dire du prix qu'il touche journellement pour sa force de travail. Mais dans ce cas, il ne reviendrait aucune *plus-value*, aucun *surproduit* au capitaliste. Nous nous heurtons ici à la véritable difficulté.

En achetant la force de travail de l'ouvrier et en la payant à sa valeur, le capitaliste, comme tout autre acheteur, a acquis le droit de consommer la marchandise qu'il a achetée ou d'en user. On consomme la force de travail d'un homme ou on l'utilise en le faisant travailler, tout comme on consomme une machine ou on l'utilise en la faisant fonctionner. Par l'achat de la valeur journalière ou hebdomadaire de la force de travail de l'ouvrier, le capitaliste a donc acquis le droit de se servir de cette force, de la faire travailler pendant *toute la journée* ou *toute la semaine*. La journée ou la semaine de travail a, naturellement, ses limites, mais nous examinerons cela de plus près par la suite.

Pour l'instant, je veux attirer votre attention sur un point décisif.

La *valeur* de la force de travail est déterminée par la quantité de travail nécessaire à son entretien ou à sa production, mais l'*usage* de cette force de travail n'est limité que par l'énergie agissante et la force physique de l'ouvrier. La *valeur* journalière ou hebdomadaire de la force de travail est tout à fait différente de l'exercice journalier ou hebdomadaire de cette force, tout comme la nourriture dont un cheval a besoin et le temps qu'il peut porter son cavalier sont deux choses tout à fait distinctes. La quantité de travail qui limite de *valeur* de la force de travail de l'ouvrier ne constitue en aucun cas la limite de la quantité de travail que peut exécuter sa force de travail. Prenons l'exemple de notre ouvrier fileur. Nous avons vu que pour renouveler journellement sa force de travail, il lui faut créer une valeur journalière de 3 shillings, ce qu'il réalise par son travail journalier de 6 heures. Mais cela ne le rend pas incapable de travailler journellement de 10 à 12 heures ou davantage. En payant la *valeur* journalière ou hebdomadaire de la force de travail de l'ouvrier fileur, le capitaliste s'est acquis le droit de se servir de celle-ci pendant *toute la journée* ou *toute la semaine*. Il le fera donc travailler, mettons, *12 heures* par jour. *Au-dessus* des 6 heures qui lui sont nécessaires pour produire l'équivalent de son salaire, c'est-à-dire de la valeur de sa force de travail, le fileur devra donc travailler 6 *autres heures* que j'appellerai les heures de *surtravail*, lequel surtravail se réalisera en une *plus-value* et un *surproduit*. Si notre ouvrier fileur, par exemple, au moyen de son travail journalier de 6 heures ajoute au coton une valeur de 3 shillings qui forme l'équivalent exact de son salaire, il ajoutera au coton en 12 heures une valeur de 6 shillings et produira un *surplus correspondant de filé*. Comme il a vendu sa force de travail au capitaliste, la valeur totale, c'est-à-dire le produit qu'il a créé, appartient au capitaliste qui est, pour un temps déterminé propriétaire de sa force de travail. En déboursant 3 shillings, le capitaliste va donc réaliser une valeur de 6 shillings puisque, en déboursant la valeur dans laquelle sont cristallisées 6 heures de travail, il recevra, en retour, une valeur dans laquelle sont cristallisées 12 heures de travail. S'il répète journellement ce processus, le capitaliste déboursera journellement 3 shillings et en empochera 6, dont une moitié sera de nouveau employée à payer de nouveaux salaires et dont l'autre moitié formera la *plus-value* pour laquelle le capitaliste ne paie aucun équivalent. C'est sur cette sorte *d'échange entre le capital et le travail* qu'est fondée la production capitaliste, c'est-à-dire le salariat, que l'ouvrier en tant qu'ouvrier et le capitaliste en tant que capitaliste sont obligés de reproduire constamment.

Le *taux de la plus-value*, toutes circonstances égales d'ailleurs, dépendra du rapport entre la partie de la journée de travail, qui est nécessaire pour renouveler la valeur de travail, et le *surtravail ou temps employé en plus* pour le capitaliste. Il dépendra, par conséquent, de la *proportion dans laquelle la journée de travail est prolongée au-delà du temps*, pendant lequel l'ouvrier, en travaillant, ne ferait que reproduire la valeur de sa force de travail, c'est-à-dire fournir l'équivalent de son salaire.

9. La valeur du travail

Il nous faut revenir maintenant à l'expression « *valeur ou prix du travail* ».

Nous avons vu qu'en fait cette valeur n'est que la valeur de la force de travail, mesurée d'après la valeur des marchandises nécessaires à son entretien. Mais comme l'ouvrier ne reçoit pas son salaire qu'*après* l'achèvement de son travail, et comme il sait, en outre, que ce qu'il donne vraiment au capitaliste, c'est sont travail, la valeur ou le prix de sa force de travail lui apparaît nécessairement comme le *prix ou la valeur de son travail même*. Si le prix de sa force de travail est de 3 shillings dans lesquels sont réalisés 6 heures de travail, et s'il travaille 12 heures, il considère nécessairement ces 3 shillings comme la valeur ou le prix de 12 heures de travail, bien que ces 12 heures de travail représentent une valeur de 6 shillings. De là un double résultat.

Premièrement : *la valeur ou le prix de la force de travail* prend l'apparence extérieure du *prix ou de la valeur du travail lui-même*, bien que, rigoureusement parlant, le terme de valeur ou de prix du travail n'ait aucun sens.

Deuxièmement : quoiqu'une partie seulement du travail journalier de l'ouvrier soit *payée*, tandis que l'autre reste *impayée*, et bien que ce soit précisément cette partie non payée ou surtravail qui constitue le fond d'où se forme la *plus-value* ou profit, il semble que le travail tout entier soit du travail payé.

C'est cette fausse apparence qui distingue le *travail salarié* des autres formes *historiques* du travail. À la base du système du salariat, même le travail *non payé* semble être du travail *payé*. Dans le travail de l'*esclave*, c'est tout le contraire : même la partie de son travail qui est payée apparaît comme du travail non payé. Naturellement, pour pouvoir travailler, il faut bien que l'esclave vive, et une partie de sa journée de travail sert à composer la valeur de son propre entretien. Mais comme il n'y a ni achat ni vente entre les deux parties, tout son travail a l'air d'être cédé pour rien.

Prenons, d'autre part, le paysan serf tel qu'il existait, pourrions nous dire, hier encore, dans toute l'Europe orientale. Ce paysan travaillait, par exemple, 3 jours pour lui-même sur son propre champ ou sur celui qui lui était alloué, et les 3 jours suivants, il faisait du travail forcé et gratuit sur le domaine de son seigneur. Ici donc le travail payé et le travail non payé étaient visiblement séparés, séparés dans le temps et dans l'espace. Et nos libéraux étaient transportés d'indignation à l'idée absurde de faire travailler un homme pour rien.

En fait, pourtant, qu'un homme travaille 3 jours de la semaine pour lui-même sur son propre champ et 3 jours sur le domaine de son seigneur, ou bien qu'il travaille à la fabrique ou à l'atelier 6 heures par jour pour lui-même et 6 pour son patron, cela revient au même, bien que, dans ce dernier cas, les parties payées et non payées du travail soient inséparablement entremêlées, et que la nature de toute cette opération soit complètement masquée par l'*intervention du contrat* et par la *paye* effectuée à la fin de la semaine. Dans un cas, le travail non payé paraît être donné volontairement et, dans l'autre, arraché par la contrainte. C'est là toute la différence.

Lorsque j'emploierai, par la suite, l'expression « *valeur du travail* », je ne ferai que prendre la tournure populaire pour « *valeur de la force de travail* ».

10. Le profit se réalise lorsqu'une marchandise est vendue à sa valeur

Supposons qu'une heure de travail moyen renferme une valeur de 6 pence, c'est-à-dire que 12 heures moyen contiennent une valeur de 6 shillings. Supposons, en outre, que la valeur du travail soit de 3 shillings, c'est-à-dire le produit de 6 heures de travail. Si, de plus, dans la consommation de la matière première, dans l'usure des machines, etc., employées pour une marchandise déterminée, étaient incorporées 24 heures de travail moyen, sa valeur s'éleverait à 12 shillings. Si, en outre, l'ouvrier occupé par le capitaliste ajoutait à ces moyens de production 12 heures de travail, ces douze heures seraient matérialisées dans une valeur additionnelle de 6 shillings. La *valeur totale du produit* s'éleverait donc à 36 heures de travail cristallisé, c'est-à-dire à 18 shillings. Mais comme la valeur du travail, le salaire payé à l'ouvrier ne serait que de 3 shillings, le capitaliste n'aurait point payé d'équivalent pour les 6 heures de surtravail fournies par l'ouvrier et incorporées dans la valeur de la marchandise. En vendant cette marchandise à sa valeur, 18 shillings, le capitaliste réaliserait par conséquent une valeur de 3 shillings pour laquelle il n'aurait pas payé d'équivalent. Ces 3 shillings constitueraient la plus-value qu'il aurait encaissée, c'est-à-dire le profit. Le capitaliste réaliserait par conséquent le profit de 3 shillings non pas en vendant sa marchandise à un prix *supérieur* à sa valeur, mais en la vendant *à sa valeur réelle*.

La valeur d'une marchandise est déterminée par la *quantité totale du travail* qu'elle contient. Mais une partie de cette quantité de travail représente une valeur pour laquelle a été payé un équivalent sous la forme de salaires : une autre partie est incorporée dans une valeur pour laquelle on ne paie pas d'équivalent. Une partie du travail contenu dans la marchandise est du travail *payé*, une autre partie est du travail *non payé*. Par conséquent, en vendant la marchandise *à sa valeur*, c'est-à-dire, comme la cristallisation de la *quantité totale du travail* qui y fut employée, le capitaliste doit forcément la vendre avec un profit. Il ne vend pas seulement ce qui lui a coûté un équivalent, mais aussi ce qui ne lui a rien coûté, bien que cela ait coûté le travail à son ouvrier. Les frais de production de la marchandise pour le capitaliste et son coût réel sont deux choses différentes. Je répète donc que l'on fait des profits normaux et moyens lorsqu'on vend les marchandises non pas *au-dessus* de leur valeur réelle, mais bien à *leur valeur réelle*.

11. Les diverses parties entre lesquelles se décompose la plus-value

La *plus-value*, c'est-à-dire la partie de la valeur totale des marchandises dans laquelle est incorporé le *surtravail*, le *travail impayé de l'ouvrier*, je l'appelle le *profit*. Le profit n'est pas empoché tout entier par l'employeur capitaliste. Le monopole de la terre met le propriétaire foncier en mesure de s'approprier une partie de la plus-value sous le nom de *rente*, que la terre soit employée à des bâtiments agricoles, à des chemins de fer ou à toute autre fin productive. D'autre part, le fait même que la possession des *instruments de travail* donne à l'employeur capitaliste la possibilité de produire une *plus-value* ou, ce qui revient au même, de s'*approprier une certaine quantité de travail impayé*, permet au possesseur des moyens de travail qui les prête en entier ou en partie à l'employeur capitaliste, c'est-à-dire, en un mot, au *capitaliste financier*, de réclamer pour lui-même sous le nom d'*intérêt* une autre partie de cette plus-value, de sorte qu'il ne reste à l'employeur capitaliste *comme tel* que ce que l'on appelle le *profit industriel* ou *commercial*.

La question de savoir à quelles lois est soumise cette répartition du montant total de la plus-value entre ces trois catégories d'individus est tout à fait étrangère à notre sujet. Cependant, de ce que nous avons exposé, voici ce qu'il résulte :

Rente foncière, intérêt et profit industriel ne sont que des *noms différents des différentes parties de la plus-value* de la marchandise, c'est-à-dire du *travail impayé que celle-ci renferme*, et ils *ont tous la même source et rien que cette source*. Ils ne proviennent ni de la *terre* ni du *capital*, comme tels, mais la terre et le capital permettent à leurs possesseurs de toucher chacun leur part de la plus-value extraite de l'ouvrier par l'employeur capitaliste. Pour l'ouvrier lui-même, il est d'une importance secondaire que cette plus-value, résultat de son surtravail, de son travail impayé, soit empochée exclusivement par l'employeur capitaliste, ou que ce dernier soit contraint d'en céder des parties sous le nom de rente et d'intérêt à des tiers. Supposons que l'employeur capitaliste utilise son propre capital et qu'il soit son propre propriétaire foncier, toute la plus-value affluerait alors dans sa poche.

C'est l'employeur capitaliste qui extrait directement de l'ouvrier cette plus-value, quelle que soit la part qu'il en puisse finalement garder lui-même. C'est par conséquent de ce rapport entre l'employeur capitaliste et l'ouvrier salarié que dépend tout le système du salariat et tout le système de production actuel. Les citoyens qui ont pris part à notre discussion, en essayant d'atténuer les choses et de traiter ce rapport fondamental entre l'employeur capitaliste et l'ouvrier comme une question subalterne, commettaient donc une erreur, bien que, d'autre part, il eussent raison d'affirmer que, dans des conditions données, une hausse des prix peut affecter de façon très inégale l'employeur capitaliste, le propriétaire foncier, le capitaliste financier et, s'il vous plaît, le collecteur d'impôts.

De ce qui a été dit résulte encore une autre conséquence.

Cette partie de la valeur de la marchandise, qui ne représente que la valeur des matières premières, des machines, bref, la valeur des moyens de production consommés, ne produit *aucun revenu* et ne fait que *restituer le capital*. Mais en dehors de cela, il est faux de dire que l'autre partie de la valeur de la marchandise *qui forme le revenu* ou qui peut être distribuée sous forme de salaire, profit, rente foncière, intérêt, est *constituée* par la valeur des salaires, la valeur de la rente foncière, la valeur du profit, etc. Nous laisserons tout d'abord de côté les salaires, et nous ne nous occuperons que des profits industriels, de l'intérêt et de la rente foncière. Nous venons de voir que la *plus-value* contenue dans la marchandise, c'est-à-dire cette partie de la valeur dans laquelle est incorporé du *travail non payé*, se décompose en différents éléments qui portent trois noms différents. Mais il serait contraire à la vérité de prétendre que sa valeur se *compose* ou est formée de l'*addition* des *valeurs indépendantes de ces trois parties constituantes.*

Si une heure de travail se réalise dans une valeur de 6 pence, si la journée de l'ouvrier non payé, ce surtravail ajoutera à la marchandise une *plus-value* de 3 shillings qui est une valeur pour laquelle on n'a pas payé d'équivalent. Cette plus-value de 2 shillings représente le *fonds entier* que l'employeur capitaliste peut partager, suivant un rapport quelconque, avec le propriétaire foncier et le capitaliste financier. La valeur de ces 3 shillings constitue la limite de la valeur qu'ils ont à se partager entre eux. Mais ce n'est pas l'employeur capitaliste qui ajoute à la valeur des marchandises une valeur arbitraire pour réaliser son profit, à laquelle valeur s'ajoute une autre valeur pour le propriétaire foncier, et ainsi de suite, de telle sorte que l'addition de ces valeurs, arbitrairement fixées, constituerait la valeur totale. Vous voyez donc combien est erronée l'opinion généralement reçue qui confond la *décomposition* d'une *valeur donnée* en trois parties avec la *formation* de cette valeur par l'addition de trois valeurs *indépendantes* et transforme ainsi en une grandeur arbitraire la valeur totale qui est à l'origine de la rente foncière du profit et de l'intérêt.

Si le profit total réalisé par le capitaliste est égal à 100 livres, nous appelons cette somme, considérée comme grandeur *absolue*, le *montant du profit*. Mais si nous calculons le rapport dans lequel ces 100 livres se trouvent relativement au capital déboursé, nous appelons cette grandeur *relative* le *taux du profit*. Il est clair que ce taux du profit peut être exprimé sous deux formes.

Supposons que le capital *déboursé en salaires* soit de 100 livres. Si la plus-value produite se monte également à 100 livres, — et cela indiquerait que la moitié de la journée de travail de l'ouvrier se compose de travail *impayé*, — et si nous estimons ce profit d'après la valeur du capital avancé en salaires, nous dirons que le *taux du profit* s'élève à 100 pour cent parce que la valeur avancée serait cent et la valeur réalisée deux cents.

Si, d'autre part, nous considérions non seulement le *capital avancé en salaires*, mais la *totalité du capital* déboursé, disons, par exemple, 500 livres, dont 400 livres représentent la valeur des matières premières, machines, etc., nous dirions que le *taux du profit* ne s'élève qu'à 20 pour cent, parce que le profit de 100 ne serait que le cinquième de la *totalité* du capital déboursé.

La première manière d'exprimer le taux du profit est la seule qui vous montre le véritable rapport entre le travail payé et le travail impayé, le degré véritable de l'*exploitation* (permettez-moi ce mot français) *du travail*. L'autre façon de s'exprimer est la plus usuelle, et on y a recours, en effet, dans certains buts. Elle est en tout cas très utile pour dissimuler le degré suivant lequel le capitaliste extrait du travail gratuit de l'ouvrier.

Dans les explications que j'ai encore à donner, j'emploierai le mot *profit* pour désigner le montant total de la plus-value extraite par le capitaliste, sans me soucier de la répartition de cette plus-value entre les diverses parties, et lorsque j'emploierai le mot *taux du profit* je mesurerai toujours le profit d'après la valeur que le capitaliste a avancée sous forme de salaires.

12. Le rapport général entre les profits, les salaires et les prix

Si de la valeur d'une marchandise nous retranchons la valeur qui restitue celle des matières premières et des autres moyens de production consommés, c'est-à-dire si nous retranchons la valeur qui représente le travail *passé* qu'elle contient, la valeur restante sera réduite à la quantité de travail qu'y a ajoutée l'ouvrier occupé *en dernier lieu*. Si cet ouvrier travaille douze heures par jour et si douze heures de travail moyen se cristallisent en une somme d'argent de 6 shillings, cette valeur additionnelle de 6 shillings est la *seule* valeur que son travail aura créée. Cette valeur donnée, déterminée par le temps de son travail, est le seul fonds d'où l'ouvrier ainsi que le capitaliste puiseront respectivement leurs parts ou dividendes, la seule valeur qui soit répartie en salaire et en profit. Il est clair que cette valeur elle-même n'est pas modifiée par le rapport variable suivant lequel elle peut être partagée entre les deux parties. Il n'y aura rien de changé non plus si au lieu d'un ouvrier nous mettons toute la population travailleuse et si au lieu d'une journée de travail nous en mettons 12 millions, par exemple.

Le capitaliste et l'ouvrier n'ayant à partager que cette valeur limitée, c'est-à-dire la valeur mesurée d'après le travail total de l'ouvrier, plus l'un recevra, moins recevra l'autre, et inversement. Pour une quantité donnée, la part de l'un augmentera dans la proportion où celle de l'autre diminuera. Si les salaires changent, les profits changeront en sens contraire. Si les salaires baissent, les profits monteront, et si les salaires montent, les profits baisseront. Si l'ouvrier, comme nous l'avons supposé précédemment, reçoit 3 shillings, c'est-à-dire la moitié de la valeur qu'il crée, ou si sa journée entière de travail se compose pour moitié de travail payé et pour moitié de travail impayé, *le taux du profit* s'élèvera à 100 pour cent, car le capitaliste recevra également 3 shillings. Si l'ouvrier ne reçoit que 2 shillings, c'est-à-dire s'il ne travaille que le tiers de la journée pour lui-même, le capitaliste recevra 4 shillings, et le taux du profit sera donc de 200 pour cent. Si l'ouvrier reçoit 4 shillings, le capitaliste n'en recevra que 2, et le taux du profit tombera alors à 50 pour cent. Mais toutes ces variations sont sans influence sur la valeur de la marchandise. Une hausse générale des salaires entraînerait par conséquent une baisse du taux général du profit, mais resterait sans effet sur la valeur.

Mais bien que les valeurs des marchandises doivent en définitive régler leur prix sur le marché, et cela exclusivement d'après la quantité totale du travail fixé en elle et non d'après le partage de cette quantité en travail payé et en travail impayé, il ne s'ensuit nullement que les valeurs de telle ou telle marchandise ou d'un certain nombre de marchandises produites, par exemple, en 12 heures, restent toujours constantes. Le *nombre* ou la masse des marchandises fabriquées en un temps de travail déterminé ou au moyen d'une quantité de travail déterminée dépend de la *force productive* du travail employé à sa production et non de son étendue ou de sa *durée*. Avec un degré déterminé de la force productive du travail de filage, par exemple, on produit, dans une journée de travail de 12 heures, 12 livres de filé, avec un degré inférieur, 2 livres seulement. Si donc dans un cas 12 heures de travail moyen étaient incorporées dans une valeur de 6 shillings, les 12 livres de filés coûteraient 6 shillings, dans l'autre cas les 2 livres de filé coûteraient également 6 shillings. Une livre de filé coûterait par conséquent 6 pence dans un cas et 3 shillings dans l'autre. Cette différence de prix serait une conséquence de la diversité des forces productives du travail employé. Avec une force productive supérieure, une heure de travail serait incorporée dans une livre de filé, alors qu'avec une force productive inférieure, 6 heures de travail seraient incorporées dans une livre de filé. Le prix d'une livre de filé ne s'éleverait, dans un cas, qu'à 6 pence, bien que les salaires fussent relativement élevés et le taux du profit bas. Dans l'autre cas, il serait de 3 shillings, quoique les salaires fussent bas et le taux du profit élevé. Il en serait ainsi parce que le prix de la livre de filé est déterminé par la *quantité totale de travail qu'elle renferme* et non par le *rapport suivant lequel cette quantité totale est partagée en travail payé et travail impayé*. Le fait mentionné plus haut, que du travail bien payé peut produire de la marchandise bon marché, et du travail mal payé de la marchandise chère, perd donc son apparence paradoxale. Il n'est que l'expression de la loi générale : la valeur d'une marchandise est déterminée par la quantité de travail incorporé en elle et cette quantité de travail dépend exclusivement de la force productive du travail employé et variera par conséquent à chaque modification de la productivité du travail.

13. Principales tentatives en vue d'obtenir une augmentation de salaire ou de s'opposer à sa baisse

Nous allons maintenant examiner sérieusement les cas les plus importants dans lesquels on tentera soit d'obtenir une augmentation des salaires, soit d'opposer de la résistance à leur diminution :

1. Nous avons vu que la *valeur de la force de travail*, ou en langage ordinaire, la *valeur du travail*, est déterminée par la valeur des objets de première nécessité, c'est-à-dire par la qualité de travail nécessaire à leur production. Si donc, dans un pays déterminé, la valeur moyenne des objets de première nécessité qu'emploie journellement l'ouvrier était de 6 heures de travail, exprimée par 3 shillings, l'ouvrier devrait travailler 6 heures par jour pour créer l'équivalent de son entretien journalier. Si la journée entière de travail s'élevait à 12 heures, le capitaliste lui payerait la valeur de son travail en lui donnant 3 shillings. La moitié de la journée de travail serait du travail non payé et le taux du profit s'élèverait à 100 pour cent. Mais supposons maintenant que, par suite d'une diminution de la productivité, on ait besoin de plus de travail pour obtenir, disons, la même quantité de produits agricoles, de telle sorte que le prix des denrées courantes journellement nécessaires monte de 3 à 4 shillings. En ce cas, la *valeur* du travail hausserait d'un tiers, ou de 33 1/3 pour cent. Il faudrait alors 8 heures de la journée de travail pour produire l'équivalent de l'entretien journalier de l'ouvrier conformément à son niveau de vie précédent. Le surtravail tomberait par conséquent de 6 heures à 4, et le taux du profit de 100 pour cent à 50. En réclamant une augmentation de salaire, l'ouvrier exigerait seulement la *valeur accrue de son travail*, comme tout autre vendeur d'une marchandise quelconque qui, dès que les frais de production de celle-ci ont augmenté, essaie d'obtenir qu'on lui paie cette valeur accrue. Si les salaires ne montaient pas ou ne montaient pas assez pour compenser la valeur accrue des objets usuels indispensables, le *prix* du travail tomberait au-dessous de la *valeur du travail*, et les conditions d'existence de l'ouvrier empireraient.

Mais une modification peut se produire également en sens opposé. Grâce à la productivité accrue du travail, la même quantité moyenne de moyens de subsistance journellement nécessaires pourrait tomber de 3 shillings à 2, c'est-à-dire n'exiger que 4 heures de la journée de travail au lieu de 6 pour produire l'équivalent de la valeur quotidienne de ces moyens de subsistance. L'ouvrier serait alors en mesure d'acheter avec 2 shillings exactement autant de denrées de nécessité courante qu'il en pouvait acheter précédemment avec 3 shillings. En fait, la *valeur du travail* aurait baissé, mais cette valeur diminuée représenterait la même quantité de marchandises qu'auparavant. Alors, le profit s'élèverait à 3 ou 4 shillings et le taux du profit de 100 à 200 pour cent. Bien que les conditions d'existence absolues de l'ouvrier fussent restées les mêmes, son salaire *relatif* et, partant, sa *situation sociale relative* comparée à celle du capitaliste auraient baissé. Si l'ouvrier opposait de la résistance à cette diminution de salaire relative, il ne ferait que s'efforcer d'obtenir une part de productivité accrue de son propre travail et de conserver son ancienne situation sociale relative. C'est ainsi qu'après l'abolition des lois sur les grains et en violation manifeste des engagements les plus solennels qu'ils avaient pris au cours de l'agitation contre ces lois, les fabricants anglais diminuèrent en général les salaires de 10 pour cent. Au début, la résistance des ouvriers fut réprimée, mais plus tard, à la suite de circonstances sur lesquelles je ne puis m'arrêter, les dix pour cent furent reconquis.

2. Les *valeurs* des denrées de première nécessité et par conséquent la *valeur du travail* pourraient rester les mêmes, mais, par suite d'une *modification* antérieure de la *valeur de la monnaie*, leur prix en argent pourrait subir un changement.

Grâce à la découverte de mines plus riches, etc., la production de deux onces d'or n'exigerait, par exemple, pas plus de travail que celle d'un once d'or auparavant. La *valeur* de l'or s'abaisserait alors de moitié, soit de 50 pour cent. Comme les *valeurs* de toutes les autres marchandises représenteraient alors le double de leur *prix* antérieur en argent, il en serait de même également de la *valeur de travail*. 12 heures de travail exprimées auparavant dans 6 shillings le seraient maintenant dans 12. Si le salaire de l'ouvrier restait à 3 shillings au lieu de monter à 6, le *prix en argent de son travail* ne correspondrait qu'à la *moitié de la valeur de son travail*, et ses conditions de vie empireraient terriblement. Cela se produirait également à un degré plus ou moins grand si son salaire s'élevait, mais non en proportion de la baisse de la valeur de l'or. En pareil cas, rien ne serait changé, ni dans la force productive du travail, ni dans l'offre et la demande, ni dans les valeurs. Rien n'aurait changé, sauf les *appellations* monétaires de cette valeur. Prétendre en pareil cas que l'ouvrier ne doit pas réclamer avec insistance une augmentation proportionnelle des salaires, revient à lui dire qu'il lui faut se contenter de mots en guise de choses. Toute l'histoire du passé prouve que chaque fois qu'il se produit une semblable dépréciation de la monnaie, les capitalistes s'empressent de saisir l'occasion pour frustrer les ouvriers. Une très grande école d'économiste confirme que, par suite de la découverte de nouveaux gisements aurifères, d'une meilleure exploitation des mines d'argent et de l'offre à meilleur marché du mercure, la valeur des métaux précieux a subi une nouvelle baisse. Cela expliquerait la lutte générale et simultanée sur le continent pour obtenir des salaires plus élevés.

3. Nous avons supposé jusqu'à maintenant que la *journée de travail* a des limites déterminées. Cependant, elle n'a pas, par

elle-même, de limites constantes. Le capitalisme s'efforce constamment de l'allonger jusqu'à la limite physique extrême du possible, car c'est dans la même proportion qu'augmentent le surtravail et, partant, le profit qui en découle. Plus les capitalistes réussissent à prolonger la journée de travail, plus grande est la quantité qu'ils peuvent s'approprier du travail d'autrui. Pendant le XVIIe siècle et même dans les deux premiers tiers du XVIIIe siècle, la journée normale de travail fut de 10 heures dans toute l'Angleterre. Pendant la guerre contre les Jacobins, qui fut en réalité une guerre de l'aristocratie anglaise contre les masses travailleuses anglaises le capital célébrant ses bacchanales prolongea la journée de travail de 10 à 12, 14 et 18 heures. Malthus, qui ne saurait être soupçonné de sentimentalisme larmoyant, déclara dans une brochure parue vers 1815 que si les choses continuaient ainsi, la vie de la nation serait menacée à sa source même. Quelques années avant la généralisation des nouvelles inventions mécaniques, vers 1765, parut en Angleterre une brochure sous le titre : *Essais sur le commerce*. L'auteur anonyme*, ennemi juré de la classe ouvrière, s'y étend sur la nécessité d'élargir les limites de la journée de travail. Dans ce but, il propose, entre autres, la création des *maisons de travail (working houses)*, qui dit-il, doivent être des « maisons de terreur ». Et quelle doit être la longueur de la journée de travail qu'il propose pour ces « maisons de terreur »? 12 heures, tout juste le temps que les capitalistes, les économistes et les ministres déclaraient, en 1832, être la journée de travail non seulement existante, mais même nécessaire pour un enfant au-dessous de 12 ans.

En vendant sa force de travail, — et l'ouvrier est obligé de le faire dans le régime actuel, — il en concède au capitaliste l'utilisation dans certaines limites raisonnables. Abstraction faite de son usure naturelle, il vend sa force de travail pour la conserver et non pour la détruire. Le fait même de vendre sa force de travail à sa valeur quotidienne ou hebdomadaire implique que cette force de travail ne sera pas l'objet, en un jour ou une semaine, d'une usure de 2 jours ou de 2 semaines. Prenons une machine valant 1 000 livres. Si elle s'use en 10 ans, elle ajoute à la valeur des marchandises à la fabrication desquelles elle a participé, cent livres par an. Si elle s'use en 5 ans, elle ajoute à cette valeur 200 livres par an, c'est-à-dire que la valeur de son usure annuelle est en raison inverse de la rapidité de cette usure. Mais ce qui distingue l'ouvrier de la machine, c'est que la machine ne s'use pas entièrement dans la proportion même de l'emploi qu'on en fait, alors que l'ouvrier décline dans une mesure bien plus grande que l'accuse la simple addition numérique de son travail.

Quand les ouvriers s'efforcent de ramener la journée de travail à ses anciennes limites rationnelles, ou encore, là où il ne peuvent

* Probablement Cunningham.

arracher la fixation légale de la journée de travail normale, quand ils cherchent à mettre un frein au surtravail par une hausse des salaires non pas calculée seulement d'après le surtravail soutiré, mais portée à un taux plus élevé, ils ne font que remplir un devoir envers eux-mêmes et envers leur race. Ils ne font que mettre des bornes à l'usurpation tyrannique du capital. Le temps est le champ du développement humain. Un homme qui ne dispose d'aucun loisir, dont la vie toute entière, en dehors des simples interruptions purement physiques pour le sommeil, les repas, etc., est accaparée par son travail pour le capitaliste, est moins qu'une bête de somme. C'est une simple machine à produire de la richesse pour autrui, écrasée physiquement et abrutie intellectuellement. Et pourtant toute l'histoire de l'industrie moderne montre que le capital, si on n'y met pas obstacle, travaille sans égard ni pitié à abaisser toute la classe ouvrière à ce niveau d'extrême dégradation.

Par cette prolongation de la journée de travail, le capitaliste pourra bien payer des *salaires plus élevés*, il n'en abaissera pas moins la *valeur du travail* si l'augmentation des salaires ne correspond pas à la quantité plus grande de travail soutiré et au déclin plus rapide de la force de travail qui en sera le résultat. Cela peut encore arriver d'une autre manière. Vos statisticiens bourgeois vous raconteront, par exemple, que les salaires moyens des familles travaillant dans les fabriques du Lancashire ont augmenté. Ils oublient qu'au lieu de l'homme seulement, ce sont aujourd'hui le chef de famille, sa femme et peut-être trois à quatre enfants qui sont jetés sous les roues du Jaggernaut capitaliste et que l'élévation totale des salaires ne correspond pas au surtravail total soutiré à la famille.

Même dans les limites déterminées de la journée de travail, telles qu'elles existent maintenant dans toutes les branches de l'industrie soumises à la loi sur les fabriques, une hausse des salaires peut devenir nécessaire, ne serait-ce que pour maintenir la *valeur du travail* à son ancien niveau. En augmentant *l'intensité* du travail, un homme peut dépenser autant de force vitale en une heure qu'il en dépensait auparavant en 2 heures. C'est ce qui s'est produit jusqu'à un certain degré dans les industries soumises à la loi sur les fabriques par le fait de l'accélération des machines et du nombre plus grand des machines en marche que surveille maintenant une seule personne. Si l'accroissement de l'intensité du travail ou si l'augmentation de la somme de travail dépensée en une heure marche de pair avec la réduction de la journée de travail, c'est alors le travailleur qui en sera le bénéficiaire. Si cette limite est dépassée, il perd d'un côté ce qu'il gagne de l'autre, et 10 heures de travail peuvent avoir un effet aussi nuisible que 12 heures auparavant. En contrecarrant les efforts du capital par la lutte pour des augmentations de salaires qui correspondent à l'intensité croissante du travail, l'ouvrier ne fait que s'opposer à la dépréciation de son travail et à la dégradation de sa race.

4. Vous savez tous que, pour des raisons que je n'ai pas à expliquer ici, la production capitaliste traverse des cycles périodiques déterminées. Elle passe successivement par un état de calme, d'animation croissante, de prospérité, de surproduction, de crise et de stagnation. Les prix courants des marchandises et le taux courant du profit s'adaptent à ces phases, descendant parfois au-dessous de leurs moyennes et les dépassant à nouveau à d'autres moments. Si vous observez le cycle tout entier, vous trouverez qu'un écart du prix du marché est compensé par un autre et que, à prendre la moyenne du cycle, les prix des marchandises sur le marché se règlent sur leurs valeurs. Eh bien ! pendant la phase de baisse des prix du marché et la phase de crise de stagnation, l'ouvrier, s'il ne perd pas toute occupation, doit s'attendre de façon tout à fait certaine à une diminution de salaire. Pour ne pas être dupé, il lui faudra, même en cas de pareille baisse des prix du marché, discuter avec le capitaliste pour savoir dans quelle proportion une diminution des salaires est devenue nécessaire. S'il ne luttait pas pour les augmentations de salaires pendant la phase de prospérité alors que se réalisent des surprofits, il n'arriverait même pas, dans la moyenne d'un cycle industriel, à son *salaire moyen*, c'est-à-dire à la *valeur* de son travail. Ce serait pousser la bêtise à son comble que d'exiger que l'ouvrier, dont le salaire est nécessairement éprouvé par les phases du déclin du cycle, s'exclut lui-même d'une compensation correspondante pendant celles de prospérité. En général, la *valeur* de toutes les marchandises ne se réalise que par la compensation correspondante des prix du marché dont les variations continuelles résultent des fluctuations constantes de l'offre et de la demande. Sur la base du système actuel, le travail n'est qu'une marchandise comme toutes les autres. Il faut par conséquent qu'il passe par les mêmes fluctuations pour atteindre un prix moyen qui corresponde à sa valeur. Ce serait une absurdité de le traiter, d'une part, comme une marchandise, et de vouloir, d'autre part, le soustraire aux lois qui déterminent les prix des marchandises. L'esclave reçoit une quantité fixe et constante pour sa subsistance, mais pas le salarié. Il faut donc que celui-ci essaie, dans un cas, d'arracher une augmentation des salaires dans l'autre cas. S'il se contentait d'admettre la volonté, de diktat du capitaliste comme une loi économique constante, il partagerait toute la misère de l'esclave sans jouir de sa sécurité.

5. Dans tous les cas que j'ai envisagés, c'est-à-dire 99 fois sur 100, vous avez vu qu'une lutte pour une augmentation des salaires ne fait que suivre des modifications *antérieures*, qu'elle est le résultat nécessaire de fluctuations préalables dans la quantité de production, dans la force productive du travail, dans la valeur du travail, dans la valeur de l'argent, dans l'étendue ou l'intensité du travail soutiré, dans les oscillations des prix du marché qui dépendent de celles de l'offre et de la demande et qui se produisent conformément

aux diverses phases du cycle industriel ; bref, que ce sont autant de réactions des ouvriers contre des actions antérieures du capital. Si vous traitez la lutte pour des augmentations de salaires indépendamment de toutes ces circonstances et en ne considérant que les variations des salaires, si vous négligez toutes les autres variations dont elle découle, vous partez d'une prémisse fausse pour aboutir à de fausses conclusions.

14. La lutte entre le capital et le travail et ses résultats

1. Après avoir montré que la résistance périodiquement exercée de la part de l'ouvrier contre la réduction des salaires et les offres qu'il entreprend périodiquement pour obtenir des augmentations de salaires sont inséparablement liés au système du salariat et sont provoqués par le fait même que le travail est assimilé aux marchandises et soumis par conséquent aux lois qui règlent le mouvement général des prix ; après avoir montré, en outre, qu'une hausse générale des salaires entraînerait une baisse générale du taux de profit, mais qu'elle serait sans effet sur les prix moyens des marchandises ou sur leurs valeurs, maintenant il s'agit finalement de savoir jusqu'à quel point, au cours de la lutte continuelle entre le capital et le travail, celui-ci a chance de l'emporter.

Je pourrai répondre de façon générale et vous dire que le *prix du marché* du travail, de même que celui de toutes les autres marchandises s'adaptera, à la longue, à sa *valeur* ; que, par conséquent, en dépit de toute hausse et de toute baisse, et quoi que fasse l'ouvrier, il ne recevra finalement en moyenne que la valeur de son travail, qui se résout dans la valeur de sa force de travail, laquelle est déterminée, à son tour, par la valeur des moyens de subsistance nécessaires à sa conservation et à sa reproduction, et dont la valeur est finalement réglée par la quantité de travail qu'exige leur production.

Mais il y a quelques circonstances particulières qui distinguent la *valeur de la force de travail, la valeur du travail,* des valeurs de toutes les autres marchandises. La valeur de la force de travail est formée de deux éléments dont l'un est purement physique et l'autre historique ou social. Sa *limite suprême* est déterminée par l'élément *physique*, c'est-à-dire que, pour subsister et se reproduire, pour prolonger son existence physique, il faut que la classe ouvrière reçoive les moyens de subsistance indispensables pour vivre et se multiplier. La *valeur* de ces moyens de subsistance de nécessité absolue constitue par conséquent la limite suprême de la *valeur du travail*. D'autre part la longueur de la journée de travail a également des limites extrêmes, quoique très extensibles. Ses limites extrêmes sont données par la force physique de l'ouvrier. Si l'épuisement quotidien de sa force vitale dépasse un certain degré, celle-ci ne pourra pas fournir journellement une nouvelle activité.

Néanmoins, comme nous l'avons dit, cette limite est très extensible. Une succession rapide de générations débiles et à existence brève approvisionnera le marché du travail tout aussi bien qu'une série de générations fortes et à existence longue.

Parallèlement à cet élément purement physiologique, la valeur du travail est déterminée dans chaque pays par un *standard de vie traditionnel*. Celui-ci ne consiste pas seulement dans l'existence physique, mais dans la satisfaction de certains besoins naissant des conditions sociales dans lesquelles les hommes vivent et ont été élevés. Le standard de vie anglais pourrait être réduit à celui de l'Irlande, le standard de vie d'un paysan allemand à celui d'un paysan de Livonie. L'importance du rôle que jouent à cet égard la tradition historique et les habitudes sociales, vous pourrez la voir dans l'ouvrage de M. Thornton sur la *Surpopulation*. Il y montre que les salaires moyens dans diverses régions agricoles d'Angleterre, encore de nos jours, diffèrent plus ou moins suivant les circonstances plus ou moins favorables dans lesquelles ces régions sont sorties du servage.

Cet élément historique ou social qui entre dans la valeur du travail peut augmenter ou diminuer, disparaître complètement, de telle sorte que la *limite physiologique* subsiste seule. Du temps du *la guerre contre les Jacobins* entreprise, comme disait le vieux George Rose, budgétivore et sinécuriste impénitent, pour mettre les consolations de notre sainte religion à l'abri des incursions de ces mécréants de Français, les honnêtes fermiers anglais que nous traitions si tendrment dans un chapitre précédent, abaissèrent les salaires des ouvriers agricoles même au-dessous du minimum *purement physique* et firent ajouter par le *bureau de bienfaisance* ce qui était nécessaire à la conservation physique de la race. C'était une manière glorieuse de transformer l'ouvrier salarié en esclave et le paysan libre et fier de Shakespeare en un indigent assisté.

Si vous comparez les salaires normaux, c'est-à-dire les valeurs du travail dans différents pays et à des époques historiques différentes dans le même pays, vous trouverez que la *valeur du travail* elle-même n'est pas une grandeur fixe, qu'elle est variable même si l'on suppose que les valeurs de toutes les autres marchandises restent constantes.

D'une comparaison analogue des *taux du profit sur le marché* il ressortirait que non seulement ceux-ci varient, mais que varient aussi leurs taux *moyens*.

Mais, en ce qui concerne les *profits*, il n'existe pas le loi qui déterminerait leur *minimum*. Nous ne pouvons pas dire quelle est la limite dernière de leur baisse. Et pourquoi ne pouvons-nous pas fixer cette limite ? Parce que nous sommes bien capables de fixer les salaires *minimum*, mais pas les salaires *maximum*. Nous pouvons seulement dire que les limites de la journée travail étant données, le *maximum des profits* correspond à la *limite physiologique la plus basse des salaires* et que, étant donné les salaires, le *maximum des profits* correspond à la prolongation de la journée de travail encore compatible avec les forces physiques de l'ouvrier. Le maximum du profit n'est donc limité que par le minimum physiologique de salaire et le maximum physiologique de la journée de travail. Il est clair qu'entre ces deux limites du *taux maximum du profit,* il y a place pour une échelle immense de variations possibles. Son degré n'est déterminé que par la lutte incessante entre le capital et le travail ; le capitaliste essayant continuellement d'abaisser les salaires à leur minimum physiologique et de prolonger la journée de travail à son maximum physiologique, tandis que l'ouvrier exerce constamment une pression dans le sens opposé.

La chose se réduit à la question du rapport des forces des combattants.

2. En ce qui concerne la *limitation de la journée de travail* en Angleterre ainsi que dans tous les autres pays, elle n'a jamais été réglée autrement que par l'*intervention législative.* Sans la pression constante des ouvriers, agissant du dehors, jamais cette intervention ne se serait produite. En tout cas, le résultat n'aurait pas été obtenu par des accords privés entre les ouvriers et les capitalistes. Cette nécessité même d'une *action politique générale* est la preuve que, dans la lutte purement économique, le capital est le plus fort.

Quant aux *limites* de la *valeur du travail,* leur fixation dépend toujours en fait de l'offre et de la demande. J'entends, par là, la demande de travail de la part des capitalistes et l'offre de travail faite par les ouvriers. Dans les pays coloniaux, la loi de l'offre et de la demande favorise l'ouvrier. De là, le niveau relativement élevé des salaires aux États-Unis d'Amérique. Le capital a beau s'y évertuer ; il ne peut empêcher que le marché du travail ne s'y vide constamment par la transformation continuelle des ouvriers salariés en paysans indépendants, se suffisant à eux-mêmes. La situation d'ouvrier salarié n'est, pour une très grande partie des Américains, qu'un stade transitoire qu'ils sont sûrs de quitter au bout d'un temps plus ou moins rapproché. Pour remédier à l'état de choses existant aux colonies, le paternel gouvernement anglais a adopté, pendant un certain temps, ce que l'on appelle la théorie de la colonisation moderne, qui consiste à élever artificiellement le prix de la terre aux colonies dans le but d'empêcher la transformation trop rapide du salarié en paysan indépendant.

Passons maintenant aux pays de vieille civilisation, où le capital domine entièrement le processus de la production. Prenons, par exemple, la hausse des salaires des ouvriers agricoles en Angleterre de 1849 à 1859. Quelle en fut la conséquence ? Les cultivateurs n'ont pas pu, comme le leur aurait conseillé notre ami Weston, élever la valeur du blé, Pas même son prix sur le marché. Il leur fallut, au contraire, en accepter la baisse. Mais pendant ces onze années, ils introduisirent des machines de toutes sortes, appliquèrent des méthodes scientifiques nouvelles, convertirent une partie des terres arables en pâturages, augmentèrent l'étendue des fermes et, du même coup, le volume de la production ; par ces moyens et par d'autres encore, ayant diminué la demande du travail par l'augmentation de sa force productive, ils créèrent de nouveau un excédent relatif de la population des ouvriers agricoles. Telle est la méthode générale suivant laquelle s'accomplissent plus ou moins rapidement, dans les vieux pays aux assises solides, les réactions du capital contre les augmentations de salaires. Ricardo a fait remarquer très justement que la machine est en concurrence continuelle avec le travail, et que souvent elle ne peut être introduite que lorsque le prix du travail a atteint un certain niveau ; mais l'emploi de la machine n'est qu'une des nombreuses méthodes pour accroître la force productive du travail. Ce développement même qui crée une surabondance relative du travail ordinaire simplifiée, d'autre part, le travail qualifié et ainsi le déprécie.

La même loi se fait sentir sous une autre forme. Avec le développement de la force du travail, l'accumulation du capital s'accélère beaucoup, même en dépit d'un taux de salaire relativement élevé. On en pourrait conclure, comme Adam Smith, du vivant duquel l'industrie moderne n'était encore qu'à ses débuts, que l'accumulation accélérée du capital doit nécessairement faire pencher la balance en faveur de l'ouvrier en créant une demande croissante de travail. Pour cette même raison, un grand nombre d'écrivains contemporains se sont étonnés que les salaires n'aient pas augmenté davantage, alors que le capital anglais s'est accru dans ces vingt dernières années beaucoup plus rapidement que la population anglaise. Mais, parallèlement à l'accumulation continuelle du capital, il s'opère une *modification croissante* dans la *composition du capital*. La portion du capital total, qui consiste en capital fixe, machines, matières premières, moyens de production de toutes les sortes possibles, s'accroît plus rapidement comparativement à l'autre portion du capital qui est employée en salaires, c'est-à-dire à l'achat du travail. Cette loi fut établie sous une forme plus ou moins exacte par Barton, Ricardo, Sismondi, le professeur Richard Jones, le professeur Ramsey, Cherbuliez et plusieurs autres.

Si le rapport entre ces deux éléments du capital était à l'origine 1 contre 1, il devient au cours du progrès de l'industrie 5 contre 1, etc. Si sur un capital total de 600, on en investit 300 en instruments, matières premières, et 300 en salaires, il n'y aura qu'à doubler le capital total pour créer une demande de 600 ouvriers au lieu de 300. Mais si sur un capital de 600, 500 sont investis en machines, matériaux, et 100 seulement en salaires, il faudra porter le même capital de 600 à 3 600 pour créer une demande de 600 ouvriers au lieu de 300. Dans le développement de l'industrie, la demande de travail ne marche donc pas de pair avec l'accumulation du capital. Elle s'accroîtra sans doute, mais dans un rapport constamment décroissant relativement à l'augmentation du capital.

Ces quelques indications suffiront à montrer que le développement même de l'industrie moderne doit nécessairement faire pencher toujours davantage la balance en faveur du capitaliste contre l'ouvrier et que, par conséquent, la tendance générale de la production capitaliste n'est pas d'élever le niveau moyen des salaires, mais de l'abaisser, c'est-à-dire de ramener, plus ou moins, la *valeur du travail* à sa *limite la plus basse*. Mais, telle étant la tendance des *choses* dans ce régime, est-ce à dire que la classe ouvrière doive renoncer à sa résistance contre les empiétements du capital et abandonner ses efforts pour arracher dans les occasions qui se présentent tout ce qui peut apporter quelque amélioration à sa situation ? Si elle le faisait, elle se ravalerait à n'être plus qu'une masse informe, écrasée, d'êtres faméliques pour lesquels il ne serait plus de salut. Je pense avoir montré que ses luttes pour des salaires normaux sont des incidents inséparables du système du salariat dans son ensemble, que, dans 99 cas sur 100, ses efforts pour relever les salaires ne sont que des tentatives pour maintenir la valeur donnée au travail, et que la nécessité d'en disputer le prix avec le capitaliste est en connexion avec la condition qui l'oblige à se vendre elle-même comme une marchandise. Si la classe ouvrière lâchait pied dans son conflit quotidien avec le capital, elle se priverait certainement elle-même de la possibilité d'entreprendre tel ou tel mouvement de plus grande envergure.

En même temps, et tout à fait en dehors de l'asservissement général qu'implique le régime du salariat, les ouvriers ne doivent pas s'exagérer le résultat final de cette lutte quotidienne. Ils ne doivent pas oublier qu'ils luttent contre les effets et non contre les causes de ces effets, qu'ils ne peuvent que retenir le mouvement descendant, mais non en changer la direction, qu'ils n'appliquent que des palliatifs, mais sans guérir le mal. Ils ne doivent donc pas se laisser absorber exclusivement par ces escarmouches inévitables que font naître sans cesse les empiétements ininterrompus du capital ou les variations du marché. Il faut qu'ils comprennent que le régime actuel, avec toutes les misères dont il les accable, engendre en même temps les *conditions matérielles* et les *formes sociales* nécessaires pour la transformation économique de la société. Au lieu de mot d'ordre *conservateur « Un salaire équitable pour une journée de travail équitable »*, ils doivent inscrire sur leur drapeau le mot d'ordre *révolutionnaire : « Abolition du salariat. »*

Après cet exposé très long et, je le crains, bien fatigant, mais qu'il me fallait faire pour traiter de façon satisfaisante mon sujet, je conclurai en proposant d'adopter la résolution suivante :

1. Une hausse générale du taux des salaires entraînerait une baisse générale des profits, mais ne toucherait pas en somme au prix des marchandises.

2. La tendance générale de la production capitaliste n'est pas d'élever le salaire normal moyen, mais de l'abaisser.

3. Les syndicats agissent utilement en tant que centres de résistance aux empiétements du capital. Ils marquent en partie leur but dès qu'ils font un emploi peu judicieux de leur puissance. Ils manquent entièrement leur but dès qu'ils se bornent à une guerre d'escarmouches contre les effets du régime existant, au lieu de travailler en même temps à sa transformation et de se servir de leur force organisée comme d'un levier pour l'émancipation définitive de la classe travailleuse, c'est-à-dire pour l'abolition définitive du salariat.

(Écrit en 1865, ce texte est tiré de K. Marx et F. Engels, *Œuvres choisies*, Moscou, Éditions du Progrès, 1975.)

Léon Trotsky

Le marxisme et notre époque

Ce livre d'Otto Rühle constitue un exposé très dense des doctrines économiques fondamentales de Marx. En somme, personne n'a encore pu exposer la théorie de la valeur mieux que Marx lui-même.

Certaines argumentations de Marx, particulièrement dans le premier chapitre [du livre premier du *Capital*, R.P.], le plus difficile, peuvent paraître au lecteur non initié beaucoup trop discursives, oiseuses ou « métaphysiques ». En réalité, cette impression est la conséquence du fait que l'on n'a pas l'habitude de considérer scientifiquement des phénomènes très familiers. La marchandise est devenue un élément si universellement répandu, si familier de notre existence quotidienne, que nous n'essayons même pas de nous demander pourquoi les hommes se séparent d'objets de première importance, nécessaires à l'entretien de la vie, pour les échanger contre de petits disques d'or ou d'argent qui n'ont pas eux-mêmes d'utilité sur aucun continent. La marchandise n'est pas le seul exemple. Toutes les catégories de l'économie marchande semblent être acceptées sans analyse, comme allant de soi, comme si elles constituaient la base naturelle des rapports entre les hommes. Cependant, tandis que les réalités du processus économique sont le travail humain, les matières premières, les outils, les machines, la division du travail, la nécessité de distribuer les produits manufacturés entre tous ceux qui participent au processus de production, etc., des catégories telles que la marchandise, la monnaie, les salaires, le capital, le profit, l'impôt, etc. ne sont que les reflets à moitié mystiques, dans la tête de l'homme, des différents aspects d'un processus économique qu'ils ne comprennent pas et qui échappe à leur contrôle. Pour les déchiffrer, une analyse scientifique est indispensable.

Aux États-Unis, où un homme qui possède un million est considéré comme valant un million, les concepts de l'économie du marché sont tombés plus bas que n'importe où. Tout récemment, les Américains n'accordaient que très d'attention à la nature des rapports économiques. Dans le pays du système économique le plus puissant, la science économique restait extrêmement pauvre. Il a fallu la profonde crise actuelle de l'économie américaine pour mettre brutalement l'opinion publique en face des problèmes fondamentaux de la société capitaliste. Quoiqu'il en soit, celui qui ne s'est pas déshabitué à accepter passivement, sans esprit critique, les reflets idéologiques du développement économique, celui qui n'a pas pénétré, à la suite de Marx, la nature essentielle de la marchandise en tant que cellule fondamentale de l'organisme capitaliste, se trouvera toujours incapable de comprendre scientifiquement les plus importants phénomènes de notre époque.

La méthode de Marx

Ayant défini la science en tant que connaissance des phénomènes objectifs de la nature, l'homme s'est efforcé opiniâtrement et obstinément de se soustraire lui-même à la science, se réservant des privilèges spéciaux sous forme de prétendus rapports avec des forces supra-sensibles (religion) ou avec des préceptes moraux éternels (idéalisme). Marx a définitivement privé l'homme de ces odieux privilèges, en le considérant comme un anneau naturel dans le processus de l'évolution de la nature matérielle, en considérant la société humaine comme l'organisation de la production et de la distribution, en considérant le capitalisme comme un stade du développement de la société humaine.

Il n'était pas dans l'intention de Marx de découvrir les « lois éternelles » de l'économie. Il nia l'existence de telles lois. L'histoire du développement de la société humaine est l'histoire de la succession de différents systèmes économiques, qui ont chacun leurs lois propres. Le passage d'un système à un autre a toujours été déterminé par la croissance des forces productives, c'est-à-dire de la technique et de l'organisation du travail. Jusqu'à un certain degré, les changements sociaux ont un caractère quantitatif et n'altèrent pas les fondements de la société, c'est-à-dire les formes dominantes de la propriété. Mais il arrive un moment où les forces productives accrues ne peuvent plus rester enfermées dans les vieilles formes de propriété ; alors survient dans l'ordre social un changement, accompagné de secousses. À la commune primitive succéda ou s'ajouta l'esclavage ; l'esclavage fut remplacé par le servage avec sa superstructure féodale ; au XVIe siècle, le développement commercial des villes en Europe entraîna l'avènement du régime capitaliste, qui passa ensuite par plusieurs stades. Dans son *Capital,* Marx n'étudie pas l'économie en général, mais l'économie *capitaliste,* avec ses lois spécifiques. Des autres systèmes économiques, il ne parle qu'incidemment et seulement pour en dégager les caractères du capitalisme.

L'économie de la famille paysanne primitive, qui se suffisait à elle-même, n'a pas besoin d'une économie politique, car elle est dominée d'un côté par les forces de la nature, de l'autre par les forces de la tradition. L'économie naturelle des Grecs et des Romains — complète en elle-même — reposant sur le travail des esclaves, dépendait de la volonté du propriétaire d'esclaves, dont le « plan » était directement déterminé par les lois de la nature et de la routine. On pourrait dire la même chose aussi du régime médiéval avec ses paysans serfs. Dans tous ces exemples, les rapports économiques étaient clairs et transparents, à l'état brut pour ainsi dire. Mais le cas de la société contemporaine est tout à fait différent. Elle a détruit les vieux rapports de l'économie fermée et les modes de travail du passé. Les nouveaux rapports économiques ont lié les villes et les villages, les provinces et les nations. La division du travail a embrassé toute la planète. Après avoir brisé la tradition et la routine, ces liens ne se sont pas formés selon un plan déterminé, mais plutôt indépendamment de la conscience et de la prévoyance de l'homme. L'interdépendance des hommes, des groupements, des classes, des nations, qui résulte de la division du travail, n'est dirigée par personne. Les hommes travaillent les uns pour les autres sans se connaître, sans s'enquérir des besoins les uns des autres, avec l'espoir et même la certitude que leurs rapports se règleront d'eux-mêmes, d'une manière ou d'une autre. Et, en somme, c'est ce qui se produit, ou plutôt c'est ce qui se produisait habituellement autrefois.

Il est absolument impossible de chercher les causes des phénomènes de la société capitaliste dans la conscience subjective, dans les intentions ou les plans de ses membres. Les phénomènes objectifs du capitalisme ont été reconnus avant que la science ne se soit appliquée à les étudier sérieusement. Jusqu'à ce jour, la grande majorité des hommes ne connaissent rien des lois qui régissent la société capitaliste. La grande force de la méthode de Marx fut d'aborder les phénomènes économiques, non du point de vue subjectif de certaines personnes, mais du point de vue objectif du développement de la société prise en bloc, exactement comme un naturaliste aborde une ruche ou une fourmilière.

Pour la science économique, ce qui a une importance décisive, c'est ce que les gens font et la manière dont ils le font, et non ce qu'ils pensent eux-mêmes de leurs actions. La base de la société, ce n'est pas la religion et la morale, mais les ressources naturelles et le travail. La méthode de Marx est matérialiste, parce qu'elle va de l'existence à la conscience, et non inversement. La méthode de Marx est dialectique, parce qu'elle considère la nature et la société dans leur évolution, et l'évolution elle-même comme la lutte constante de forces antagonistes.

Le marxisme et la science officielle

Marx a eu ses précurseurs. L'économie politique classique — Adam Smith, David Ricardo — atteignit son apogée avant que le capitalisme ne fût parvenu à sa maturité, avant qu'il ne commençât à craindre le lendemain. Marx a payé à ces deux grands classiques son tribut de profonde gratitude. Néanmoins l'erreur fondamentale de l'économie classique était de considérer le capitalisme comme la forme d'existence de l'humanité à toutes les époques, alors qu'il n'est qu'une étape historique dans le développement de la société. Marx commença par critiquer cette économie politique, il expliqua ses erreurs en même temps que les contradictions du capitalisme lui-même et il démontra l'inéluctabilité de l'effondrement de ce régime. La science ne peut trouver son accomplissement dans le cabinet hermétiquement clos du savant, mais dans la société des hommes « en chair et en os ». Tous les intérêts, toutes les passions qui déchirent la société, exercent leur influence sur le développement de la science, surtout de l'économie politique qui est la science de la richesse et de la pauvreté. La lutte des ouvriers contre la bourgeoisie a obligé les théoriciens bourgeois à tourner le dos à l'analyse scientifique du système d'exploitation et à se borner à la simple description des faits économiques, à l'étude du passé économique et, ce qui est infiniment pire, à une véritable falsification de la réalité dans le but de justifier le régime capitaliste. La doctrine économique qui est enseignée aujourd'hui dans les institutions d'enseignement officielles et prêchée dans la presse bourgeoise nous offre une importante documentation sur le travail, mais elle est complètement incapable de saisir le processus économique dans son ensemble et de découvrir ses lois et ses perspectives, ce qu'elle n'a d'ailleurs pas envie de faire. L'économie politique officielle est morte.

La loi de la valeur-travail

Dans la société contemporaine, le lien cardinal entre les hommes est l'échange. Tout produit du travail, qui entre dans le processus de l'échange, devient une marchandise. Marx a commencé ses recherches par la marchandise et a déduit de cette cellule fondamentale de la société capitaliste les rapports sociaux qui se sont formés objectivement comme la base de l'échange, indépendamment de la volonté de l'homme. C'est là la seule méthode qui permette de résoudre cette énigme fondamentale : comment, dans la société capitaliste, où chacun pense pour soi-même et où personne ne pense pour tous, se sont créés les rapports entre les différentes branches de l'économie indispensables à la vie ?

Le travailleur vend sa force de travail, le fermier porte son produit au marché, le prêteur d'argent ou le banquier accorde des prêts, le commerçant offre son assortiment de marchandises, l'industriel bâtit une usine, le spéculateur achète et vend des stocks et des actions, chacun d'entre eux ayant ses propres considérations, son propre plan, ses propres intérêts concernant les salaires ou le profit. Néanmoins, de tout ce chaos d'efforts et d'actions individuelles, résulte un ensemble économique qui, tout en n'étant pas harmonieux, permet cependant à la société, non seulement d'exister, mais encore de se développer. Cela signifie qu'au fond ce chaos n'est d'aucune façon un chaos, que, dans une certaine mesure, il est réglé automatiquement et inconsciemment. Comprendre le mécanisme qui donne aux différents aspects de l'économie un équilibre relatif, c'est découvrir les lois objectives du capitalisme.

Manifestement, les lois qui gouvernent les différentes sphères de l'économie capitaliste, les salaires, les prix, la rente foncière, le profit, l'intérêt, le crédit, la Bourse, sont nombreuses et complexes. Mais, en dernier lieu, elles se ramènent à une loi unique découverte par Marx et qu'il a explorée à fond : c'est la loi de la valeur-travail qui est certainement le régulateur fondamental de l'économie capitaliste. L'essence de cette loi est simple. La société dispose d'une certaine réserve de force de travail vivante. Appliquée à la nature, cette force produit les objets nécessaires à la satisfaction des besoins de l'humanité. Par suite de la division du travail entre les producteurs indépendants, ces objets prennent la forme de marchandises. Les marchandises s'échangent à un taux donné, d'abord directement, plus tard au moyen d'un intermédiaire : l'or ou la monnaie. La propriété essentielle des marchandises, propriété qui les rend, suivant un certain rapport, égales entre elles, est le travail humain dépensé pour les produire, — le travail abstrait, le travail en général, — la base et la mesure de la valeur. La division du travail en des millions de producteurs n'entraîne pas la désagrégation de la société parce que les marchandises sont échangées d'après le temps de travail socialement nécessaire exigé par leur production. En acceptant ou en rejetant les marchandises, le marché, l'arène de l'échange, décide si elles contiennent ou ne contiennent pas le travail socialement nécessaire et, par là, détermine les quantités des différentes espèces de marchandises nécessaires à la société et, par conséquent aussi, la distribution de la force de travail entre les différentes branches de la production.

Les processus réels du marché sont infiniment plus complexes que nous ne l'avons exposé en quelques lignes. Ainsi, les prix, en oscillant autour de la valeur du travail, sont tantôt en dessous, tantôt au-dessus de leur valeur. Les causes de ces variations sont expliquées en long et en large dans le troisième volume du *Capital* où Marx décrit « le procès de la production capitaliste considérée dans son ensemble ». Néanmoins, quelque considérables que puissent être les écarts entre le prix et la valeur des marchandises dans des cas particuliers, la somme de tous les prix est égale à la somme de toutes les valeurs qui ont été créées par le travail humain et figurent sur le marché, et les prix ne peuvent pas franchir cette limite, même si l'on tient compte du « monopole des prix » ou « trust » ; là où le travail n'a pas créé de nouvelle valeur, Rockefeller lui-même ne peut rien tirer.

L'inégalité et l'exploitation

Mais si les marchandises sont échangées d'après la quantité de travail qu'elles contiennent, comment l'inégalité peut-elle résulter de l'égalité ? Marx a résolu cette énigme en exposant la nature particulière d'une des marchandises qui est à la base de toutes les autres marchandises : la force de travail. Le propriétaire des moyens de production, le capitaliste, achète la force de travail. Comme toutes les autres marchandises, celle-ci est évaluée d'après la quantité de travail qu'elle renferme, c'est-à-dire d'après les moyens de subsistance qui sont nécessaires à l'entretien et à la production de la force de travail. Mais la consommation de cette marchandise — la force de travail — c'est le travail, c'est-à-dire la création de nouvelles valeurs. La quantité de ces valeurs est plus grande que celle des valeurs que le travailleur reçoit et dont il a besoin pour son entretien. Le capitaliste achète la force de travail pour l'exploiter. C'est cette exploitation qui est la source de l'inégalité. Cette partie du produit du travail qui sert à assurer la subsistance du travail, Marx l'appelle le produit nécessaire ; la partie que le travail produit en plus, c'est la plus-value. La plus-value a été produite pas l'esclave, sinon le propriétaire d'esclaves n'aurait pas entretenu d'esclaves. La plus-value a été produite par le serf, sinon le servage n'aurait été d'aucune utilité pour la noblesse terrienne. La plus-value est produite de même — mais dans une proportion infiniment plus grande — par le travailleur salarié, sinon le capitaliste n'aurait aucun intérêt d'acheter la force de travail. La lutte de classes n'est rien d'autre que la lutte pour la plus-value. Celui qui possède la plus-value est le maître de l'État, il a la clé de l'Église, des tribunaux, des sciences et des arts.

La concurrence et le monopole

Les rapports entre les capitalistes qui exploitent les travailleurs sont déterminés par la concurrence, qui agit comme le ressort principal du progrès capitaliste. Les grandes entreprises ont, par rapport aux petites, les plus grands avantages techniques, financiers, organisationnels, économiques et, « last but not least », politiques. Une plus grande quantité de capitaux, permettant d'exploiter un plus grand nombre de travailleurs, donne inévitablement à celui qui les possède la victoire dans une compétition. Telle est la base de la concentration et de la centralisation du capital.

Tout en stimulant le progrès et le développement de la technique, la concurrence détruit non seulement les couches de producteurs intermédiaires, mais elle se détruit elle-même. Sur les cadavres ou semi-cadavres des petits et moyens capitalistes émerge un nombre toujours plus petit de seigneurs capitalistes toujours plus puissants. Ainsi de la concurrence *honnête, démocratique* et *progressiste,* surgit irrévocablement le monopole *malfaisant, parasitaire* et *réactionnaire.* Sa domination commença à s'affirmer à partir de 1880 et prit sa forme définitive au tournant du siècle. Maintenant la victoire du monopole est ouvertement reconnue par les représentants officiels de la société bourgeoise*.

Et pourtant, lorsque Marx, cherchant à prévoir par l'analyse l'avenir du système capitaliste, démontra pour la première fois que le monopole est une conséquence des tendances inhérentes au capitalisme, le monde bourgeois continua à regarder la concurrence comme une loi éternelle de la nature.

L'élimination de la concurrence par le monopole marque le commencement de la désagrégation de la société capitaliste. La concurrence était le ressort créateur principal du capitalisme et la justification historique du capitaliste. Par là même, l'élimination de la concurrence signifie la transformation des actionnaires en parasites sociaux. La concurrence avait besoin de certaines libertés, d'une atmosphère libérale, d'un régime démocratique, d'un cosmopolitisme commercial. Le monopole réclame un gouvernement aussi autoritaire que possible, des murailles douanières, ses « propres » sources de matières premières et ses propres marchés (colonies). Le dernier mot dans la désagrégation du capitalisme de monopole, c'est le *fascisme.*

La concentration de la richesse et la croissance des contradictions de classes

Les capitalistes et leurs avocats s'efforcent par tous les moyens de cacher, aux yeux du peuple comme aux yeux du fisc, le degré réel de la concentration de la richesse. La presse bourgeoise, au mépris de l'évidence, s'efforce toujours de maintenir l'illusion d'une distribution « démocratique » des capitaux investis. Le *New York Times,* voulant réfuter les marxistes, signale qu'il y a de trois à cinq millions d'employeurs individuels. Il est certain que les sociétés anonymes représentent une plus grande concentration de capital que les trois à cinq millions de patrons individuels, quoique les États-Unis comptent « un demi-million de sociétés ».

---

* L'influence modératrice de la concurrence — déplore le ministre de la justice des États-Unis, M. Homer S. Cummings — est à peu près évincée et, dans l'ensemble, elle ne subsiste que comme « un souvenir très vague des conditions d'autrefois ».

Ces jongleries avec des sommes globales et des moyennes ont pour but non d'éclairer, mais de cacher la réalité. Du commencement de la guerre jusqu'en 1923, le nombre des usines et des fabriques des États-Unis est tombé de l'indice 100 à 98,7 tandis que la masse de la production industrielle montait de l'indice 100 à 156,3. Pendant les années de grande prospérité (1923-1929), alors qu'il semblait que tout le monde était en train de devenir riche, l'indice du nombre des établissements est tombé de 100 à 93,8 tandis que la production montait de 100 à 113. Cependant, la concentration des établissements industriels, limitée par leur corps matériel encombrant, est loin derrière la concentration de leurs âmes, c'est-à-dire de leur avoir. En 1929, les États-Unis comptaient réellement plus de 300 000 sociétés, comme le *New York Times* le signale correctement. Il faut seulement ajouter que 200 de ces sociétés, c'est-à-dire 0,07 du nombre total, contrôlaient directement 49,2 % des fonds de toutes les sociétés. Quatre ans plus tard, cette proportion était déjà montée à 56 % et, pendant les années de l'administration de Roosevelt, elle a certainement monté encore. Et parmi ces 200 sociétés anonymes dirigeantes, la domination réelle appartient à une petite minorité*.

Les mêmes processus peuvent être observés dans le système des banques et des assurances. Cint des plus grandes sociétés d'assurances des États-Unis ont absorbé non seulement les autres compagnies d'assurances, mais aussi plusieurs banques. Le nombre total des banques se réduit par absorption, principalement sous la forme de ce que l'on appelle les « mergers » (fusions). Ce processus s'accélère rapidement. Au-dessus des banques s'élève l'oligarchie des super-banques. Le capital bancaire fusionne avec le capital industriel sous la forme de super-capital financier. En supposant que la concentration de l'industrie et des banques doive continuer au même rythme que pendant le dernier quart de siècle — en fait ce rythme est en croissance — au cours du prochain quart de siècle, les hommes des trusts auront accaparé toute l'économie du pays.

Nous nous reportons ici aux statistiques des États-Unis pour la seule raison qu'elles sont plus exactes et plus saisissantes. Dans son essence, le processus de concentration revêt un caractère international. À travers les différents stades du capitalisme, à travers toutes les phases des cycles conjoncturels, à travers tous les régimes politiques, à travers les périodes pacifiques comme à travers les périodes de conflits armés, le processus de la concentration de

* Un comité du Sénat des États-Unis a constaté, en février 1937, que, pendant les vingt années écoulées, les décisions des plus grandes sociétés équivalaient à des ordres pour la plus grande partie de l'industrie américaine. Le nombre des présidents des conseils d'administration de ces compagnies est à peu près le même que le nombre des membres du cabinet du Président des États-Unis, le pouvoir exécutif du gouvernement républicain. Mais les membres qui président ces conseils sont infiniment plus puissants que les membres du cabinet.

toutes les grandes fortunes dans un nombre de mains toujours plus réduit s'est poursuivit et se poursuivra jusqu'à la fin. Pendant les années de la grande guerre, alors que les nations étaient saignées à mort, alors que les systèmes fiscaux roulaient à l'abîme, entraînant avec eux les classes moyennes, les hommes des trusts ramassaient des bénéfices sans précédent dans le sang et la boue. Les puissantes compagnie des États-Unis, pendant les années de guerre, ont doublé, triplé, quadruplé, décuplé leur capital et gonflé leurs dividendes jusqu'à 300, 400, 900 % et même davantage. En 1840, huit ans avant la publication par Marx et Engels du *Manifeste du Parti Communiste,* l'écrivain français bien connu Alexis de Tocqueville écrivait dans un livre intitulé *La Démocratie en Amérique :* « La grande fortune tend à disparaître, les petites fortunes tendent à se multiplier. » Cette pensée a été répétée d'innombrables fois, d'abord à propos des États-Unis, ensuite à propos des autres jeunes démocraties, comme l'Australie et la Nouvelle-Zélande. L'idée de Tocqueville était certes déjà fausse de son temps. Cependant la véritable concentration de la richesse ne commença qu'après la guerre civile américaine, à la veille de laquelle Tocqueville mourut. Au commencement du siècle présent, 2 % de la population des États-Unis possédaient déjà plus de la moitié de la fortune totale du pays ; en 1929, ces 2 % possédaient 3/5 de la fortune nationale. À la même époque, 36 000 familles riches possédaient un revenu aussi grand que 11 millions de familles moyennes ou pauvres. Pendant la crise de 1929-1933, les trusts n'avaient pas besoin de faire appel à la charité publique ; au contraire, ils s'élevaient toujours plus haut au-dessus du dépérissement général de l'économie nationale. Pendant le précaire renouveau industriel qui suivit, produit par la levure du New Deal, les hommes des trusts prélevèrent de nouveaux bénéfices. Le nombre des chômeurs tomba, dans le meilleur des cas, de 20 à 10 millions ; pendant le même laps de temps, le gratin de la société capitaliste, 6 000 personnes au maximum, recueillait des bénéfices fantastiques. C'est ce que le Procureur général Robert H. Jackson révéla, chiffres à l'appui.

Mais le concept abstrait de « capital monopoliste » se revêt pour nous de chair et de sang. Ce qu'il signifie, c'est qu'une poignée de familles*, groupées par les liens de la parenté et de l'intérêt

---

* L'écrivain américain Ferdinand Lundberg, qui est plutôt en dépit de toute son honnêteté scientifique, un économiste conservateur, a écrit dans un livre qui a suscité un grand émoi : « Les États-Unis sont aujourd'hui accaparés et dominés par une hiérarchie de soixante des plus riches familles, appuyées par tout au plus quatre-vingt-dix familles de richesse moindre. À ces deux groupes il faudrait ajouter un troisième échelon d'environ trois cents autres familles dont le revenu dépasse 100 millions de dollars par an. La position dominante appartient au premier groupe de soixante familles qui domine non seulement le marché, mais aussi les leviers du gouvernement. » Elles constituent le vrai gouvernement, « le gouvernement de l'argent dans une démocratie du dollar ».

commun en une oligarchie capitaliste fermée, dispose du destin économique et politique d'une grande nation. Il faut reconnaître que la loi marxiste de la concentration s'est toujours révélée conforme aux faits.

L'enseignement de Marx est-il périmé ?

Les questions de la concurrence, de la concentration de la richesse et du monopole conduisent naturellement à la question de savoir si, à notre époque, la théorie économique de Marx n'a plus qu'un intérêt historique — comme par exemple la théorie d'Adam Smith — ou si elle est toujours d'actualité. Le critère qui permet de répondre à cette question est simple ; si la théorie permet d'apprécier correctement le cours du développement social et de prévoir l'avenir mieux que les autres théories, alors elle reste la théorie la plus avancée de notre temps, même si elle date de plusieurs vingtaines d'années.

L'économiste allemand bien connu Werner Sombart, qui était virtuellement un marxiste au début de sa carrière, mais qui plus tard révisa tous les aspects les plus révolutionnaires de l'enseignement de Marx, opposa au *Capital* de Marx son propre *Capitalisme* qui est probablement l'exposé apologétique le plus connu de l'économie bourgeoise de ces derniers temps. Sombart écrivait : « Karl Marx a prédit : *primo,* la misère croissante des travailleurs salariés ; *secundo,* la « concentration » générale, avec la disparition de la classe des artisans et des paysans ; *tertio,* l'effondrement catastrophique du capitalisme. Rien de tout cela n'est arrivé. »

À ce pronostic erroné, Sombart oppose son propre diagnostic, « strictement scientifique ». Le capitalisme continuera, selon lui, à se transformer intérieurement dans la direction où il a déjà commencé à se transformer à l'époque de son apogée ; en vieillissant, il deviendra de plus en plus calme, tranquille, raisonnable. Essayons de voir, ne fût-ce que dans les grandes lignes, lequel des deux a raison : ou Marx avec sa prédiction de la catastrophe, ou Sombart qui, au nom de toute l'économie bourgeoise, a promis que les choses s'arrangeraient « calmement, tranquillement, raisonnablement ». Le lecteur reconnaîtra que cette question mérite d'être examinée.

a) La théorie de la paupérisation

« L'accumulation de la richesse à un pôle, écrivait Marx soixante ans avant Sombart, signifie par conséquent l'accumulation de la misère, de la souffrance, de l'esclavage, de l'ignorance, de la brutalité, de la dégradation mentale au pôle opposé, c'est-à-dire du côté de la classe dont le produit prend la forme de capital. » Cette thèse de Marx, connue sous le nom de « théorie de la paupérisation », a été l'objet d'attaques constantes de la part des réformistes démocrates et social-démocrates, particulièrement pendant la période 1896-1914, lorsque le capitalisme se développait rapidement et accordait certaines concessions aux travailleurs, surtout à leur couche supérieure. Après la guerre mondiale, quand la bourgeoisie, effrayée de ses propres crimes et épouvantée par la Révolution d'Octobre, s'engagea dans la voie des réformes sociales préconisées, réformes dont l'effet fut immédiatement annihilé par l'inflation et le chômage, la théorie de la transformation progressive de la société capitaliste parut aux réformistes et aux professeurs bourgeois pleinement garantie. « La puissance d'achat du travail salarié, nous assurait Sombart en 1928, a augmenté en raison directe de l'expansion de la production capitaliste. »

En fait, la contradiction économique entre le prolétariat et la bourgeoisie s'aggrava pendant les périodes les plus prospères du développement capitaliste, lorsque l'élévation du niveau de vie de certaines couches de travailleurs, assez larges par moments, masquait la diminution de la part du prolétariat dans le revenu national. Ainsi, juste avant de tomber dans le marasme, la production industrielle des États-Unis augmenta de 50 % entre 1920 et 1930, alors que la somme payée en salaires ne s'élevait que de 30 %, ce qui signifie une formidable diminution de la part des travailleurs dans le revenu national. En 1930 commença un accroissement du chômage qui était de mauvais augure et, en 1933, une aide plus ou moins systématique aux chômeurs, qui reçurent, sous forme de secours, à peine plus de la moitié de ce qu'ils avaient perdu en salaires.

L'illusion du « progrès » ininterrompu de toutes les classes s'était évanouie sans laisser de traces. Le déclin relatif du niveau de vie des masses a fait place à un déclin absolu. Les travailleurs commençent par économiser sur leurs maigres plaisirs, ensuite sur leurs vêtements et finalement sur leur nourriture. Les articles et les produits de qualité moyenne sont remplacés par de la camelote et la camelote par des rebuts. Les syndicats commencent à ressembler à l'homme qui s'accroche désespérément à la rampe, tandis qu'il dégringole un escalier à pente rapide.

Avec 6 % de la population mondiale, les États-Unis détiennent 40 % de la richesse mondiale. Néanmoins, un tiers de la nation, comme Roosevelt lui-même le reconnaît, est sous-alimenté, mal vêtu et vit dans des conditions indignes de l'homme. Que dire alors des pays beaucoup moins privilégiés ? L'histoire du monde capitaliste depuis la dernière guerre a irrémédiablement confirmé la théorie dite « de la paupérisation ».

Le régime fasciste, qui ne fait que reculer jusqu'à l'extrême les limites du déclin et de la réaction inhérente à tout capitalisme impérialiste, devint indispensable lorsque la dégénérescence du capitalisme anéantit les possibilités de maintenir les illusions sur l'élévation du niveau de vie du prolétariat. La dictature fasciste signifie la reconnaissance ouverte de la tendance à l'appauvrissement que les plus riches démocraties impérialistes s'efforcent encore de cacher. Si Mussolini et Hitler persécutent le marxisme avec une telle haine, c'est précisément parce que leur propre régime est la plus effrayante confirmation de la prédiction marxiste. Le monde civilisé s'indigna ou feignit de s'indigner lorsque Göring, sur le ton de bourreau et de bouffon qui le caractérise, déclara que les canons étaient plus nécessaires que le beurre, ou lorsque Cagliostro-Casanova-Mussolini avertit les travailleurs d'Italie qu'ils devaient apprendre à serrer la ceinture sur leur chemise noire. Mais au fond la même chose ne se passe-t-elle pas dans les démocraties impérialistes ? Partout le beurre sert à graisser les canons. Les travailleurs de France, d'Angleterre, des États-Unis apprennent à serrer leur ceinture sans chemise noire.

b) L'armée de réserve et la nouvelle sous-classe des chômeurs

L'armée de réserve industrielle forme une partie indispensable de la mécanique sociale du capitalisme, exactement comme des machines de secours et des matières premières dans une usine, ou comme un stock de produits manufacturés dans les magasins. Ni l'expansion générale de la production, ni l'adaptation aux flux et reflux périodiques du cycle industriel ne seraient possible sans une réserve de force de travail. De la tendance générale du développement du capitalisme — accroissement du capital constant (machines et matières premières) au détriment du capital variable (force de travail) — Marx tire la conclusion suivante : « Plus grande est la richesse sociale, plus grande est la masse de la sur-population stable [...] et plus grande est l'armée de réserve industrielle [...] et plus grand est le paupérisme officiel. *Telle est la loi générale absolue de l'accumulation capitaliste.* » Cette thèse, indissolublement liée à la « théorie de la paupérisation » et dénoncée pendant des dizaines d'années comme « exagérée, tendancieuse et démagogique », est devenue maintenant l'image théorique irréprochable de la réalité. La présente armée des chômeurs ne peut plus être regardée comme une « armée de réserve », parce que sa masse fondamentale ne peut plus espérer trouver du travail ; au contraire, elle est destinée à se gonfler d'un flot constant de nouveaux chômeurs. La désagrégation du capitalisme a engendré toute une génération de jeunes gens qui n'ont jamais eu de métier et qui n'ont pas d'espoir d'en trouver un. Cette nouvelle sous-classe entre le prolétariat et le semi-prolétariat est forcée de vivre aux dépens de la société. On a calculé que pendant neuf ans (1930-1938) le chômage a coûté à l'économie plus de 43 millions d'années de travail humain. Si l'on considère qu'en 1929, au sommet de la prospérité, il y avait

2 millions de chômeurs aux États-Unis et que, pendant ces neuf dernières années, le nombre virtuel des travailleurs s'est accru de 5 millions, le nombre total d'années de travail perdues a dû se multiplier. Un régime social qui est ravagé par un tel fléau est mortellement malade. Le diagnostic exact de cette maladie a été donné il y a presque quatre-vingts ans, alors que la maladie elle-même n'était encore qu'un simple germe.

c) Le déclin des classes moyennes

Les chiffres qui montrent la concentration du capital indiquent en même temps le poids spécifique de la classe moyenne dans la production et sa participation au revenu national n'ont cessé de diminuer, en même temps que les petites entreprises étaient ou bien absorbées complètement, ou bien rabaissées et privées de leur indépendance, devenant un pur symbole de souffrance insupportable et de détresse sans espoir. Au même moment il est vrai, le développement du capitalisme a stimulé considérablement l'accroissement de l'armée des techniciens, gérants, employés, médecins, en un mot de ce que l'on appelle « la nouvelle classe moyenne ». Mais cette couche, dont la croissance n'était déjà pas un mystère pour Marx lui-même, ressemble peu à la vieille classe moyenne qui trouvait dans la propriété de ses propres moyens de production une garantie tangible d'indépendance économique. La nouvelle « classe moyenne » dépend plus directement des capitalistes que les ouvriers. En effet, ceux-ci sont dans une large mesure sous la domination de cette classe ; en outre, parmi cette nouvelle classe moyenne, on a remarqué une surproduction considérable avec pour conséquence : la dégradation sociale.

« Des statistiques d'information dignes de foi », déclare un homme aussi éloigné du marxisme que le ministre de la Justice des États-Unis, Homer S. Cummings, que nous avons déjà cité, « montrent que de très nombreuses entreprises industrielles ont complètement disparu et qu'il s'est produit une élimination progressive du petit entrepreneur en tant que facteur de la vie américaine ». Mais, objecte Sombart, « la concentration générale, malgré la disparition de la classe des artisans et des paysans », ne s'est pas encore produite. Comme tout théoricien, Marx commença par isoler les tendances fondamentales sous leur forme la plus pure ; autrement, il eût été entièrement impossible de comprendre la destinée de la société capitaliste. Marx était cependant capable de considérer les phénomènes de la vie à la lumière de l'analyse concrète, comme un produit de l'enchaînement de divers facteurs historiques. Les lois de Newton ne sont pas infirmées par le fait que la vitesse de la chute des corps varie lorsque les conditions diffèrent ou que les orbites des planètes sont sujettes à des variations.

Pour comprendre ce que l'on appelle la « ténacité » des classes moyennes, il est bon de ne pas perdre de vue que les deux tendances — la ruine des classes moyennes et la prolétarisation de ces classes ruinées — ne se développent ni à une allure égale ni dans les mêmes limites. Il résulte de la prépondérance croissante de la machine sur la force de travail que plus la ruine des classes moyennes est avancée, plus elle devance le processus de leur prolétarisation ; en effet, à un certain moment, celle-ci peut cesser complètement et même reculer.

De même que l'action des lois physiologiques produit des résultats différents dans un organisme en pleine croissance ou dans un organisme en voie de dépérissement, de même les lois économiques de l'économie marxiste s'affirment différemment dans un capitalisme qui se développe ou dans un capitalisme qui se désagrège. Cette différence apparaît avec une clarté particulière dans les relations réciproques de la ville et de la campagne. La population rurale des États-Unis, qui s'accroît à un rythme relativement plus lent que la population totale, a continué à augmenter en chiffres absolus jusqu'en 1910, l'année où elle dépassa les 32 millions. Pendant les vingt années suivantes, malgré la rapide croissance de la population totale du pays, elle tomba à 30,4 millions, c'est-à-dire qu'elle diminua de 1,6 million. Mais en 1935, elle monta de nouveau à 32,8 millions, augmentant de 2,4 millions par rapport à 1930. Ce renversement de la tendance, si elle surprend à première vue, ne réfute pas le moins du monde ni la tendance de la population urbaine à augmenter aux dépens de la population rurale ni la tendance des classes moyennes à s'atomiser, mais en même temps elle démontre très pertinemment la désagrégation du système capitaliste dans son ensemble. L'accroissement de la population rurale pendant la période de crise aiguë de 1930-1935 s'explique simplement par le fait qu'environ 2 millions de citadins ou, plus exactement, 2 millions de chômeurs affamés se réfugièrent à la campagne, sur des lopins de terre abandonnés des fermiers ou dans les fermes de leurs parents et amis, afin d'employer leur force de travail rejetée par la société à des travaux productifs d'économie naturelle et de mener une existence à moitié misérable au lieu d'une existence entièrement misérable.

Il ne s'agit donc pas, dans ce cas, de la stabilité des petits fermiers, artisans et commerçants, mais plutôt de l'affreuse misère de leur situation. Loin d'être une garantie d'avenir, la classe moyenne est un vestige malheureux et tragique du passé. Incapable de la faire disparaître complètement, le capitalisme l'a réduite au dernier degré de la dégradation et de la détresse. Le fermier se voit privé non seulement de la vente de son lopin de terre et du profit de son capital investi, mais aussi d'une bonne partie de son salaire. De même les petites gens de la ville ont grignoté peu à peu leurs réserves et sombré dans une existence qui ne vaut guère mieux que la mort. La classe moyenne n'est pas prolétarisée pour la seule raison qu'elle est paupérisée. Il est aussi difficile de trouver dans ce fait un argument contre Marx qu'en faveur du capitalisme.

d) La crise industrielle

La fin du siècle dernier et le commencement du siècle présent furent marquée par des progrès du capitalisme tellement gigantesques que les crises cycliques semblaient n'être plus que des ennuis « accidentels ». Pendant les années d'optimisme capitaliste presque universel, les critiques de Marx nous assuraient que le développement national et international des trusts, syndicats et cartels introduisait dans le marché un contrôle planifié et annonçait la victoire finale sur les crises. D'après Sombart, les crises ont déjà été « abolies » avant la guerre par le mécanisme du capitalisme lui-même, de sorte que le « problème des crises nous laisse aujourd'hui à peu près indifférents ». Maintenant, à peine dix ans plus tard, ces mots résonnent comme une plaisanterie creuse, car ce n'est que de nos jours que la prédiction de Marx se réalise dans toute sa force tragique.

Il est remarquable que la presse capitaliste, qui s'efforce de nier comme elle peut l'existence même des monopoles, a recours à ces mêmes monopoles pour nier aussi, comme elle peut, l'anarchie capitaliste. Si les soixante familles contrôlaient la vie économique des États-Unis, observe ironiquement le *New York Times,* « cela prouverait que la capitalisme américain, loin d'être anarchique et de manquer de plan... est organisé avec grand soin ». Cet argument manque son but. Le capitalisme a été incapable de développer jusqu'au bout une seule de ses tendances. De même que la concentration de la richesse n'abolit pas la classe moyenne, de même le monopole n'abolit pas la concurrence, mais il ne fait que l'étouffer et la comprimer. Autant que le plan de chacune des soixante familles, les diverses variantes de ces plans ne se soucient pas le moins du monde de coordonner les diverses branches de l'économie, mais plutôt d'accroître les profits de leur clique monopoliste aux dépens des autres cliques de la nation entière. Le choc de tous ces plans dans le compte final ne fait qu'approfondir l'anarchie dans l'économie nationale.

La crise de 1929 éclata aux États-Unis un an après que Sombart eût proclamé l'entière indifférence de sa « science » au problème même des crises. Du sommet d'une prospérité sans précédent, l'économie des États-Unis a été précipitée dans l'abîme d'un marasme effrayant. Personne, du temps de Marx, n'aurait pu concevoir des convulsions d'une telle ampleur. Le revenu national des États-Unis s'était élevé en 1920 pour la première fois à 69 milliards de dollars, pour tomber l'année suivante à 50 milliards de dollars (27 % de baisse). À la suite de la prospérité des années qui suivirent, le revenu national monta de nouveau en 1929 à son plus haut point, c'est-à-dire 81 milliards de dollars, pour tomber en 1932 à 40 milliards de dollars, c'est-à-dire plus de la moitié ! Pendant les neuf années 1930-1938, furent perdus environ 43 millions d'années de travail d'homme et 133 milliards de dollars du revenu national, en calculant le travail et le revenu sur la base des chiffres de 1939. Si tout cela n'est pas de l'anarchie, quelle peut bien être la signification de ce mot ?

e) La théorie de l'effondrement

Les esprits et les cœurs des intellectuels de la classe moyenne et des bureaucrates syndicaux furent presque complètement hypnotisés par les réalisations du capitalisme entre l'époque de la mort de Marx et l'explosion de la guerre mondiale. L'idée du processus graduel (évolution) semblait avoir été assurée pour toujours, tandis que l'idée de révolution était considérée comme un pur vestige de la barbarie. À la prédiction de Marx on opposait la prédiction contraire d'une distribution mieux équilibrée du revenu national par l'adoucissement des contradictions de classe et par une réforme graduelle de la société capitaliste. Jean Jaurès, le plus doué des social-démocrates de cette époque classique, espérait remplir graduellement la démocratie politique d'un contenu social. C'est en cela que consiste l'essence du réformisme. Telle était la prédiction opposée à celle de Marx. Qu'en reste-t-il ?

La vie du capitalisme de monopole de notre époque est une chaîne de crises. Chaque crise est une catastrophe. Le besoin d'échapper à ces catastrophes partielles au moyen de murailles douanières, inflation, accroissement des dépenses gouvernementales, dettes, etc., prépare le terrain pour de nouvelles crises, plus profondes et plus larges. La lutte pour les marchés, les matières premières, plus les colonies, rend les catastrophes militaires inévitables. Celles-ci préparent inéluctablement des catastrophes révolutionnaires. Vraiment il n'est pas facile d'admettre avec Sombart que le capitalisme devient avec le temps de plus en plus « calme, tranquille, raisonnable ». Il serait plus juste de dire qu'il est en train de perdre ses derniers vestiges de raison. En tout cas, il n'y a pas de doute que la « théorie de l'effondrement » a triomphé de la théorie du développement pacifique.

Le déclin du capitalisme

Si le contrôle de la production par le marché a coûté cher à la société, il n'en est pas moins vrai que l'humanité, jusqu'à une certaine étape, approximativement jusqu'à la guerre mondiale, s'est élevée, s'est enrichie, s'est développée à travers des crises partielles et générales. La propriété privée des moyens de production était toujours à cette époque un facteur relativement progressif. Mais aujourd'hui, le contrôle aveugle par la loi de la valeur se refuse à servir encore. Le progrès humain est bloqué dans une impasse. En dépit des derniers triomphes de la pensée technique, les forces productives naturelles ne croisent plus. Le symptôme le plus clair de ce déclin est la stagnation mondiale qui règne dans l'industrie du bâtiment, par suite de l'arrêt des investissements dans les branches fondamentales de l'économie. Les capitalistes ne sont plus capables de croire à l'avenir de leur propre système. La stimulation des constructions par le gouvernement signifie une augmentation des impôts et la diminution du revenu national spontanées, surtout depuis que la plus grande partie des investissements gouvernementaux est destinée directement à des fins de guerre.

Le marasme a pris un caractère particulièrement dégradant dans la sphère la plus ancienne de l'activité humaine, celle qui est le plus étroitement liée aux besoins vitaux fondamentaux de l'homme : dans l'agriculture. Non contents des obstacles que la propriété privée sous la forme la plus réactionnaire, celle de la petite propriété rurale, place devant le développement de l'agriculture, les gouvernements capitalistes se voient fréquemment appelés à limiter la production artificiellement au moyen de mesures statuaires et administratives qui eûssent effrayé les artisans des corporations à l'époque de leur déclin.

L'histoire rapportera que le gouvernement du pays capitaliste le plus puissant a donné des primes aux fermiers pour réduire leurs plantations, c'est-à-dire pour diminuer artificiellement le revenu national déjà en baisse. Les résultats parlent d'eux-mêmes : en dépit de grandioses possibilités de production, fruit de l'expérience et de la science, l'économie agraire ne sort pas d'une crise de putréfaction, tandis que le nombre des affamés, la plus grande partie de l'humanité, continue à croître plus vite que la population de notre planète. Les conservateurs considèrent comme une politique sensible, humanitaire, la défense d'un ordre social qui est tombé jusqu'à un tel degré de folie destructrice et ils condamnent la lutte socialiste contre une telle folie comme l'utopisme destructeur.

Fascisme et New Deal

Deux méthodes rivalisent sur l'arène mondiale pour sauver le capitalisme historiquement condamné : le Fascisme et le New Deal. Le fascisme base son programme sur la dissolution des organisations ouvrières, sur la destruction des réformes sociales et sur l'anéantissement complet des droits démocratiques, afin de prévenir une renaissance de la lutte de classe prolétarienne. L'État fasciste légalise officiellement la dégradation des travailleurs et la paupérisation des classes moyennes au nom du salut de la « nation » et de la « race », mots présomptueux sous lesquels se cache le capitalisme décadent.

La politique de New Deal, qui s'efforce de sauver la démocratie impérialiste en accordant des primes à l'aristocratie ouvrière et paysanne, n'est accessible, dans sa plus large extension, qu'aux nations très riches et, dans ce sens, c'est une politique américaine par excellence. Le gouvernement américain a essayé de rejeter une partie des frais de cette politique sur les épaules des hommes des trusts, en les exhortant à élever les salaires et diminuer la journée de travail, pour accroître ainsi le pouvoir d'achat de la population et développer la production. Léon Blum essaya de transposer ce sermon à l'école primaire française. En vain ! Le capitaliste français, comme le capitaliste américain, ne produit pas pour l'amour de la production ; mais pour le profit. Il est toujours prêt à limiter la production, même à détruire des produits manufacturés, si sa propre part du revenu national doit être accrue.

Où le programme du New Deal est le plus inconsistant, c'est en ceci : d'une part, il fait des sermons aux magnats du capital sur les avantages de la disette, d'autre part, le gouvernement dispense des primes pour abaisser la production. Peut-on imaginer une plus grande confusion ? Le gouvernement confond ses critiques en leur lançant ce défi : pouvez-vous faire mieux ? Le sens de tout cela, c'est que sur la base du capitalisme, la situation est désespérée.

À partir de 1933, c'est-à-dire pendant les six dernières années, le gouvernement fédéral, les États fédérés et les municipalités ont distribué aux chômeurs près de 15 milliards de dollars en secours — somme tout à fait insuffisante en elle-même et qui ne représente pas la moitié des salaires perdus, mais en même temps somme colossale si l'on considère la diminution du revenu national. Pendant l'année 1938, qui fut une année de renaissance économique relative, la dette nationale des États-Unis augmenta de 2 milliards de dollars (elle était de 38 milliards), c'est-à-dire qu'elle a dépassé de 12 milliards de dollars le plus haut point atteint à la fin de la guerre mondiale.

Au début de 1939, elle dépassa les 40 milliards. Et après ? L'accroissement de la dette nationale est évidemment un fardeau pour les générations futures. Mais le New Deal lui-même ne fut possible qu'en raison des richesses colossales accumulées par les générations précédentes. Seule une nation très riche pouvait se permettre une politique aussi extravagante. Bien plus, une telle nation ne peut pas continuer indéfiniment à vivre aux dépens des générations passées. La politique du New Deal, avec ses résultats fictifs et son accroissement réel de la dette nationale, doit inévitablement aboutir à une féroce réaction capitaliste et à une explosion dévastatrice d'impérialisme. En d'autres termes, elle conduit aux mêmes résultats que la politique du fascisme.

Anomalie ou norme ?

Le secrétaire de l'Intérieur des États-Unis, Harold L. Ickes, considère comme une des plus étranges anomalies de l'histoire le fait que l'Amérique, démocratique dans la forme, soit autocratique dans son contenu : « L'Amérique, le pays où la majorité gouverne, a été contrôlée, du moins jusqu'en 1933 (!) par des monopoles qui, à leur tour, sont contrôlés par un nombre infime d'actionnaires. » Le jugement est correct, excepté cette insinuation qu'avec l'arrivée de Roosevelt, le règne du monopole a cessé ou s'est affaibli. Cependant, ce que Ickes appelle « une des plus étranges anomalies de l'histoire » est, en fait, la norme incontestable du capitalisme. La domination du faible par le fort, du plus grand nombre par quelques-uns, des travailleurs par les exploiteurs, est une loi fondamentale de la démocratie bourgeoise. Ce qui distingue les États-Unis des autres pays, c'est uniquement la plus grande étendue et la plus grande monstruosité des contradictions capitalistes. Pas de passé féodal, d'immenses ressources naturelles, un peuple énergique et entreprenant, en un mot toutes les conditions qui annonçaient un développement démocratique ininterrompu, ont engendré en fait une fantastique concentration de la richesse.

Nous promettant cette fois de mener jusqu'à la victoire la lutte contre les monopoles, Ickes prend à témoin, bien imprudemment, Thomas Jefferson, Andrew Jackson, Abraham Lincoln, Roosevelt et Woodrow Wilson comme les précurseurs de Franklin D. Roosevelt. Pratiquement, toutes nos grandes figures historiques, disait-il le 30 décembre 1937, sont « illustres à cause de leur lutte opiniâtre et courageuse pour prévenir le contrôle et la super-concentration de la richesse et du pouvoir dans quelques mains ». Mais il résulte de ses propres mots que le résultat de cette « lutte opiniâtre et courageuse » est la domination complète de la démocratie par la ploutocratie.

Pour une raison inexplicable, Ickes pense que, cette fois, la victoire est assurée, pourvu que le peuple comprenne que la « lutte ne se déroule pas entre le New Deal et la moyenne des hommes d'affaires avertis, mais entre le New Deal et les « Bourbons » des 60 familles qui ont imposé la terreur de leur domination au reste des hommes d'affaires avertis », en dépit de la démocratie et des efforts des « plus grandes figures historiques ». Les Rockefeller, les Morgan, les Mellon, les Vanderbilt, les Guggenheim, les Ford et Cie n'ont pas envahi les États-Unis de l'extérieur comme Cortez envahit le Mexique ; ils sont sortis organiquement du « peuple » ou, plus précisément, de la classe des « industriels et des hommes d'affaires avertis », et représentent aujourd'hui, selon la prédiction de Marx, l'apogée naturelle du capitalisme. Si une jeune et forte démocratie n'a pas été capable, dans ses beaux jours, de faire échec à la concentration de la richesse lorsque ce processus était encore à son début, est-il possible de croire, même une minute, qu'une démocratie décadente soit capable d'affaiblir les antagonismes de classe qui ont atteint leur limite extrême ? Ce qui est certain, c'est que l'expérience du New Deal n'a donné aucune raison pour un tel optimisme. Réfutant les accusations de l'industrie lourde contre le gouvernement, Robert H. Jackson, un homme haut placé dans les sphères administratives, a prouvé, chiffres à l'appui, que, sous la présidence de Roosevelt, les profits des magnats du capital ont atteint des hauteurs auxquelles ils avaient cessé de rêver pendant la dernière période de la présidence de Hoover, d'où il résulte en tout cas que la lutte de Roosevelt contre les monopoles n'a pas été couronnée d'un plus grand succès que celle de ses prédécesseurs.

Le retour au passé

On ne peut qu'être d'accord avec le professeur Lewis W. Douglas, l'ancien directeur du budget dans l'administration de Roosevelt, lorsqu'il condamne le gouvernement parce qu'il « attaque » les monopoles dans un domaine et les encourage dans beaucoup d'autres. Cependant, dans la réalité, il ne peut en être autrement. Selon Marx, le gouvernement est le comité exécutif de la classe dirigeante. Aucun gouvernement n'est en mesure de lutter contre les monopoles en général, c'est-à-dire contre la classe par la volonté de laquelle il règne.

Tandis qu'il attaque certains monopoles, il est obligé de chercher un allié dans d'autres monopoles. En alliance avec les banques et l'industrie légère, il peut occasionnellement porter un coup aux trusts de l'industrie lourde qui ne cessent pas pour cela de ramasser en passant des bénéfices fantastiques.

Lewis Douglas n'oppose pas au charlatanisme officiel la science, mais simplement une autre espèce de charlatanisme. Il voit la source du monopole non dans le capitalisme, mais dans le protectionnisme et, en conclusion, il découvre le salut de la société, non pas dans l'abolition de la propriété privée des moyens de production, mais dans l'abaissement des tarifs douaniers. « À moins que la liberté des marchés ne soit restaurée — prédit-il — il est douteux que la liberté de toutes les institutions, entreprises, liberté de parole, d'éducation, de religion, puisse survivre. » En d'autres termes, si l'on ne rétablit pas la liberté du commerce international, la démocratie, partout et dans la mesure où elle a survécu, doit céder la place à une dictature révolutionnaire ou à une dictature fasciste. Mais la liberté du commerce international est inconcevable sans la domination du monopole. Malheureusement, M. Douglas, exactement comme M. Ickes, comme M. Jackson, comme M. Cummings et comme Roosevelt lui-même, ne s'est pas donné la peine de nous indiquer ses propres remèdes contre le capitalisme de monopole et, par suite, contre une révolution ou un régime totalitaire.

La liberté de commerce, comme la liberté de la concurrence, comme la prospérité des classes moyennes, appartient irrévocablement au passé. Nous ramener au passé, c'est aujourd'hui le seul remède des réformateurs démocratiques du capitalisme : rendre plus de « liberté » aux petits et moyens industriels et hommes d'affaires, changer la monnaie et le système de crédit en leur faveur, libérer le marché de la domination des trusts, éliminer de la Bourse les spéculateurs professionnels, rétablir la liberté du commerce international et ainsi de suite à l'infini. Les réformateurs rêvent même de limiter l'usage des machines et de jeter l'interdit sur la technique qui trouble l'équilibre social et cause des perturbations sans nombre.

Les savants et le marxisme

Dans un discours pour la défense de la science prononcé le 7 décembre 1937, le docteur Robert A. Millikan, un des meilleurs physiciens d'Amérique, fit cette remarque : « Les statistiques des Etats-Unis montrent que le pourcentage de la population qui « travaille lucrativement » n'a cessé d'augmenter pendant les cinquante dernières années, pendant lesquelles la science a été la plus appliquée ». Cette défense du capitalisme sous la forme d'une défense de la science ne peut pas être considérée comme très heureuse. C'est précisément pendant le dernier demi-siècle que la corrélation entre l'économie et la technique s'est gravement altérée. La période dont parle Millikan comprend le commencement du déclin capitaliste aussi bien que le haut point de la prospérité capitaliste. Voiler le commencement de ce déclin, qui est mondial, c'est se faire l'apologiste du capitalisme. Rejetant le socialisme d'une manière désinvolte, avec des arguments à peine dignes de Henry Ford lui-même, le docteur Millikan nous dit qu'aucun système de distribution ne peut satisfaire les besoins de l'homme sans élever le niveau de la production. C'est indiscutable. Mais il est regrettable que le célèbre physicien n'ait pas expliqué aux millions de chômeurs américains comment en fait ils pourraient participer à l'augmentation du revenu national. Les sermons sur la grâce miraculeuse de l'initiative individuelle et sur la haute production du travail ne procureront certainement pas du travail aux chômeurs, ne combleront pas davantage le déficit du budget et ne sortiront pas l'économie nationale de l'impasse.

Ce qui distingue Marx, c'est l'universalité de son génie, son aptitude à comprendre les phénomènes et les processus appartenant à des domaines différents, dans leur inhérente connexion. Sans être un spécialiste des sciences naturelles, il fut un des premiers à apprécier la signification des grandes découvertes dans ce domaine ; par exemple, la théorie du darwinisme. Ce qui assurait à Marx cette prééminence, ce n'était pas tant la puissance de son esprit que celle de sa méthode. Les savants imprégnés d'idées bourgeoises peuvent se croire au-dessus du socialisme, mais le cas de Robert Millikan n'est qu'une confirmation de plus du fait que, dans le domaine de la sociologie, ils ne sont que des charlatans sans espoir.

Les possibilités de production et la propriété privée

Dans son message au Congrès du début de 1937, le Président Roosevelt exprima son désir d'élever le revenu national à 90 ou 100 milliards de dollars sans pourtant indiquer comment il y parviendrait. En lui-même, ce programme est extrêmement modeste. En 1929, lorsqu'il y avait environ 2 millions de chômeurs, le revenu national atteignit 81 milliards de dollars. La mise en action des forces productives actuelles suffirait, non seulement pour réaliser le programme de Roosevelt, mais même pour le dépasser considérablement. Machines, matières premières, main-d'œuvres, rien ne manque, — pas même les besoins de la population. Si, malgré tout cela, le plan est irréalisable — et il l'est — la seule raison est l'antagonisme insupportable qui s'est développé entre la propriété capitaliste et le besoin social d'une production croissante. Le fameux Contrôle National de la capacité de production que patronnait le gouvernement arriva à la conclusion que le coût total de la production et des transports s'élevait en 1929 à presque 94 milliards de dollars, en calculant sur la base des prix de détail. Cependant, si toutes les possibilités de production réelles avaient été utilisées, ce chiffre se serait élevé à 135 milliards de dollars, ce qui aurait donné une moyenne de 4 370 dollars par an par famille, somme suffisante pour assurer une vie décente et confortable. Il ajouter que les calculs du Contrôle National sont basés sur l'organisation de la production actuelle des États-Unis, telle que l'histoire anarchique du capitalisme l'a faite. Si cette organisation était réorganisée sur la base d'un plan socialiste unifié, les chiffres de production pourraient être considérablement dépassés et un haut niveau de vie et de confort, sur la base d'une journée de travail extrêmement courte, pourrait être assuré à tout le monde.

Ainsi, pour sauver la société, il n'est pas nécessaire d'arrêter le développement de la technique, de fermer les usines, d'accorder des primes aux fermiers pour saboter l'agriculture, de transformer le tiers des travailleurs en mendiants, ni de faire appel à des fous comme dictateurs. Toutes ces mesures, dérisions choquantes des intérêts de la société, sont inutiles. Ce qui est indispensable et urgent, c'est de séparer les moyens de production de leurs propriétaires parasites actuels et d'organiser la société d'après un plan rationnel. Alors il serait enfin possible de guérir réellement la société de ses maux. Tous ceux qui savent travailler trouveraient du travail. La longueur de la journée de travail diminuerait graduellement. Les besoins de tous les membres de la société trouveraient des possibilités de satisfaction de plus en plus grandes. Les mots « pauvreté », « crise », « exploitation » disparaîtraient de la circulation. Le genre humain franchirait enfin le seuil de la véritable humanité.

L'inéluctabilité du socialisme

« Parallèlement à la diminution constante du nombre des magnats du capital, dit Marx, grandit le poids de misère, d'oppression, d'esclavage, de dégradation, d'exploitation : mais en même temps grandit aussi la révolte de la classe ouvrière, classe toujours croissante en nombre, disciplinée, unifiée, organisée par le mécanisme même du processus de la production capitaliste... La centralisation des moyens de production et la socialisation du travail atteignent enfin un point où elles deviennent incompatibles avec leur enveloppe capitaliste. Cette enveloppe éclate. Le glas de la propriété privée sonne, les expropriateurs sont expropriés. » C'est la révolution socialiste. Pour Marx, le problème de la reconstruction de la société ne surgissait pas de quelque prescription motivée par ses préférences personnelles ; il résultait, comme une nécessité historique inexorable, d'une part de la croissance des forces productives jusqu'à leur pleine maturité, d'autre part de l'impossibilité de développer davantage ces forces productives sous l'empire de la loi de la valeur.

Les élucubrations de certains intellectuels, selon lesquelles, en dépit de l'enseignement de Marx, le socialisme ne serait pas *inéluctable,* mais seulement *possible,* sont absolument vides de sens. Il est évident que Marx n'a jamais voulu dire que le socialisme se réaliserait sans l'intervention de la volonté et de l'action de l'homme ; une telle idée est simplement absurde.

Marx a prédit que, pour sortir de la catastrophe économique où doit conduire inévitablement le développement du capitalisme — et cette catastrophe est devant nos yeux —, il ne peut y avoir d'autre issue que la socialisation des moyens de production. Les forces productives ont besoin d'un nouvel organisateur et d'un nouveau maître et, l'existence déterminant la conscience, Marx ne doutait pas que la classe ouvrière, au prix d'erreurs et de défaites, parviendrait à se rendre compte de la situation, et, tôt ou tard, tirerait les conclusions pratiques qui s'imposent.

Que la socialisation des moyens de production créés par les capitalistes offre un avantage économique énorme, c'est ce que l'on peut démontrer aujourd'hui, non seulement en théorie, mais aussi par l'expérience de l'U.R.S.S., en dépit des limites de cette expérience. Il est vrai que les réactionnaires capitalistes, non sans artifice, se servent du régime de Staline comme d'un épouvantail contre les idées du socialisme. En fait, Marx n'a jamais dit que le socialisme pouvait se réaliser dans un seul pays et, de plus, dans un pays arriéré. Les privations que les masses subissent toujours en U.R.S.S., l'omnipotence de la caste privilégiée qui s'est élevée au-dessus de la nation et de sa misère, l'arbitraire insolent des bureaucrates ne sont pas les conséquences des méthodes économiques du socialisme, mais de l'isolement et du retard historique de l'U.R.S.S., prise dans l'étau de l'encerclement capitaliste. L'étonnant, c'est que, dans ces conditions aussi exceptionnellement défavorables, l'économie planifiée ait réussi à démontrer ses indiscutables avantages.

Tous les sauveurs du capitalisme, ceux de l'espèce démocratique aussi bien que ceux de l'espèce fasciste, s'efforcent de limiter ou, tout au moins, de camoufler la puissance des magnats du capital, afin de prévenir « l'expropriation des expropriateurs ». Tous reconnaissent et même certains d'entre eux ouvertement, que l'échec de leurs tentatives de réformes doit inévitablement conduire à la révolution socialiste. Ils ont tous réussi à démontrer que leurs méthodes pour sauver le capitalisme ne sont que charlatanisme réactionnaire et impuissant. La prédiction de Marx sur l'inéluctabilité du socialisme est ainsi confirmée par l'absurde.

La propagande de la « technocratie », qui a fleuri pendant la période de la grande crise de 1929-1932, était fondée sur la prémisse correcte que l'économie ne peut être rationalisée que par l'union de la technique élevée à la hauteur de la science et du gouvernement mis au service de la société.

C'est là que commence la grande tâche révolutionnaire. Pour libérer la technique de la cabale des intérêts privés et mettre le gouvernement au service de la société, il faut « exproprier les expropriateurs ». Seule une classe puissante, intéressée à sa propre libération et opposée aux expropriateurs capitalistes, est capable d'accomplir cette tâche. Ce n'est que par l'alliance avec un gouvernement prolétarien que la couche qualifiée des techniciens peut construire une économie réellement scientifique et réellement rationnelle, c'est-à-dire socialiste.

Le mieux serait évidemment d'arriver à ce but par une voie pacifique, graduelle, démocratique. Mais l'ordre social qui s'est survécu à lui-même ne cède jamais la place à son successeur sans résistance. Si la jeune et puissante démocratie s'est révélée en son temps incapable de prévenir l'accaparement de la richesse et du pouvoir par la ploutocratie, est-il possible d'espérer qu'une démocratie sénile et ravagée se révèlera capable de transformer un ordre social basé sur la domination illimitée des 60 familles ? La théorie et l'histoire enseignent que la substitution d'un régime social à un autre présuppose la forme la plus élevée de la lutte de classe, c'est-à-dire la révolution. Même l'esclavage n'a pas pu être aboli aux États-Unis sans une guerre civile. « La force est l'accoucheuse de toute vieille société grosse d'une nouvelle. » Personne n'a encore été capable de réfuter Marx sur ce principe fondamental de la sociologie de la société de classes. Seule une révolution socialiste peut déblayer la voie vers le socialisme.

Le marxisme aux États-Unis

La république nord-américaine a été plus loin que les autres dans le domaine de la technique et de l'organisation de la production. Ce n'est pas seulement l'Amérique, c'est toute l'humanité qui bâtira sur ces fondations. Cependant, les différentes phases du processus social dans une seule et même nation suivent des rythmes différents, qui dépendent des conditions historiques spéciales. Tandis que les États-Unis possèdent une supériorité formidable dans le domaine de la technologie, la pensée économique de ce pays reste extrêmement arriérée, aussi bien à droite qu'à gauche. John L. Lewis a à peu près les mêmes buts que Franklin D. Roosevelt. Si l'on tient compte de la nature de sa fonction, celle de Lewis est incomparablement plus conservatrice, pour ne pas dire réactionnaire, que celle de Roosevelt. Dans certains cercles américains, il y a une tendance à répudier telle ou telle théorie révolutionnaire sans la moindre critique scientifique, parce que simplement « non américaine ». Mais où trouver le critère qui permette de distinguer ce qui est américain et ce qui ne l'est pas ? Le christianisme fut importé aux États-Unis en même temps que les logarithmes, la poésie de Shakespeare, les notions sur les droits de l'homme et du citoyen, et certaines autres productions de la pensée humaine non dépourvues d'importance. Aujourd'hui, le marxisme se trouve dans la même catégorie.

Le secrétaire américain de l'Agriculture, Henry A. Wallace a imputé à l'auteur de ces lignes « une étroitesse dogmatique qui est au plus haut point non américaine » et il opposa au dogmatisme russe l'esprit opportuniste de Jefferson qui savait composer avec ses adversaires. Apparemment, l'idée n'est jamais venue à l'esprit de H. Wallace qu'une politique de compromis n'est pas fonction de quelque esprit national immatériel, mais un produit des conditions matérielles. Une nation dont la richesse croît rapidement a des réserves suffisantes pour concilier les classes et les partis hostiles. Lorsque, au contraire, les contradictions sociales s'exacerbent, la base de politique de compromis disparaît. Si l'Amérique n'a pas connu l'« étroitesse dogmatique », c'est parce qu'elle disposa d'une grande abondance de terres vierges, de ressources inépuisables en richesses naturelles et aussi, semble-t-il, de possibilités d'enrichissement illimitées. Cependant, même dans ces conditions, l'esprit de compromis n'empêcha pas la guerre civile lorsque son heure sonna. De toute façon, les conditions matérielles qui formèrent la base de l'« américanisme » sont aujourd'hui de plus en plus du domaine du passé. De là, la crise profonde de l'idéologie traditionnelle américaine.

La pensée empirique, limitée à la solution des tâches immédiates, sembla suffisante, aussi bien dans les cercles d'ouvriers que dans les cercles bourgeois, aussi longtemps que la loi de la valeur de Marx suppléa à la pensée de chacun. Mais aujourd'hui cette loi même produit des effets opposés. Au lieu de promouvoir l'économie, elle mine ses fondations. La pensée éclectique conciliatrice, avec son attitude hostile et méprisante envers le marxisme considéré comme un « dogme » et avec son apogée philosophique, le pragmatisme, devient absolument inadéquate, de plus en plus inconsistante, réactionnaire et ridicule.

Au contraire, ce sont les idées traditionnelles de l'américanisme qui sont devenues un dogme sans vie, pétrifié, qui n'engendre plus qu'erreurs et confusions. En même temps, l'enseignement économique de Marx a trouvé un terrain favorable et acquis une pertinence particulière aux États-Unis. Quoique *Le Capital* repose sur un matériel international, surtout anglais, dans ses fondements théoriques, c'est une analyse du capitalisme pur, du capitalisme comme tel. Indubitablement le capitalisme qui a poussé sur le sol vierge et sans histoire de l'Amérique est très proche de ce type idéal du capitalisme.

En dépit de la présence de M. Wallace, l'Amérique s'est développée économiquement non d'après les principes de Jefferson, mais d'après les lois de Marx. Il n'est pas plus offensant pour l'orgueil national de reconnaître cela que de reconnaître que l'Amérique tourne autour du soleil selon les lois de Copernic. *Le Capital* donne un diagnostic juste de la maladie et un pronostic irremplaçable. En ce sens, l'enseignement de Marx est beaucoup plus pénétré du nouvel « américanisme » que les idées de Hoover et Roosevelt, ou de Green et de Lewis.

Il est vrai qu'il y a aux États-Unis une littérature originale très répandue, consacrée aux crises de l'économie américaine. Dans la mesure où les économistes consciencieux donnent un tableau objectif des tendances destructrices du capitalisme américain, leurs recherches, abstractions faite de leurs prémisses théoriques, semblent des illustrations directes de la théorie de Marx. Cependant, la tradition conservatrice de ces auteurs, apparaît lorsque, avec obstination, ils se refusent à des conclusions nettes, se bornant à des prédictions nébuleuses ou à des banalités moralisatrices comme : « Le pays doit comprendre que... », « L'opinion publique doit considérer sérieusement... », etc. Ces livres ressemblent à des couteaux sans lame.

Les États-Unis ont eu des marxistes dans le passé, il est vrai, mais c'était des marxistes d'un type étrange, ou plutôt de trois types étranges. En premier lieu, c'était des émigrés chassés d'Europe qui faisaient ce qu'ils pouvaient, mais ne parvenaient pas à trouver d'écho ; en second lieu, il y eut des groupes américains isolés comme les DeLeonistes qui, au cours des événements et par suite de leurs propres fautes, se transformèrent en sectes ; en troisième lieu, il y eut des dilettantes, attirés par la révolution d'Octobre et sympathisants avec le marxisme en tant qu'enseignement exotique qui n'avait rien de commun avec les États-Unis. Cette époque est passée. Aujourd'hui commence une nouvelle époque d'un mouvement de classe indépendant à la charge du prolétariat, en même temps, du vrai marxisme. Dans ce domaine aussi, l'Amérique rattrapera l'Europe en quelques bonds et la dépassera. Sa technique progressiste et sa structure sociale progressiste se fraieront un chemin dans le domaine de la doctrine. Les meilleurs théoriciens du marxisme apparaîtront sur le sol américain. Marx deviendra le guide des travailleurs américains d'avant-garde. Pour eux, cet exposé abrégé du premier volume du *Capital* ne sera que le premier pas vers l'étude complète de Marx.

Le miroir idéal du capitalisme

À l'époque où le premier volume du *Capital* fut publié, la domination mondiale de la bourgeoisie était encore incontestée. Les lois abstraites de l'économie marchande trouvaient naturellement leur incarnation la plus parfaite, c'est-à-dire la moins soumise aux influences du passé, dans le pays où le capitalisme avait atteint son plus haut développement. Bien qu'il se soit appuyé principalement sur l'Angleterre pour son analyse, Marx n'avait pas seulement en vue l'Angleterre, mais le monde capitaliste tout entier. Il a pris l'Angleterre de son temps comme le meilleur miroir du capitalisme de cette époque.

Aujourd'hui, il ne reste qu'un souvenir de l'hégémonie britannique. Les avantages de l'aînesse capitaliste se sont transformés en désavantages. La structure technique et économique de l'Angleterre est devenue désuète. Le pays continue à dépendre, pour sa position mondiale, de son empire colonial ; héritage du passé, plutôt que d'un potentiel économique actif. Cela explique, incidemment, la charité chrétienne de Chamberlain envers le gangstérisme international des fascismes, charité qui a tellement étonné le monde. La bourgeoisie anglaise ne peut pas ne pas se rendre compte que son déclin économique est devenu entièrement incompatible avec sa position dans le monde et qu'une nouvelle guerre menace d'entraîner la chute de l'Empire britannique. La base économique du « pacifisme » de la France est essentiellement de la même nature.

L'Allemagne, au contraire, a utilisé pour son ascension capitaliste rapide les avantages de son retard historique en s'équipant selon la technique la plus parfaite en Europe. Ne disposant que d'une base nationale étroite et de peu de ressources naturelles, le dynamisme capitalisme de l'Allemagne se transforma par nécessité en un facteur explosif extrêmement puissant dans ce qu'on appelle l'équilibre des puissances mondiales. L'idéologie épileptique de Hitler n'est que le reflet de l'épilepsie du capitalisme allemand.

Outre de nombreux avantages inappréciables d'un caractère historique, le développement des États-Unis a eu l'avantage exceptionnel de posséder un territoire incommensurablement plus vaste et des richesses naturelles incomparablement plus grandes que l'Allemagne. Ayant devancé considérablement la Grande-Bretagne, la république nord-américaine est devenue, au commencement de ce siècle, la principale forteresse de la bourgeoisie mondiale. Toutes les possibilités que le capitalisme contient trouvèrent dans ce pays leur expression la plus haute. Nulle part ailleurs sur notre planète, la bourgeoisie ne peut en aucune façon dépasser ses réalisations de la république du dollar, qui est devenue le plus parfait miroir du capitalisme au XXe siècle.

Pour les mêmes raisons qui portèrent Marx à baser son exposé sur les statistiques anglaises, nous avons eu recours dans notre modeste introduction principalement aux témoignages empruntés à l'expérience économique et politiques des États-Unis. Inutile d'ajouter qu'il ne serait pas difficile de citer des faits et chiffres analogues empruntés à la vie de n'importe quel autre pays capitaliste. Mais cela n'ajouterait rien d'essentiel. Les conclusions seraient les mêmes et seuls les exemples seraient moins frappants.

La politique du Front populaire en France a été, comme l'a signalé un de ses financiers, une adaptation du New Deal « pour les lilliputiens ». Il est parfaitement évident que, dans une analyse théorique, il est bien plus convenant de traiter avec des grandeurs cyclopéennes qu'avec des grandeurs lilliputiennes. L'immensité même de l'expérience de Roosevelt nous démontre que seul un miracle peut sauver le régime capitaliste mondial. Mais il résulte que le développement de la production capitaliste a mis fin à la production des miracles. Cependant il est évident que si le miracle du rajeunissement du capitalisme pouvait se produire, ce miracle pouvait se produire seulement aux États-Unis. Mais ce rajeunissement ne s'est pas produit. Ce qui n'est pas accessibles aux Cyclopes l'est encore moins aux Lilliputiens. Établir les fondements de cette simple conclusion est l'objet de notre excursion dans le champ de l'économie nord-américaine.

Métropoles et colonies

« Le pays le plus développé industriellement », écrivait Marx dans la préface à la première édition de son *Capital,* « montre seulement aux pays les moins développés l'image de leur propre avenir ». Cette idée ne peut être prise à la lettre en aucune circonstance. La croissance des forces productives et l'approfondissement des incompatibilités sociales sont indubitablement le sort de tout pays qui s'est engagé dans la voie de l'évolution bourgeoise. Cependant, la disproportion entre les « rythmes » et mesures qui se produit dans l'évolution de l'humanité ne devient pas seulement particulièrement aiguë sous le capitalisme, mais elle a donné naissance à la complète interdépendance, faite de soumission, d'exploitation et d'oppression, entre les pays de type économique différent. Seule une minorité de pays a passé par tout ce développement systématique et logique qui part de l'artisanat et aboutit à la fabrique, en passant par la manufacture, développement que Marx a soumis à une analyse si détaillée. Le capital commercial, industriel, financier a envahi de l'extérieur les pays arriérés, détruisant en partie les formes primitives de l'économie naturelle et les soumettant en partie au système industriel et bancaire mondial de l'Occident. Sous le fouet de l'impérialisme, les colonies se sont vues obligées de négliger les stades intermédiaires, tout en restant cependant artificiellement accrochées à un niveau ou à un autre. Le développement de l'Inde n'a pas reproduit le développement de l'Angleterre ; il l'a complété. Cependant, pour comprendre le type de développement combiné des pays arriérés et soumis comme l'Inde, il faut toujours avoir dans l'esprit le schéma classique que Marx a tiré du développement de l'Angleterre. La théorie ouvrière de la valeur guide également les calculs des spéculateurs de la City de Londres et les opérations des changeurs de monnaie dans les coins les plus reculés de Haïderabad, à cette seule différence près que, dans le dernier cas, elle prend des formes plus simples et moins astucieuses.

L'inégalité du développement a procuré d'énormes bénéfices aux pays avancés qui, quoique à des degrés divers, ont continué à se développer aux dépens des pays arriérés, en les exploitant, en se les soumettant comme colonies, ou tout au moins en les empêchant de s'élever jusqu'à l'aristocratie capitaliste. Les fortunes de l'Espagne, de la Hollande, de l'Angleterre, de la France ont été acquises non seulement par la plus-value prélevée sur leur propre prolétariat, non seulement par le pillage de leur propre petite bourgeoisie, mais aussi par le pillage systématique de leurs possessions d'outre-mer. L'exploitation des classes fut complétée et sa puissance accrue par l'exploitation des nations. La bourgeoisie des métropoles a été capable d'assurer une position privilégiée à son propre prolétariat, surtout à ses couches supérieures, au moyen d'une partie des surprofits amassés dans les colonies. Sans cela, toute espèce de régime démocratique stable eût été impossible. Sous sa forme la plus large, la démocratie bourgeoise est devenue et reste toujours une forme de gouvernement qui n'est accessible qu'aux nations les plus aristocratiques et les plus exploiteuses. La démocratie antique reposait sur l'esclavage, la démocratie impérialiste repose sur le pillage des colonies.

Les États-Unis qui, formellement, n'ont presque pas de colonies, sont néanmoins la plus privilégiée de toutes les nations de l'histoire. Des immigrants actifs venus d'Europe prirent possession d'un continent extrêmement riche, exterminèrent la population indigène, s'emparèrent de la meilleure partie du Mexique et accaparèrent la part du lion de la richesse mondiale. Les réserves de graisse ainsi accumulées continuent à être utiles même maintenant, à l'époque du déclin pour graisser les engrenages et les roues de la démocratie.

L'expérience historique récente, aussi bien que l'analyse théorique, témoigne que le niveau du développement de la démocratie et sa stabilité sont en raison inverse de la tension des contradictions de classe. Dans les pays capitalistes les moins privilégiés (d'un côté la Russie, de l'autre l'Allemagne, l'Italie, etc.) qui étaient incapables d'engendrer une aristocratie ouvrière, la démocratie ne s'est jamais largement développée et elle a succombé devant la dictature avec une facilité relative. Cependant, la paralysie progressive continuelle du capitalisme est en train de préparer le même sort aux démocraties des nations les plus privilégiées et les plus riches. La seule différence réside dans les dates. La baisse irrésistible des conditions de vie des travailleurs permet de moins en moins à la bourgeoisie d'accorder aux masses le droit de participer à la vie politique, même dans les cadres limités du parlementarisme bourgeois. Toute autre explication du processus évident du détrônement de la démocratie par le fascisme n'est qu'une falsification idéaliste de la réalité, une tromperie ou une auto-tromperie.

Tandis qu'il détruit la démocratie dans les vieilles métropoles du capital, l'impérialisme entrave en même temps le développement de la démocratie dans les pays arriérés. Le fait que, à l'époque récente, pas une des colonies ou des semi-colonies n'a fait sa révolution démocratique, particulièrement dans les rapports agraires, est entièrement dû à l'impérialisme qui est devenu le principal frein du progrès économique et politique. Tout en pillant la richesse naturelle des pays arriérés et en freinant délibérément leur développement industriel autonome, les magnats des trusts et leurs gouvernements accordent un soutien financier, politique et militaire aux groupes semi-féodaux des exploiteurs indigènes les plus réactionnaires, les plus parasites. La barbarie agraire entretenue artificiellement est aujourd'hui le fléau le plus sinistre de l'économie mondiale contemporaine. La lutte des peuples coloniaux pour leur libération, en sautant les étapes intermédiaires, se transforme par nécessité en une lutte contre l'impérialisme et, par là, donne la main à la lutte du prolétariat dans les métropoles. Les soulèvements coloniaux et les guerres sapent les fondations du monde capitaliste et rendent le miracle de sa régénérescence moins que jamais possible.

L'économie mondiale planifiée

Le capitalisme a le double mérite historique d'avoir porté la technique à un niveau élevé et d'avoir lié toutes les parties du monde par des liens économiques. Ainsi il a créé les conditions matérielles requises pour l'utilisation systématique de toutes les ressources naturelles de notre planète. Cependant, le capitalisme n'est pas en état d'accomplir cette tâche urgente. La base de son expansion est toujours l'État national, avec ses frontières, ses douanes et ses armées. Cependant, les forces productives ont depuis toujours dépassé les frontières de l'État national, transformant ainsi ce qui fut autrefois un facteur historique progressiste en une contrainte insupportable. Les guerres impérialistes ne sont rien d'autre que les explosions des forces productives contre les frontières de l'État devenues trop étroites pour elles. Le programme de ce qu'on appelle l'« autarcie » n'a rien à voir avec le retour à une économie qui se suffit à elle-même à l'intérieur de ses frontières. Il signifie que l'on prépare la base nationale pour une nouvelle guerre.

Après la signature du traité de Versailles, on croyait généralement que le globe terrestre avait été très bien partagé. Mais des événements plus récents nous ont remémoré que notre planète contient toujours des territoires qui n'ont pas encore été pillés ou qui ne l'ont pas été suffisamment. La lutte pour des colonies reste toujours une partie de la politique du capitalisme impérialiste. Bien que le monde soit entièrement partagé, le processus ne cesse jamais, mais il remet toujours à l'ordre du jour la question d'un nouveau repartage en conformité avec les changements survenus dans le rapport des forces impérialistes. Telle est aujourd'hui la véritable raison des réarmements, des crises diplomatiques et des préparatifs de guerre.

Tous les efforts pour présenter la guerre imminente comme un choc entre les idées du fascisme et de la démocratie appartiennent au domaine du charlatanisme ou de la stupidité. Les formes politiques changent, les appétits capitalistes demeurent. Si un régime fasciste devait s'établir demain des deux côtés de la Manche — et on oserait difficilement nier cette possibilité — les dictatures de Paris et de Londres seraient aussi incapables d'abandonner leurs possessions coloniales que Mussolini et Hitler leurs revendications nationales. La lutte furieuse et sans espoir pour un nouveau repartage du monde surgit irrésistiblement de la crise mortelle du système capitaliste.

Les réformes partielles et les rafistolages ne serviront à rien. Le développement historique est arrivé à l'une de ces étapes décisives où seule l'intervention directe des masses est capable de balayer les obstacles réactionnaires et de poser les fondements d'un nouveau régime. L'abolition du régime de la propriété privée des moyens de production est la condition première d'une ère planifiée, c'est-à-dire de l'intervention de la raison dans le domaine des relations humaines, d'abord à l'échelle nationale et ensuite à l'échelle mondiale. Une fois qu'elle commencera, la révolution socialiste se répandra d'un pays à l'autre avec une force infiniment plus grande que ne se répand le fascisme aujourd'hui. Par l'exemple et avec l'aide des nations avancées, les nations arriérées seront emportées aussi dans le grand courant du socialisme. Les barrières douanières entièrement pourries tomberont. Les contradictions qui divisent l'Europe et le monde entier trouveront leur solution naturelle et pacifique dans le cadre des États-Unis Socialistes, en Europe comme dans les autres parties du monde. L'humanité délivrée marchera vers ses plus hautes cimes.

(Ce texte, écrit en 1939, constitue l'introduction d'un condensé du *Capital* de Marx. Il a été publié dans Léon Trotsky, *Œuvres,* tome 20, Institut Léon Trotsky, 1985.)

Vladimir Lénine

L'impérialisme, stade suprême du capitalisme

(extrait)

Dans ces 15 ou 20 dernières années, surtout depuis les guerres hispano-américaine (1898) et anglo-boer (1899-1902), la littérature économique, et aussi politique, de l'Ancien et du Nouveau Monde s'arrête de plus en plus fréquemment à la notion d'« impérialisme » pour caractériser l'époque où nous vivons. En 1902, l'économiste anglais J. A. Hobson a publié, à Londres et à New York, un ouvrage intitulé *L'impérialisme*. Tout en professant un point de vue socio-réformiste bourgeois et pacifiste, identique quant au fond à la position actuelle de l'ex-marxiste K. Kautsky, l'auteur y a donné une description excellente et détaillée des principaux caractères économiques et politiques de l'impérialisme. En 1910 parut à Vienne un ouvrage du marxiste autrichien Rudolf Hilferding : *le capital financier* (traduction russe, Moscou 1912). Malgré une erreur de l'auteur dans la théorie de l'argent et une certaine tendance à concilier le marxisme et l'opportunisme, cet ouvrage constitue une analyse théorique éminemment précieuse de « la phase la plus récente du développement du capitalisme », comme l'indique le sous-titre du livre d'Hilferding. Au fond, ce qu'on a dit de l'impérialisme pendant ces dernières années — notamment dans d'innombrables articles de journaux et de revues, ainsi que dans les résolutions, par exemple, des congrès de Chemnitz et de Bâle, en automne 1912, — n'est guère sorti du cercle des idées exposées ou, plus exactement, résumées par les deux auteurs précités...

Nous allons tâcher d'exposer sommairement, le plus simplement possible, les liens et les rapports existant entre les caractères économiques *fondamentaux* de l'impérialisme. Nous ne nous arrêterons pas sur l'aspect non économique de la question, comme il le méritérait. Quant aux références bibliographiques et autres remarques qui pourraient ne pas intéresser tous les lecteurs, nous les renvoyons à la fin de la brochure.

I. La concentration de la production et les monopoles

Le développement intense de l'industrie et le processus de concentration extrêmement rapide de la production dans des entreprises toujours plus importantes constituent une des caractéristiques les plus marquées du capitalisme. Les statistiques industrielles contemporaines donnent sur ce processus les renseignements les plus complets et les plus précis.

En Allemagne, par exemple, sur 1 000 entreprises industrielles, 3 en 1882, 6 en 1895 et 9 en 1907 étaient des entreprises importantes, c'est-à-dire employant plus de 50 ouvriers salariés. La part qui leur revenait, sur cent ouvriers, était respectivement de 22, 30 et 37. Mais la concentration de la production est beaucoup plus intense que celle de la main-d'œuvre, le travail dans les grandes entreprises étant beaucoup plus productif. C'est ce que montrent les chiffres relatifs aux machines à vapeur et aux moteurs électriques. Si nous considérons ce qu'on appelle en Allemagne l'industrie au sens large du mot, c'est-à-dire en y comprenant le commerce, les transports, etc., nous aurons le tableau suivant. Sur un total de 3 265 623 établissements, les gros sont au nombre de 30 588, soit 0,9 % seulement. Ils emploient 5,7 millions d'ouvriers sur un total de 14,4 millions, soit 39,4 %; ils consomment 6,6 millions de chevaux-vapeur sur un total de 8,8, c'est-à-dire 75,3 % et 1,2 million de kilowatts d'électricité sur un total de 1,5 million, soit 77,2 %.

Moins d'un centième des entreprises possèdent *plus des 3/4* du total de la force-vapeur et de la force électrique ! 2,97 millions de petites entreprises (jusqu'à 5 ouvriers salariés), constituant 91 % du total des entreprises, n'utilisent que 7 % de la force motrice, électricité et vapeur ! Des dizaines de milliers de grandes entreprises sont tout ; des millions de petites ne sont rien.

En 1907, les établissements occupant 1 000 ouvriers et plus étaient en Allemagne au nombre de 586. Ils employaient près du *dixième* (1,38 million) de la totalité des ouvriers et *environ le tiers* (32 %) de la force-vapeur et de la force électrique prises ensemble. Le capital-argent et les banques, comme nous le verrons, rendent cette supériorité d'une poignée de très grandes entreprises plus écrasante encore, et cela au sens le plus littéral du mot, c'est-à-dire que des millions de « patrons », petits, moyens et même une partie des grands, sont en fait entièrement asservis par quelques centaines de financiers millionnaires.

Dans un autre pays avancé du capitalisme moderne, aux États-Unis de l'Amérique du Nord, la concentration de la production est encore plus intense. Ici, la statistique considère à part l'industrie au sens étroit du mot, et groupe les entreprises selon la valeur de la production annuelle. En 1904, il y avait 1 900 grosses entreprises (sur 216 810, soit 0,9 %), produisant chacune pour un million de dollars et au-delà ! Ces entreprises employaient 1,4 million d'ouvriers (sur 5,5 millions, soit 25,6 %) et avaient un chiffre de production de 5,6 milliards (sur 14,8 milliards, soit 38 %). Cinq ans plus tard, en 1909, les chiffres respectifs étaient : 3 060 entreprises (sur 268 491, soit 1,1 %), employant 2 millions d'ouvriers (sur 6,6, soit 30,5 %) et ayant un chiffre de production de 9 milliards (sur 20,7 milliards, soit 43,8).

Près de la moitié de la production totale du pays est fournie par *un centième* de l'ensemble des entreprises ! Et ces trois mille entreprises géantes embrassent 258 branches d'industrie. On voit par là que la concentration, arrivée à un certain degré de son développement, conduit d'elle-même, pour ainsi dire, droit au monopole. Car quelques dizaines d'entreprises géantes peuvent aisément s'entendre, et, d'autre part, la difficulté de la concurrence et la tendance au monopole naissent précisément de la grandeur des entreprises. Cette transformation de la concurrence en monopole est un des phénomènes les plus importants — sinon le plus important — de l'économie du capitalisme moderne. Aussi convient-il d'en donner une analyse détaillée. Mais écartons d'abord un malentendu possible.

La statistique américaine porte : 3 000 entreprises géantes pour 50 branches industrielles. Cela ne ferait, semble-t-il, qu'une douzaine d'entreprises géantes par industrie.

Mais ce n'est pas le cas. Toutes les industries ne possèdent pas de grandes entreprises ; d'autre part, une particularité extrêmement importante du capitalisme arrivé au stade suprême de son développement est ce qu'on appelle la *combinaison*, c'est-à-dire la réunion, dans une seule entreprise, de diverses branches d'industrie qui peuvent constituer les étapes successives du traitement de la matière première (par exemple, la production de la fonte à partir du minerai de fer et la transformation de la fonte en acier, et peut-être aussi la fabrication de divers produits finis en acier), ou en jouer les unes par rapport aux autres le rôle d'auxiliaires (par exemple, l'utilisation des déchets ou des sous-produits ; la fabrication du matériel d'emballage, etc.).

« La combinaison, écrit Hilferding, égalise les différences de conjoncture, et assure ainsi à l'entreprise combinée un taux de profit plus stable. En second lieu, la combinaison élimine le commerce. En troisième lieu, elle permet des perfectionnements techniques et, par conséquent, la réalisation de profits supplémentaires par rapport aux entreprises « simples » (c'est-à-dire non combinées). En quatrième lieu, elle affermit la position de l'entreprise combinée par rapport à l'entreprise « simple » dans la lutte concurrentielle qui se déchaîne au moment d'une forte dépression (ralentissement des affaires, crise), lorsque la baisse des prix des matières premières retarde sur la baisse des prix des articles manufacturés. »

L'économiste bourgeois allemand Heymann, qui a consacré un ouvrage à la description des entreprises « mixtes », c'est-à-dire combinées, dans la sidérurgie allemande, dit : « Les entreprises simples périssent, écrasées entre les prix élevés des matières premières et les bas prix des articles manufacturés. » Ce qui aboutit au tableau suivant : « Restent, d'une part, les grandes compagnies houillères avec une production atteignant plusieurs millions de tonnes, fortement organisées dans leur syndicat patronal charbonnier ; et puis, étroitement unies à ces compagnies houillères, les grandes aciéries, avec leur syndicat de l'acier. Ces entreprises géantes qui produisent 400 000 tonnes d'acier par an (une tonne = 60 pouds) et extraient des quantités formidables de minerai et de houille, qui fabriquent des produits finis en acier, emploient 10 000 ouvriers logés dans les casernes des cités ouvrières et ont parfois leurs propres chemins de fer et leurs ports, sont les représentants typiques de la sidérurgie allemande. Et la concentration va croissant. Certaines entreprises deviennent de plus en plus importantes ; un nombre toujours plus grand d'entre elles, d'une même branche ou de branches différentes, s'agglomèrent en des entreprises géantes soutenues et dirigées par une demi-douzaine de grosses banques berlinoises. En ce qui concerne l'industrie minière allemande, la justesse de la doctrine de Karl Marx sur la concentration est exactement démontrée ; il est vrai qu'il s'agit d'un pays où l'industrie est protégée par des tarifs douaniers et des droits de transport. L'industrie minière allemande est mûre pour l'expropriation. »

Telle est la conclusion à laquelle devait aboutir un économiste bourgeois consciencieux, ce qui constitue une exception. Notons qu'il semble considérer l'Allemagne comme un cas d'espèce, son industrie étant protégée par de hauts tarifs douaniers. Mais cette circonstance n'a pu que hâter la concentration et la formation d'unions monopolistes de patrons : cartels, syndicats, etc. Il importe éminemment de constater qu'en Angleterre, pays du libre-échange, la concentration mène *aussi* au monopole, bien qu'un peu plus tard et peut-être sous une autre forme. Voici ce qu'écrit le professeur Hermann Levy dans son étude spéciale sur les *Monopoles, Cartels et Trusts*, d'après les données concernant le développement économique de la Grande-Bretagne :

« En Grande-Bretagne, c'est la grandeur des entreprises et le niveau élevé de leur technique qui impliquent la tendance au monopole. D'une part, la concentration a pour résultat qu'il est nécessaire d'investir dans chaque entreprise des sommes énormes ; aussi, la création de nouvelles entreprises se heurte à des exigences toujours plus grandes en matière d'investissements, ce qui rend plus difficile leur constitution. Ensuite (et cela nous paraît être un point plus important), toute nouvelle entreprise qui veut se mettre au niveau des entreprises géantes créées par la concentration doit fournir une telle quantité excédentaire de produits que leur vente avantageuse ne pourrait avoir lieu qu'à la condition d'une augmentation extraordinaire de la demande, sinon cet excédent de production ferait baisser les prix dans une proportion aussi onéreuse pour la nouvelle usine que pour les associations monopolistes. » En Angleterre, les associations monopolistes d'entrepreneurs, cartels et trusts ne surgissent la plupart du temps — à la différence des autres pays où les droits protecteurs facilitent la cartellisation, — que si le nombre des principales entreprises concurrentes se ramène « tout au plus à deux douzaines ». « L'influence du mouvement de concentration sur l'organisation des monopoles dans la grande industrie apparaît ici avec une netteté cristalline. »

Il y a un demi-siècle, quand Marx écrivait son *Capital*, la libre concurrence apparaissait à l'immense majorité des économistes comme une « loi de la nature ». La science officielle tenta de tuer par la conspiration du silence l'œuvre de Marx, qui démontrait par une analyse théorique et historique du capitalisme que la libre concurrence engendre la concentration de la production, laquelle, arrivée à un certain degré de développement, conduit au monopole. Maintenant, le monopole est devenu un fait. Les économistes accumulent des montagnes de livres pour en décrire les diverses manifestations, tout en continuant à déclarer en chœur que « le marxisme est réfuté ». Mais les faits sont têtus, comme dit le proverbe anglais, et, qu'on le veuille ou non, on doit en tenir compte. Les faits montrent que les différences existant entre les pays capitalistes, par exemple, en matière de protectionnisme ou de libre-échange, ne déterminent que des variations insignifiantes dans la forme des monopoles ou dans la date de leur apparition, tandis que la naissance des monopoles, conséquence de la concentration de la production, est une loi générale et essentielle du stade actuel de l'évolution du capitalisme.

Pour l'Europe, on peut établir avec assez de précision le moment où le nouveau capitalisme s'est *définitivement* substitué à l'ancien : c'est le début du XXe siècle. On lit dans un des travaux récapitulatifs les plus récents sur l'histoire de « la formation des monopoles » :

« L'époque antérieure à 1860 peut fournir quelques exemples de monopoles capitalistes ; on peut y découvrir les embryons des formes, désormais si familières ; mais tout cela appartient indéniablement à la préhistoire des cartels. Le vrai début des monopoles modernes se situe, au plus tôt, vers les années 1860-1870. La première période importante de leur développement commence avec la dépression industrielle internationale des années 1870-1880, et va jusqu'au début des années 1890. » « Si l'on examine la question à l'échelle européenne, le développement de la libre concurrence atteint son apogée entre 1860 et 1880. L'Angleterre avait achevé de construire son organisation capitaliste ancien style. En Allemagne, cette organisation s'attaquait puissamment à l'artisanat et à l'industrie à domicile et commençait à créer ses propres formes d'existence. »

« Le grand revirement commence avec le krach de 1873 ou, plus exactement, avec la dépression qui lui succéda et qui — avec une interruption à peine perceptible aussitôt après 1880 et un essor extrêmement vigoureux mais court vers 1889 — remplit vingt-deux années de l'histoire économique de l'Europe. » Pendant la courte période d'essor de 1889-1890, on se servit dans une notable mesure du système des cartels pour exploiter la conjoncture. Une politique irréfléchie fit monter les prix avec encore plus de rapidité et de violence que cela n'aurait eu lieu en l'absence des cartels ; ces derniers s'effondrèrent presque tous lamentablement « dans la fosse du krach ». Cinq années de mauvaises affaires et de bas prix suivirent, mais l'état d'esprit n'était plus le même dans l'industrie. La dépression n'était plus considérée comme une chose allant de soi, on n'y voyait plus qu'une pause avant une nouvelle conjoncture favorable.

« La formation des cartels entra ainsi dans sa deuxième phase. De phénomène passager qu'ils étaient, les cartels deviennent une des bases de toute la vie économique. Ils conquièrent un domaine après l'autre, mais avant tout celui de la transformation de matières premières. Déjà au début de la période 1890-1900, ils avaient élaboré, en constituant le syndicat du coke sur le modèle duquel est organisé celui du charbon, une technique des cartels qui, au fond, n'a pas été dépassée. Le grand essor de la fin du XIXe siècle et la crise de 1900-1903 se déroulent — tout au moins dans l'industrie minière et sidérurgique — pour la première fois entièrement sous le signe des cartels. Et si cela apparaissait encore, à l'époque, comme quelque chose de nouveau, c'est maintenant une vérité d'évidence, pour l'opinion publique, que d'importants secteurs de la vie économique échappent, en règle générale, à la libre concurrence. »

Ainsi, les étapes principales de l'histoire des monopoles peuvent se résumer comme suit : 1) Années 1860-1880 : point culminant du développement de la libre concurrence. Les monopoles ne sont que des embryons à peine perceptibles. 2) Après la crise de 1873, période de large développement des cartels ; cependant, ils ne sont encore que l'exception. Ils manquent encore de stabilité. Ils ont encore un caractère passager. 3) Essor de la fin du XIXe siècle et crise de 1900-1903 : les cartels deviennent une des bases de la vie économique tout entière. Le capitalisme s'est transformé en impérialisme.

Les cartels s'entendent sur les conditions de vente, les échéances, etc. Ils se répartissent les débouchés. Ils déterminent la quantité des produits à fabriquer. Ils fixent les prix. Ils répartissent les bénéfices entre les diverses entreprises, etc.

Le nombre des cartels, en Allemagne, était estimé à 250 environ en 1896 et 385 en 1905, englobant près de 12 000 établissements. Mais tous s'accordent à reconnaître que ces chiffres sont inférieurs à la réalité. Les données précitées de la statistique industrielle allemande de 1907 montrent que même ces 12 000 grosses entreprises concentrent certainement plus de la moitié de la force motrice, vapeur et électricité du pays. Dans les États-Unis de l'Amérique du Nord, le nombre des trusts était estimé à 185 en 1900 et à 250 en 1907. La statistique américaine divise l'ensemble des entreprises industrielles en entreprises appartenant à des particuliers, à des firmes et à des compagnies. Ces dernières possédaient en 1904 23,6 %, et en 1909 25,9 %, soit plus du quart de la totalité des établissements industriels. Elles employaient en 1904 70,6 % et en 1909 75,6 %, soit les trois quarts du total des ouvriers. Leur production s'élevait respectivement à 10,9 et 16,3 milliards de dollars, soit 73,7 % et 79 % de la somme totale.

Il n'est pas rare de voir les cartels et les trusts détenir 7 ou 8 dixièmes de la production totale d'une branche d'industrie. Lors de sa fondation en 1893, le Syndicat rhéno-westphalien du charbon détenait 86,7 % de la production houillère de la région, et déjà 95,4 % en 1910. Le monopole ainsi créé assure des bénéfices énormes et conduit à la formation d'unités industrielles d'une ampleur formidable. Le fameux trust du pétrole des États-Unis (Standard Oil Company) a été fondé en 1900. « Son capital s'élevait à 150 millions de dollars. Il fut émis pour 100 millions de dollars d'actions ordinaires et pour 106 millions d'actions privilégiées. Pour ces dernières il fut payé de 1900 à 1907 des dividendes de 48, 48, 45, 44, 36, 40, 40 et 40 %, soit au total 367 millions de dollars. De 1882 à 1907 inclusivement, sur 889 millions de dollars de bénéfices nets, 606 millions furent distribués en dividendes et le reste versé au fonds de réserves. » « L'ensemble des entreprises du trust de l'acier (United States Steel Corporation) occupaient, en 1907, au moins 210 180 ouvriers et employés. La plus importante entreprise de l'industrie minière allemande, la Société minière de Gelsenkirchen (Gelsenkirchener Bergwerkgesellschaft), occupait en 1908 46 048 ouvriers et employés. » Dès 1902, le trust de l'acier produisait 9 millions de tonnes d'acier. Sa production constituait, en 1901, 66,3 % et, en 1908, 51,6 % de la production totale d'acier des États-Unis. Son pourcentage dans l'extraction de minerai s'élevait au cours des mêmes années à 43,9 % et 46,3 %.

Le rapport de la commission gouvernementale américain sur les trusts déclare : « La supériorité des trusts sur leurs concurrents réside dans les grandes proportions de leurs entreprises et dans leur remarquable équipement technique. Le trust du tabac a, depuis le jour même de sa création, fait tout son possible pour substituer dans de larges proportions le travail mécanique au travail manuel. À cet effet, il a acheté tous les brevets ayant quelque rapport avec la préparation du tabac, en dépensant à cette fin des sommes énormes. Nombre de ces brevets, inutilisables dans leur état primitif, durent tout d'abord être mis au point par les ingénieurs du trust. À la fin de 1906, deux sociétés filiales furent constituée uniquement pour l'acquisition de brevets. C'est dans ce même but que le trust fit construire ses propres fonderies, ses fabriques de machines et ses ateliers de réparation. Un de ces établissements, celui de Brooklyn, emploie en moyenne 300 ouvriers ; on y expérimente et on y perfectionne au besoin les inventions concernant la fabrication de cigarettes, des petits cigares, du tabac à priser, des feuilles d'étain pour l'emballage, des boîtes, etc. » « D'autres emploient des « developping engineers » (ingénieurs pour le développement de la technique), dont la tâche est d'inventer de nouveaux procédés de fabrication et de faire l'essai des nouveautés techniques. Le trust de l'acier accorde à ses ingénieurs et à ses ouvriers des primes élevées pour toute invention susceptible de perfectionner la technique ou de réduire les frais de production. »

Le perfectionnement technique de la grande industrie allemande est organisé de la même façon, par exemple dans l'industrie chimique, qui a pris au cours des dernières décennies un développement prodigieux. Dès 1908, le processus de concentration de la production fit surgir dans cette industrie deux « groupes » principaux qui tendaient, à leur manière, vers le monopole. Au début, ces groupes furent les « doubles alliances » de deux paires de grandes usines ayant chacune un capital de 20 à 21 millions de marks : d'une part, les anciennes fabriques Meister à Hochst et Cassella à Francfort-sur-le-Main ; d'autre part, la fabrique d'aniline et de soude de Ludwigshafen et l'ancienne usine Bayer, d'Elberfeld. Puis, en 1905 l'un de ces groupes et en 1908 l'autre conclurent chacun un accord avec une autre grande fabrique. Il en résulta deux « triples alliances », chacune représentant un capital de 40 à 50 millions de marks, qui commencèrent à « se rapprocher », à « s'entendre » sur les prix, etc.

La concurrence se transforme en monopole. Il en résulte un progrès immense de la socialisation de la production. Et, notamment, dans le domaine des perfectionnements et des inventions techniques.

Ce n'est plus du tout l'ancienne libre concurrence des patrons dispersés, qui s'ignorent réciproquement et produisaient pour un marché inconnu. La concentration en arrive au point qu'il devient possible de faire un inventaire approximatif de toutes les sources de matières premières (tels les gisements de minerai de fer) d'un pays et même, ainsi que nous le verrons, de plusieurs pays, voire du monde entier. Non seulement on procède à cet inventaire, mais toutes ces sources sont accaparées par de puissants groupements monopolistes. On évalue approximativement la capacité d'absorption des marchés que ces groupements « se partagent » par contrat. Le monopole accapare la main-d'œuvre spécialisée, les meilleurs ingénieurs ; il met la main sur les voies et moyens de communication, les chemins de fer en Amérique, les sociétés de navigation en Europe et en Amérique. Le capitalisme arrivé à son stade impérialiste conduit aux portes de la socialisation intégrale de la production ; il entraîne en quelque sorte les capitalistes, en dépit de leur volonté et sans qu'ils en aient conscience, vers un nouvel ordre social, intermédiaire entre l'entière liberté de la concurrence et la socialisation intégrale.

La production devient sociale, mais l'appropriation reste privée. Les moyens de productions sociaux restent la propriété privée d'un petit nombre d'individus. Le cadre général de la libre concurrence nominalement reconnue subsiste, et le joug exercé par une poignée de monopolistes sur le reste de la population devient cent fois plus lourd, plus tangible, plus intolérable.

L'économiste allemand Kestner a consacré tout un ouvrage à « la lutte entre les cartels et les outsiders », c'est-à-dire les industriels qui ne font point partie de ces derniers. Il l'a intitulé : *La contrainte à l'organisation*, alors qu'il eût fallu dire, bien entendu, pour ne pas exalter le capitalisme, la contrainte à se soumettre aux associations de monopolistes. Il est édifiant de jeter un simple coup d'œil, ne serait-ce que sur la liste des moyens de cette lutte actuelle, moderne, civilisée, pour « l'organisation », auxquels ont recours les unions de monopolistes : 1) privation de matières premières (... « un des procédés essentiels pour imposer l'adhésion au cartel »); 2) privation de main-d'œuvre au moyen d'« alliances » (c'est-à-dire d'accords entre les capitalistes et les syndicats ouvriers, aux termes desquels ces derniers n'acceptent de travailler que dans les entreprises cartellisées) ; 3) privation de moyens de transport ; 4) fermeture des débouchés ; 5) accords avec les acheteurs, par lesquels ceux-ci s'engagent à n'entretenir de relations commerciales qu'avec les cartels ; 6) baisse systématique des prix (pour ruiner les « outsiders », c'est-à-dire les entreprises indépendantes du monopole, on dépense des millions afin de vendre, pendant un certain temps, au-dessous du prix de revient : dans l'industrie de l'essence, il y a eu des cas où les prix sont tombés de 40 à 22 marks, soit une baisse de près de moitié !) ; 7) privation de crédit ; 8) boycottage.

Ce n'est plus la lutte concurrentielle entre les petites et les grandes usines, les entreprises techniquement arriérées et les entreprises techniquement avancées. C'est l'étouffement par les monopoles de ceux qui ne se soumettent pas à leur joug, à leur arbitraire. Voici comment ce processus se reflète dans l'esprit d'un économiste bourgeois :

« Même dans l'activité purement économique, écrit Kestner, un certain déplacement se produit de l'activité commerciale, au sens ancien du mot, vers la spéculation organisée. Le plus grand succès ne vas pas au négociant que son expérience technique et commerciale met à même d'apprécier au mieux les besoins des clients et, pour ainsi dire, de « découvrir » la demande latente, mais au génie (? !) de la spéculation, qui sait calculer à l'avance ou du moins pressentir le développement organique et les possibilités de certaines liaisons entre les différentes entreprises et les banques »...

Traduit en clair, cela vaut dire que le développement du capitalisme en est arrivé à un point où la production marchande, bien que continuant de « régner » et d'être considérée comme la base de toute l'économie, se trouve en fait ébranlée, et où le gros des bénéfices va aux « génies » des machinations financières. À la base de ces machinations et de ces tripotages, il y a la socialisation de la production ; mais l'immense progrès de l'humanité, qui s'est haussée jusqu'à cette socialisation, profite... aux spéculateurs. Nous verrons plus loin comment, « sur cette base », la critique petite-bourgeoise réactionnaire de l'impérialisme capitaliste rêve d'un retour *en arrière*, vers la concurrence « libre », « paficique », « honnête ».

« La montée continue des prix, conséquence de la formation des cartels, dit Kestner, n'a été observée jusqu'ici qu'en ce qui concerne les principaux moyens de production, notamment la houille, le fer, la potasse, et jamais par contre en ce qui concerne les produits fabriqués. L'augmentation de la rentabilité qui en découle s'est également limitée à l'industrie des moyens de production. À cette observation il faut encore ajouter que non seulement l'industrie de transformation des matières premières (et non des produits semi-ouvrés) tire de la constitution des cartels des avantages sous forme de profits élevés, et cela au détriment de l'industrie de transformation des produits semi-ouvrés, mais aussi qu'elle a acquis sur cette dernière une certaine *domination* qui n'existait pas au temps de la libre concurrence. »

Le mot que nous avons souligné montre le fond de la question, que les économistes bourgeois reconnaissent si rarement et de si mauvaise grâce et auquel les défenseurs actuels de l'opportunisme, K. Kautsky en tête, s'efforcent si obstinément de se soustraire et de se dérober. Les rapports de domination et la violence qu'ils comportent, voilà ce qui est typique de la « phase la plus récente du développement du capitalisme », voilà ce qui devait nécessairement résulter, et qui a effectivement résulté, de la formation de monopoles économiques tout-puissants.

Citons encore un exemple de la domination exercée par les cartels. Là où il est possible de s'emparer de la totalité ou de la majeure partie des sources de matières premières, il est particulièrement facile de former des cartels et de constituer des monopoles. Mais on aurait tort de penser que les monopoles ne surgissent pas également dans les autres branches industrielles, où il est impossible d'accaparer les sources de matières premières. L'industrie du ciment trouve ses matières premières partout. Mais cette industrie est, elle aussi, fortement cartellisée en Allemagne. Les usines se sont groupées dans des syndicats régionaux : de l'Allemagne méridionale, de la Rhéno-Westphalie, etc. Les prix sont ceux des monopoles : 230 à 280 marks le wagon pour un prix de revient de 180 marks ! Les entreprises versent de 12 à 16 % de dividende ; et n'oublions pas que les « génies » de la spéculation moderne savent empocher des bénéfices importants en sus de ce qui est distribué à titre de dividende. Pour supprimer la concurrence dans une industrie aussi lucrative, les monopolistes usent même de subterfuges : ils répandent des bruits mensongers sur la mauvaise situation de leur industrie, ils publient dans les journaux des avis non signés : « Capitalistes, gardez-vous de placer vos fonds dans l'industrie du ciment »; enfin, ils rachètent les usines des « outsiders » (c'est-à-dire des industriels ne faisant pas partie des cartels) en leur payant des « indemnités » de 60, 80 ou 150 mille marks. Le monopole s'ouvre un chemin partout et par tous les moyens, depuis le paiement d'une « modeste » indemnité jusqu'au « recours », à la façon américaine, au dynamitage du concurrent.

Que les cartels suppriment les crises, c'est là une fable des économistes bourgeois qui s'attachent à farder le capitalisme. Au contraire, le monopole créé dans *certaines* industries augmente et aggrave le chaos inhérent à l'*ensemble* de la production capitaliste. La disproportion entre le développement de l'agriculture et celui de l'industrie, caractéristique du capitalisme en général, s'accentue encore davantage. La situation privilégiée de l'industrie la plus cartellisée, ce qu'on appelle l'industrie *lourde*, surtout celle du charbon et du fer, amène dans les autres branches industrielles une « absence de système encore plus sensible », comme le reconnaît Jeidels, auteur d'un des meilleurs ouvrages sur les « rapports des grosses banques allemandes et de l'industrie ».

« Plus une économie nationale est développée, écrit Liefmann, défenseur acharné du capitalisme, et plus elle se tourne vers les entreprises hasardeuses ou qui résident à l'étranger, vers celles qui, pour se développer, ont besoin d'un grand laps de temps, ou enfin vers celles qui n'ont qu'une importance locale. L'augmentation du caractère hasardeux tient, en définitive, à l'augmentation prodigieuse du capital, qui déborde en quelque sorte, s'écoule à l'étranger, etc. En même temps, le progrès extrêmement rapide de la technique entraîne des éléments toujours plus nombreux de disproportion entre les divers aspects de l'économie nationale, de gâchis, de crise. Ce même Liefmann est obligé de faire l'aveu suivant : « Vraisemblablement, d'importantes révolutions dans le domaine technique attendent une fois de plus l'humanité dans un proche avenir : elles auront un effet aussi sur l'organisation de l'économie nationale »... électricité, aviation... « D'ordinaire et en règle générale, en ces périodes de profondes transformations économiques, on voit se développer une spéculation intensive »...

Et les crises (de toute espèce, le plus souvent économiques, mais pas exclusivement) accroissent à leur tour, dans de très fortes proportions, la tendance à la concentration et au monopole. Voici quelques réflexions extrêmement édifiantes de Jeidels sur l'importance de la crise de 1900, laquelle marqua, comme on le sait, un tournant dans l'histoire des monopoles modernes :

« Au moment où s'ouvrit la crise de 1900, existaient en même temps que les entreprises géantes des principales industries, quantité d'entreprises géantes des principales industries, quantité d'entreprises à l'organisation désuète selon les conceptions actuelles, des entreprises « simples » (c'est-à-dire non combinées), « que la vague de l'essor industriel avait amenées à la prospérité ». La chute des prix et la réduction de la demande jetèrent ces entreprises « simples » dans une détresse qui n'atteignit pas du tout les entreprises géantes combinées, ou ne les affecta que pour un temps très court. C'est pourquoi la crise de 1900 provoqua une concentration industrielle infiniment plus forte que celle engendrée par la crise de 1873 : cette dernière avait, elle aussi, opéré une certaine sélection des meilleures entreprises, mais étant donné le niveau technique de l'époque, cette sélection n'avait pas pu assurer le monopole aux entreprises qui en étaient sorties victorieuses. C'est précisément ce monopole durable que détiennent à un haut degré, grâce à leur technique très complexe, à leur organisation très poussée et à la puissance de leur capital, les entreprises géantes des actuelles industries sidérurgique et électrique, puis, à un degré moindre, les entreprises de constructions mécaniques, certaines branches de la métallurgie, des voies de communication, etc. »

Le monopole, tel est le dernier mot de la « phase la plus récente du développement du capitalisme ». Mais nous n'aurions de la puissance effective et du rôle des monopoles actuels qu'une notion extrêmement insuffisante, incomplète, étriquée, si nous ne tenions pas compte du rôle des banques.

II. Les banques et leur nouveau rôle

La fonction essentielle et initiale des banques est de servir d'intermédiaire dans les paiements. Ce faisant, elles transforment le capital-argent inactif en capital actif, c'est-à-dire générateur de profit, et, réunissant les divers revenus en espèces, elle les mettent à la disposition de la classe des capitalistes.

Au fur et à mesure que les banques se développent et se concentrent dans un petit nombre d'établissements, elles cessent d'être de modestes intermédiaires pour devenir de tout-puissants monopoles disposant de la presque totalité du capital-argent de l'ensemble des capitalistes et des petits patrons, ainsi que de la plupart des moyens de production et des sources de matières premières d'un pays donné, ou de toute une série de pays. Cette transformation d'une masse d'intermédiaires modestes en une poignée de monopolistes constitue un des processus essentiels de la transformation du capitalisme en impérialisme capitaliste. Aussi nous faut-il nous arrêter tout d'abord sur la concentration des banques.

En 1907-1908, les dépôts de toutes les sociétés anonymes bancaires d'Allemagne disposant d'un capital de plus d'un million de marks s'élevaient à 7 milliards de marks ; en 1912-1913, ils atteignaient déjà 9,8 milliards. En cinq ans, ils avaient dont augmenté de 2 millards 800 millions, soit de 40 %. Sur cette somme, 2 milliards 750 millions se répartissaient entre 57 banques ayant chacune un capital de plus de 10 millions de marks. La répartition des dépôts entre grandes et petites banques était la suivante :

Pourcentage des dépôts

	Dans les 9 grandes banques berlinoises	Dans les 48 autres banques ayant un capital de plus de 10 millions de marks	Dans les 115 banques ayant un capital de 1 à 10 millions	Dans les petites banques (ayant un capital de moins de 1 million)
1907-1908	47	32,5	16,5	4
1912-1913	49	36	12	3

Les petites banques sont refoulées par les grandes, dont 9 seulement concentrent presque la moitié de tous les dépôts. Et nous ne tenons pas compte ici de bien des éléments, par exemple de la transformation de toute une série de petites banques en de véritables filiales des grandes, etc. Nous en reparlerons plus loin.

À la fin de 1913, Schulze-Gaevernitz évaluait les dépôts des 9 grandes banques berlinoises à 5,1 milliards de marks sur un total d'environ 10 milliards. Considérant non seulement les dépôts, mais l'ensemble du capital bancaire, le même auteur écrivait : « À la fin de 1909, les neuf grandes banques berlinoises géraient, *avec les banques qui leur étaient rattachées*, 11,3 milliards de marks, soit environ 83 % de l'ensemble du capital bancaire allemand. La « Deutsche Bank », qui *avec les banques qui lui sont rattachées*, gère près de 3 milliards de marks, constitue, de même que la Direction des chemins de fer de l'État, en Prusse, l'accumulation de capitaux la plus importante, et aussi l'organisation la plus décentralisée de l'Ancien monde. »

Nous avons souligné l'indication relative aux banques « rattachées », car c'est là une des caractéristiques les plus importantes de la concentration capitaliste moderne. Les grandes entreprises, les banques surtout, n'absorbent pas seulement les petites, elles se les « rattachent » et se les subordonnent, elles les incorporent dans « leur » groupement, dans leur « consortium », pour emprunter le terme technique, par la « participation » à leur capital, par l'achat ou l'échange d'actions, par le système des crédits, etc., etc. Le professeur Liefmann a consacré tout un gros « ouvrage » de 500 pages à la description des « sociétés de participation et de financement » modernes ; malheureusement, il ajoute des réflexions « théoriques » de très mauvais aloi à une documentation brute souvent mal digérée. À quoi aboutit, du point de vue de la concentration, ce système de « participations », c'est ce que montre, mieux que tout, le livre d'une « personnalité » du monde bancaire, Riesser, sur les grandes banques allemandes. Mais, avant d'en examiner les données, citons un exemple concret du système des « participations ».

Le « groupe » de la « Deutsche Bank » est un des plus importants, sinon le plus important, de tous les groupes de grandes banques. Pour embrasser d'un coup d'œil les principaux fils reliant entre elles toutes les banques de ce groupe, il faut distinguer les « participations » au premier, au deuxième et au troisième degré ou, ce qui revient au même, la dépendance (des banques de moindre importance à l'égard de la « Deutsche Bank ») au premier, au deuxième et au troisième degré. Cela donne le tableau suivant.

Parmi les 8 banques « dépendantes au premier degré » et « de temps à autre » de la « Deutsche Bank », trois sont étrangères : une autrichienne (la « Bankverein » de Vienne) et deux russes (la « Banque commerciale de Sibérie » et la « Banque russe pour le commerce extérieur »). Au total, le groupe de la « Deutsche Bank » comprend, directement ou indirectement, entièrement ou partiellement, 87 banques, et le montant des capitaux dont il dispose, en tant que capital propre ou capital en dépôt, peut s'évaluer à 2 ou 3 milliards de marks.

		Dépendance au 1er degré	Dépendance au 2e degré	Dépendance au 3e degré
La « Deutsche Bank » participe :	Constamment, ... à	17 banques	dont 9 participent à 34 autres	dont 4 participent à 7 autres
	pour un temps indéterminé...	5 »	—	—
	de temps à autre... »	8 »	dont 5 participent à 14 autres	dont 2 participent à 2 autres
	Total ... à	30 banques	dont 14 participent à 48 autres	dont 6 participent à 9 autres

Il est évident qu'une banque placée à la tête d'un tel groupe et passant des accords avec une demi-douzaine d'autres banques, quelque peu inférieures, pour des opérations financières particulièrement importantes et lucratives, telles que les emprunts d'État, a dépassé le rôle d'« intermédiaire », et est devenue l'union d'une poignée de monopolistes.

La rapidité avec laquelle la concentration bancaire s'est effectuée en Allemagne à la fin du XIXe siècle et au début du XXe ressort des données suivantes, que nous empruntons à Riesser en les abrégeant :

Six grandes banques berlinoises avaient

Années	Succursales en Allemagne	Caisses de dépôts et bureaux de change	Participations constantes aux sociétés anonymes bancaires allemandes	Total des établissements
1895	16	14	1	42
1900	21	40	8	80
1911	104	276	63	450

On voit avec quelle rapidité s'étend le réseau serré des canaux qui enveloppent tout le pays et centralisent tous les capitaux et revenus, transformant des milliers et milliers d'entreprises éparses en un seul organisme capitaliste national, puis mondial. La « décentralisation » dont parlait, dans le passage précité, Schulze-Gaevernitz au nom de l'économie politique bourgeoise de nos jours, consiste en fait dans la subordination à un seul centre d'un nombre toujours croissant d'unités économiques autrefois relativement « indépendantes » ou, plus exactement, d'importance strictement locale. En réalité, il y a donc *centralisation*, accentuation du rôle, de l'importance, de la puissance des monopoles géants.

Dans les pays capitalistes plus anciens, ce « réseau bancaire » est encore plus dense. En Angleterre, Irlande comprise, il y avait en 1910 7 151 succursales pour l'ensemble des banques. Quatre grandes banques en avaient chacune plus de 400 (de 447 à 689), 4 autres en avaient plus de 200 et 11 plus de 100.

En France, *trois* banques importantes : le Crédit Lyonnais, le Comptoir National d'Escompte et la Société Générale, ont développé leurs opérations et le réseau de leurs succursales de la façon suivante :

	Nombre de succursales et de caisses de dépôts			Capitaux (en millions de francs)	
	province	Paris	total	appartenant aux banques	en dépôt
1870	47	117	64	200	427
1890	192	66	258	265	1 245
1909	1 033	96	1 229	887	4 363

Pour caractériser les « relations » d'une grande banque moderne, Riesser indique le nombre de lettres qu'envoie et reçoit la Société d'Escompte (Disconto-Gesellschaft), une des banques les plus puissantes de l'Allemagne et du monde (dont le capital, en 1914, atteignait 300 millions de marks) :

	Nombre de lettres	
	reçues	expédiées
1852	6 135	6 292
1870	85 800	87 513
1900	533 102	626 043

À la grande banque parisienne du Crédit Lyonnais, le nombre des comptes courants est passé de 28 535 en 1875 à 633 539 en 1912.

Mieux peut-être que de longs développements, ces simples chiffres montrent comment la concentration des capitaux et l'accroissement des opérations bancaires modifient radicalement le rôle joué par les banques. Les capitalistes épars finissent par ne former qu'un seul capitaliste collectif. En tenant le compte courant de plusieurs capitalistes, la banque semble ne se livrer qu'à des opérations purement techniques, uniquement subsidiaires. Mais quand ces opérations prennent un extension formidable, il en résulte qu'une poignée de monopolistes se subordonne les opérations commerciales et industrielles de la société capitaliste tout entière ; elle peut, grâce aux liaisons bancaires, grâce aux comptes courants et à d'autres opérations financières, *connaître* tout d'abord *exactement* la situation de tels ou tels capitalistes, puis les *contrôler*, agir sur eux en élargissant ou en restreignant, en facilitant ou en entravant le crédit, et enfin *déterminer entièrement* leur sort, déterminer les revenus de leurs entreprises, les priver de capitaux, ou leur permettre d'accroître rapidement le leur dans d'énormes proportions, etc.

Nous venons de mentionner le capital de 300 millions de marks de la « Disconto-Gesellschaft » de Berlin. Cet accroissement du capital de la « Disconto-Gesellschaft » fut l'un des épisodes de la lutte pour l'hégémonie entre les deux plus grandes banques berlinoises, la « Deutsche Bank » et la « Disconto-Gesellschaft ». En 1870, la première ne faisait que débuter et n'avait qu'un capital de 15 millions, alors que celui de la seconde s'élevait à 30 millions. En 1908, la première possédait 200 millions ; la seconde, 170 millions. En 1914, la première portait son capital à 250 millions ; la seconde, en fusionnait avec une autre grande banque de première importance, « l'Union de Schaffhausen », élevait le sien à 300 millions. Et, naturellement, cette lutte pour l'hégémonie va de pair avec des « conventions » de plus en plus fréquentes et durables entre les deux banques. Voici les réflexions que suscite ce développement des banques chez des spécialistes en la matière, qui traitent les problèmes économiques d'un point de vue n'allant jamais au-delà de l'esprit de réforme bourgeois le plus modéré et le plus scrupuleux :

« D'autres banques suivront la même voie », écrivait la revue allemande *Die Bank* à propos de l'élévation du capital de la « Disconto-Gesellschaft » à 300 millions, « et les 300 personnes qui, aujourd'hui, gouvernent économiquement l'Allemagne, se réduiront avec le temps à 50, 25, ou à moins encore. Il n'y a pas lieu d'attendre que le mouvement de concentration moderne se circonscrive aux banques. Les relations étroites entre les banques conduisent naturellement à un rapprochement des consortiums industriels qu'elles patronnent... Un beau matin, en nous réveillant, nous serons tous étonnés de ne plus voir que des trusts ; nous serons placés devant la nécessité de substituer aux monopoles privés des monopoles d'État. Et cependant, quant au fond, nous n'aurons rien à nous reprocher, si ce n'est d'avoir laissé au développement des choses un libre cours, quelque peu accéléré par l'action. »

Voilà bien un exemple de l'impuissance du journalisme bourgeois, dont la science bourgeoise ne se distingue que par une moindre sincérité et une tendance à voiler le fond des choses, à masquer la forêt par des arbres. « S'étonner » des conséquences de la concentration, « s'en prendre » au gouvernement de l'Allemagne capitaliste ou à la « société » capitaliste (à « nous »), redouter que l'usage des actions « ne hâte » la concentration, tout comme Tschierschky, spécialiste allemand « en matière de cartels », redoute les trusts américains et leur « préfère » les cartels allemands, lesquels, prétend-il, ne sont pas capables « de hâter à l'excès, comme le font les trusts, le progrès technique et économique » — n'est-ce pas de l'impuissance ?

Mais les faits restent les faits. Il n'y a pas de trusts en Allemagne, il y a « seulement » des cartels ; mais l'Allemagne est *gouvernée* par tout au plus 300 magnats du capital. Et ce nombre diminue sans cesse. En tout état de cause, dans tous les pays capitalistes, et quelle que soit leur législation bancaire, les banques renforcent et accélèrent considérablement le processus de concentration des capitaux et de formation des monopoles.

« Les banques créent, à l'échelle sociale, la forme, mais seulement la forme, d'une comptabilité et d'une répartition générales des moyens de productions », écrivait Marx il y a un demi-siècle, dans le *Capital* (trad. russe, Livre III, 2e partie, p. 144). Les chiffres que nous avons cités sur l'accroissement du capital bancaire, sur l'augmentation du nombre des comptoirs et succursales des grosses banques et de leurs comptes courants, etc., nous montrent concrètement que cette « comptabilité générale » de la classe *tout entière* des capitalistes et même pas seulement des capitalistes, car les banques réunissent, au moins pour un temps, toutes sortes de revenus en argent provenant de petits patrons, d'employés et de la mince couche supérieure des ouvriers. La « répartition générale des moyens de production », voilà ce qui *résulte* d'un point de vue tout formel du développement des banques modernes, dont les plus importantes, au nombre de 3 à 6 en France et de 6 à 8 en Allemagne, disposent de milliards et de milliards. Mais quant au *contenu*, cette répartition des moyens de production n'a rien de « général » ; elle est privée, c'est-à-dire conforme aux intérêts du grand capital — et au premier chef du plus grand capital, du capital monopoliste — qui opère dans des conditions telles que la masse de la population peut à peine subvenir à ses besoins et que tout le développement de l'agriculture retarde irrémédiablement sur celui de l'industrie, dont une branche, l'« industrie lourde », prélève un tribut sur toutes les autres.

Les caisses d'épargne et les bureaux de poste commencent à concurrencer les banques dans la socialisation de l'économie capitaliste. Ce sont des établissements plus « décentralisés », c'est-à-dire dont l'influence s'étend sur un plus grand nombre de localités, de coins perdus, sur de plus vastes contingents de la population. Une commission américaine a réuni, sur le développement comparé des dépôts en banque et dans les caisses d'épargne, les données ci-après :

Dépôts (en milliards de marks)

	Angleterre		France		Allemagne		
	En banque	Dans les caisses d'épargne	En banque	Dans les caisses d'épargne	En banque	Dans les sociétés de crédit	Dans les caisses d'épargne
1880	8,4	1,6	?	0,9	0,5	0,4	2,6
1888	12,4	2,0	1,5	2,1	1,1	0,4	4,5
1908	23,2	4,2	3,7	4,2	7,1	2,2	13,9

Servant un intérêt de 4 % à 4,25 % sur les dépôts, les caisses d'épargne sont obligées de chercher pour leurs capitaux des placements « avantageux », de se lancer dans des opérations sur les lettres de change, les hypothèques, etc. Les lignes de démarcation entre les banques et les caisses d'épargne « s'effacent de plus en plus ». Les chambres de commerce de Bochum et d'Erfurt, par exemple, demandent qu'il soit « interdit » aux caisses d'épargne de se livrer à des opérations « purement » bancaires, telles que l'escompte des lettres de change, et exigent la limitation de l'activité « bancaire » des bureaux de poste. Les manitous de la banque semblent craindre que le monopole d'État ne trouve là une faille par où se glisser. Mais il va de soi que cette crainte ne dépasse pas le cadre de la concurrence à laquelle peuvent se livrer deux chefs de bureau d'une même administration. Car, d'un côté, ce sont en définitive toujours les *mêmes* magnats du capital bancaire qui disposent en fait des milliards confiés aux caisses d'épargne et, d'un autre côté, le monopole d'État en société capitaliste n'est qu'un moyen d'accroître et d'assurer les revenus des millionnaires près de faire faillite dans telle ou telle industrie.

Le remplacement du vieux capitalisme, où régnait la libre concurrence, par un nouveau où règne le monopole, entraîne, notamment, une diminution de l'importance de la Bourse. La revue *Die Bank* écrit : « La Bourse a depuis longtemps cessé d'être l'intermédiaire indispensable des échanges qu'elle était autrefois, lorsque les banques ne pouvaient pas encore placer parmi leurs clients la plupart des valeurs émises. »

« Toute banque est une Bourse »: cet aphorisme moderne contient d'autant plus de vérité que la banque est plus importante et que la concentration fait de plus grands progrès dans les opérations bancaires. » « Si toutefois la Bourse, après 1870, avec ses excès de jeunesse » (allusion « délicate » au Krach boursier de 1873, aux scandales de la Gründerzeit, etc.), « avait inauguré l'époque de l'industrialisation de l'Allemagne, aujourd'hui les banques et l'industrie peuvent « se tirer d'affaire elles-mêmes ». La domination de nos grandes banques sur la Bourse... n'est que l'expression de l'État industriel allemand pleinement organisé. Dès lors, si le domaine des lois économiques fonctionnant automatiquement s'en trouve rétréci et le domaine de la réglementation consciente par les banques grandement élargi, il s'ensuit que la responsabilité incombant en matière d'économie nationale à quelques dirigeants augmente dans de vastes proportions. » Voilà ce qu'écrit le professeur allemand Schulze-Gaevernitz, cet apologiste de l'impérialisme allemand qui fait autorité chez les impérialistes de tous les pays et qui s'applique à masquer un « détail », à savoir que cette « réglementation consciente » par l'entremise des banques consiste dans le dépouillement du public par une poignée de monopolistes « pleinement organisés ». La tâche du professeur bourgeois n'est pas de mettre à nu tout le mécanisme et de divulguer tous les tripotages des monopolistes de la banque, mais de les présenter sous des dehors innocents.

De même Riesser, économiste et « financier » qui fait encore plus autorité, s'en tire avec des phrases à propos de faits qu'il est impossible de nier : « La Bourse perd de plus en plus de caractère absolument indispensable à l'économie tout entière et à la circulation des valeurs, qui en fait non seulement le plus précis des instruments de mesure, mais aussi un régulateur presque automatique des mouvements économiques convergeant vers elle. »

En d'autres termes, l'ancien capitalisme, le capitalisme de la libre concurrence, avec ce régulateur absolument indispensable qu'était pour lui la Bourse, disparaît à jamais. Un nouveau capitalisme lui succède, qui comporte des éléments manifestes de transition, une sorte de mélange entre la libre concurrence et le monopole. Une question se pose d'elle-même : *vers quoi* tend cette «transition» que constitue le capitalisme moderne? Mais cette question, les savants bourgeois ont peur de la poser.

« Il y a trente ans, les employeurs engagés dans la libre concurrence accomplissaient les 9/10 de l'effort économique qui ne fait pas partie du travail manuel des « ouvriers ». À l'heure présente, ce sont des *fonctionnaires* qui accomplissent les 9/10 de cet effort intellectuel dans l'économie. La banque est à la tête de cette évolution. » Cet aveu de Schulze-Gaevernitz nous ramène une fois de plus à la question de savoir vers quoi tend ce phénomène transitoire que constitue le capitalisme moderne, parvenu à son stade impérialiste.

Les quelques banques qui, grâce au processus de concentration, restent à la tête de toute l'économie capitaliste, ont naturellement une tendance de plus en plus marquée à des accords de monopoles, à un *trust des banques*. En Amérique, ce ne sont plus neuf, mais *deux* des grandes banques, celles des milliardaires Rockefeller et Morgan, qui règnent sur un capital de 11 milliards de marks. En Allemagne, l'absorption que nous avons signalée plus haut de l'Union de Schaffhausen par la Disconto-Gesellschaft a été appréciée en ces termes par le *Frankfurter Zeitung*, organe au service des intérêts boursiers :

« Le mouvement de concentration croissante des banques resserre le cercle des établissements auxquels on peut, en général, adresser des demandes de crédit, d'où une dépendance accrue de la grosse industrie à l'égard d'un petit nombre de groupes bancaires. La liaison étroite de l'industrie et du monde de la finance restreint la liberté de mouvement des sociétés industrielles ayant besoin de capitaux bancaires. Aussi la grande industrie envisage-t-elle avec des sentiments divers la trustification (le groupement ou la transformation en trusts) croissante des banques ; en effet, on a pu maintes fois observer des commencements d'accords entre consortiums de grandes banques, accords tendant à limiter la concurrence. »

Encore une fois, le dernier mot du développement des banques, c'est le monopole.

Quant à la liaison étroite qui existe entre les banques et l'industrie, c'est dans ce domaine que se manifeste peut-être avec le plus d'évidence le nouveau rôle des banques. Si une banque escompte les lettres de change d'un industriel, lui ouvre un compte courant, etc., ces opérations en tant que telles ne diminuent pas d'un iota l'indépendance de cet industriel, et la banque ne dépasse pas son rôle modeste d'intermédiaire. Mais si ces opérations se multiplient et s'instaurent régulièrement, si la banque « réunit » entre ses mains d'énormes capitaux, si la tenue des comptes courants d'une entreprise permet à la banque — et c'est ce qui arrive — de connaître avec toujours plus d'ampleur et de précision la situation économique du client, il en résulte une dépendance de plus en plus complète du capitaliste industriel à l'égard de la banque.

En même temps se développe, pour ainsi dire, l'union personnelle des banques et des grosses entreprises industrielles et commerciales, la fusion des unes et des autres par l'acquisition d'actions, par l'entrée des directeurs de banque dans les conseils de surveillance (ou d'administration) des entreprises industrielles et commerciales, et inversement. L'économiste allemand Jeidels a réuni une documentation fort complète sur cette forme de concentration des capitaux et des entreprises. Les six plus grandes banques berlinoises étaient représentées par leurs directeurs dans *344* sociétés industrielles et, par les membres de leur conseil d'administration, encore dans *407*, soit un total de *751* sociétés. Dans *289* de ces dernières, elles avaient soit deux membres aux conseils de surveillance, soit la présidence de ces derniers. Ces sociétés s'étendent aux domaines les plus divers du commerce et de l'industrie, aux assurances, aux voies de communication, aux restaurants, aux théâtres, à la production artistique, etc. D'autre part, il y avait (en 1910), dans les conseils de surveillance de ces mêmes six banques, cinquante et un des plus gros industriels, dont un directeur de la firme Krupp, celui de la grande compagnie de navigation « Hapag » (Hamburg-Amerika), etc., etc. De 1895 à 1910, chacune de ces six banques a participé à l'émission d'actions et d'obligations pour des centaines de sociétés industrielles, dont le nombre est passé de 281 à 419.

L'« union personnelle » des banques et de l'industrie est complétée par l'« union personnelle » des unes et des autres avec le gouvernement. « Des postes aux conseils de surveillance, écrit Jeidels, sont librement offerts à des personnages de grand renom, de même qu'à d'anciens fonctionnaires de l'État, qui peuvent faciliter (!!) considérablement les relations avec les autorités »... « On trouve généralement au conseil de surveillance d'une grande banque un membre du Parlement ou un membre de la municipalité de Berlin. »

L'élaboration et, pour ainsi dire, la mise au point des grands monopoles capitalistes se poursuivent donc à toute vapeur, par tous les moyens « naturels » et « surnaturels ». Il en résulte une division systématique du travail entre quelques centaines de rois de la finance de la société capitaliste moderne :

« Parallèlement à cette extension du champ d'activité de certains gros industriels » (qui entrent aux conseils d'administration des banques, etc.) « et à l'attribution d'une région industrielle déterminée à des directeurs provinciaux, il se produit une sorte de spécialisation des dirigeants des grandes banques. Pareille spécialisation n'est possible que dans les grandes banques en général, et si elles ont des relations étendues dans le monde industriel en particulier. Cette division du travail se fait dans deux directions : d'une part, toutes les relations avec l'industrie sont confiées à un directeur, dont c'est le domaine spécial ; d'autre part, chaque directeur assume la surveillance d'entreprises particulières ou de groupes d'entreprises dont la production ou les intérêts sont connexes »... (Le capitalisme en est déjà arrivé à la *surveillance* organisée sur les différentes entreprises)... « La spécialité de l'un est l'industrie allemande, parfois même uniquement celle de l'Allemagne occidentale » (l'Allemagne occidentale est la partie la plus industrialisée du pays) ; « pour d'autres, les relations avec les autres États et avec l'industrie de l'étranger, les renseignements sur la personnalité des industriels, etc., les questions boursières, etc. En outre, chacun des directeurs de la banque se voit souvent confier la gestion d'une région ou d'une branche d'industrie ; tel travaille principalement dans les conseils de surveillance des sociétés d'électricité, tel autre dans les usines chimiques, les brasseries ou les raffineries de sucre, un autre encore, dans les quelques entreprises restées isolées, et en même temps dans le conseil de surveillance de sociétés d'assurances... En un mot, il est certain que dans les grandes banques, au fur et à mesure qu'augmentent l'étendue et la diversité de leurs opérations, la division du travail s'accentue entre leurs dirigeants, avec pour but (et pour résultat) de les élever, pour ainsi dire, un peu au-dessus des opérations purement bancaires, de les rendre plus aptes à juger, plus compétents dans les questions d'ordre général de l'industrie et dans les questions spéciales touchant les diverses branches, de les préparer à agir dans la sphère d'influence industrielle de la banque. Ce système des banques est complété par une tendance à élire dans leurs conseils de surveillance des hommes bien au fait de l'industrie, des industriels, d'anciens fonctionnaires, surtout de ceux qui ont servi dans l'administration des chemins de fer, des mines », etc.

On retrouve une structure administrative similaire, avec de très légères variantes, dans les banques françaises. Le « Crédit Lyonnais », par exemple, une des trois plus grandes banques françaises, a organisé un service spécial des études financières, qui emploie en permanence plus de cinquante ingénieurs, statisticiens, économistes, juristes, etc., et dont l'entretien coûte de six à sept cent mille francs par an. Ce service est à son tour divisé en huit sections, dont l'une est chargée de recueillir des informations portant spécialement sur les entreprises industrielles, la seconde étudiant les statistiques générales ; la troisième, les compagnies de chemins de fer et de navigation ; la quatrième, les fonds ; la cinquième, les rapports financiers, etc.

Il en résulte, d'une part, une fusion de plus en plus complète ou, suivant l'heureuse formule de N. Boukharine, une interpénétration du capital bancaire et du capital industriel, et, d'autre part, la transformation des banques en établissements présentant au sens le plus exact du terme un « caractère universel ». Sur ce point, nous croyons devoir citer les propres termes de Jeidels, auteur qui a le mieux étudié la question :

« L'examen des relations industrielles dans leur ensemble permet de constater le *caractère universel* des établissements financiers travaillant pour l'industrie. Contrairement aux autres formes de banques, contrairement aux exigences quelquefois formulées par divers auteurs, à savoir que les banques devraient se spécialiser dans un domaine ou dans une industrie déterminée pour ne pas voir le sol se dérober sous leurs pieds, les grandes banques s'efforcent de multiplier le plus possible leurs relations avec les entreprises industrielles les plus diverses quant au lieu et au genre de production, et de faire disparaître de plus en plus les *inégalités* dans la répartition des capitaux entre les diverses régions ou les branches d'industrie, inégalités dont on trouve l'explication dans l'histoire des différentes entreprises. » « Une tendance consiste à généraliser la liaison avec l'industrie ; une autre, à la rendre continue et intensive ; toutes les deux sont appliquées par les six grandes banques, sinon intégralement, du moins déjà dans de notables proportions et à un degré égal. »

On entend assez souvent les milieux industriels et commerciaux se plaindre du « terrorisme » des banques. Faut-il s'en étonner, quand les grandes banques « commandent » de la façon dont voici un exemple ? Le 19 novembre 1901, l'une des banques D berlinoises (on appelle ainsi les quatre grandes banques dont le nom commence par la lettre D) adressait au conseil d'administration du Syndicat des ciments du Centre-Nord-Ouest allemand la lettre suivante : « Selon la note que vous avez publiée le 18 de ce mois dans tel journal, il apparaît que nous devons envisager l'éventualité de voir la prochaine assemblée générale de votre syndicat, fixée au 30 courant, prendre des décisions susceptibles d'amener dans votre entreprise des changements que nous ne pouvons accepter. Aussi sommes-nous, à notre grand regret, dans la nécessité de vous refuser dorénavant le crédit qui vous était accordé... Toutefois, si nous recevons les garanties désirables pour l'avenir, nous nous déclarons tout disposés à négocier avec vous l'ouverture d'un nouveau crédit. »

À la vérité, nous retrouvons là les doléances du petit capital opprimé par le gros, seulement cette fois c'est tout un syndicat qui est tombé dans la catégorie des « petits »! La vieille lutte du petit et du gros capital recommence, mais à un degré de développement nouveau, infiniment supérieur. Il est évident que, disposant de milliards, les grandes banques sont capables de hâter aussi le progrès technique par des moyens qui ne sauraient en aucune façon être comparés à ceux d'autrefois. Les banques fondent, par exemple, des sociétés spéciales d'études techniques dont les travaux ne profitent, bien entendu, qu'aux entreprises industrielles « amies ». Citons entre autres la « Société pour l'étude des chemins de fer électriques », le « Bureau central de recherches scientifiques et techniques », etc.

Les dirigeants des grandes banques eux-mêmes ne peuvent pas ne pas voir que des conditions nouvelles sont en train de se former dans l'économie nationale, mais ils sont impuissants devant elles :

« Quiconque, écrit Jeidels, a observé au cours des dernières années, les changements de personnes à la direction et aux conseils de surveillance des grandes banques, n'a pas pu ne pas remarquer que le pouvoir passait peu à peu aux mains d'hommes qui considèrent comme une tâche indispensable et de plus en plus pressante, pour les grandes banques, d'intervenir activement dans le développement général de l'industrie, et qu'entre ces hommes et les anciens directeurs des banques il se produit à ce propos des désaccords d'ordre professionnel et souvent aussi d'ordre personnel. Il s'agit, au fond, de savoir si, en tant qu'établissements de crédit, les banques ne subissent pas un préjudice du fait de leur intervention dans le processus de la production industrielle, si elles ne sacrifient pas leurs solides principes et un bénéfice assuré à une activité qui n'a rien à voir avec leur rôle d'intermédiaires du crédit et qui les amène sur un terrain où elles sont encore plus exposées que par le passé à l'action aveugle de la conjoncture industrielle. C'est ce qu'affirment nombre d'anciens directeurs de banques, mais la plupart des jeunes considèrent l'intervention active dans les questions industrielles comme une nécessité pareille à celle qui a suscité, en même temps que le développement actuel de la grande industrie moderne, l'apparition des grandes banques et l'entreprise bancaire industrielle d'aujourd'hui. Les deux parties ne sont d'accord que sur un point, à savoir qu'il n'existe pas de principes fermes ni de but concret pour la nouvelle activité des grandes banques. »

L'ancien capitalisme a fait son temps. Le nouveau constitue une transition. La recherche de « principes fermes et d'un but concret » en vue de « concilier » le monopole et la libre concurrence est, de toute évidence, une tentative vouée à l'échec. Les aveux des praticiens ne ressemblent guère aux éloges enthousiastes des apologistes officiels du capitalisme « organisé », tels que Schulze-Gaevernitz, Liefmann et autres « théoriciens ».

À quelle époque au juste s'impose définitivement la « nouvelle activité » des grandes banques ? Cette importante question trouve une réponse assez précise chez Jeidels.

« Les relations des entreprises industrielles avec leur nouvel objet, leurs nouvelles formes, leurs nouveaux organismes, c'est-à-dire avec les grandes banques présentant une organisation à la fois centralisée et décentralisée, ne sont guère antérieures, en tant que phénomène caractéristique de l'économie nationale, aux années 1890 ; on peut même, en un sens, faire remonter ce point de départ à l'année 1897, avec ses grandes « fusions » d'entreprises qui introduisent pour la première fois la nouvelle forme d'organisation décentralisée, pour des raisons de politique industrielle des banques. Et l'on peut même le faire remonter à une date encore plus récente, car c'est seulement la crise de 1900 qui a énormément accéléré le processus de concentration tant dans l'industrie que dans la banque et en a assuré le triomphe définitif, qui a fait pour la première fois de cette liaison avec l'industrie le véritable monopole des grosses banques, qui a rendu ces rapports notablement plus étroits et plus intensifs. »

Ainsi, le XXe siècle marque le tournant où l'ancien capitalisme fait place au nouveau, où la domination du capital financier se substitue à la domination du capital en général.

III. Le capital financier et l'oligarchie financière

« Une part toujours croissante du capital industriel, écrit Hilferding, n'appartient pas aux industriels qui l'utilisent. Ces derniers n'en obtiennent la disposition que par le canal de la banque, qui est pour eux le représentant des propriétaires de ce capital. D'autre part, force est à la banque d'investir une part de plus en plus grande de ses capitaux dans l'industrie. Elle devient ainsi, de plus en plus, un capitaliste industriel. Ce capital bancaire — c'est-à-dire ce capital-argent — qui se transforme ainsi en capital industriel, je l'appelle « capital financier ». « Le capital financier est donc un capital dont disposent les banques et qu'utilisent les industriels. »

Cette définition est incomplète dans la mesure où elle passe sous silence un fait de la plus haute importance, à savoir la concentration accrue de la production et du capital, au point qu'elle donne et a déjà donné naissance au monopole. Mais tout l'exposé de Hilferding, en général, et plus particulièrement les deux chapitres qui précèdent celui auquel nous empruntons cette définition, soulignent le rôle des *monopoles capitalistes*.

Concentration de la production avec, comme conséquence, les monopoles ; fusion ou interpénétration des banques et de l'industrie, voilà l'histoire de la formation du capital financier et le contenu de cette notion.

Il nous faut montrer maintenant comme la « gestion » exercée par les monopoles capitalistes devient inévitablement, sous le régime général de la production marchande et de la propriété privée, la domination d'une oligarchie financière. Notons que les représentants de la science bourgeoise allemande — et pas seulement allemande — comme Riesser, Schulze-Gaevernitz, Liefmann, etc., sont tous des apologistes de l'impérialisme et du capital financier. Loin de dévoiler le « mécanisme » de la formation de cette oligarchie, ses procédés, l'ampleur de ses revenus « licites et illicites », ses attaches avec les parlements, etc., etc., ils s'efforcent de les estomper, de les enjoliver. Ces « questions maudites », ils les éludent par des phrases grandiloquentes autant que vagues, par des appels au « sentiment de responsabilité » des directeurs de banques, par l'éloge du « sentiment du devoir », des fonctionnaires prussiens, par l'analyse doctorale des futilités qu'on trouve dans les ridicules projets de loi de « surveillance » et de « réglementation », par des fadaises théoriques comme cette définition « scientifique » saugrenue du professeur Liefmann : ... *« le commerce est une pratique industrielle visant à réunir les biens, à les conserver et à les mettre à la disposition »* (les italiques gras sont dans l'ouvrage du professeur)... Il en résulte que le commerce a existé chez l'homme primitif qui ne pratiquait pas encore l'échange et qu'il doit subsister dans la société socialiste !

Mais les faits monstrueux touchant la monstrueuse domination de l'oligarchie financière sont tellement patents que, dans tous les pays capitalistes, aussi bien en Amérique qu'en France et en Allemagne, est apparue une littérature qui, tout en professant le point de vue *bourgeois*, brosse néanmoins un tableau à peu près véridique, et apporte une critique — évidement petite-bourgeoise — de l'oligarchie financière.

À la base, il y a tout d'abord le « système de participation », dont nous avons déjà dit quelques mots. Voici l'exposé qu'en fait l'économiste allemand Heymann, qui a été l'un des premiers, sinon le premier, à s'en occuper :

« Un dirigeant contrôle la société de base (littéralement : la « société-mère ») ; celle-ci, à son tour, règne sur les sociétés qui dépendent d'elle (les « sociétés filles ») ; ces dernières règnent sur les « sociétés petites-filles », etc. On peut donc, sans posséder un très grand capital, avoir la haute main sur d'immenses domaines de la production. En effet, si la possession de 50 % du capital est toujours suffisante pour contrôler une société par actions, le dirigeant n'a besoin que d'un million pour pouvoir contrôler 8 millions de capital dans les « sociétés petites-filles ». Et si cette « imbrication » est poussée plus loin, on peut, avec un million, contrôler seize millions, trente-deux millions, etc. »

En fait, l'expérience montre qu'il suffit de posséder 40 % des actions pour gérer les affaires d'une société anonyme, car un certain nombre de petits actionnaires disséminés n'ont pratiquement aucune possibilité de participer aux assemblées générales, etc. La « démocratisation » de la possession des actions, dont les sophistes bourgeois et les opportunistes pseudo-social-démocrates attendent (ou assurent qu'ils attendent) la « démocratisation du capital », l'accentuation du rôle et de l'importance de la petite production, etc., n'est en réalité qu'un des moyens d'accroître la puissance de l'oligarchie financière. C'est pourquoi, soit dit en passant, dans les pays capitalistes plus avancée ou plus anciens et « expérimentés », le législateur permet l'émission de titres d'un montant réduit. En Allemagne, une action ne peut, aux termes de la loi, être d'un montant inférieur à mille marks, et les magnats allemands de la finance considèrent d'un œil envieux l'Angleterre où sont autorisées des actions d'une livre sterling (=20 marks, environ 10 roubles). Siemens, un des plus grands industriels et « rois de la finance » allemands, déclarait au Reichstag, le 7 juin 1900, que « l'action d'une livre sterling est la base de l'impérialisme britannique ». Ce marchand a une conception nettement plus profonde, plus « marxiste », de l'impérialisme que certain auteur incongru, qui passe pour le fondateur du marxisme russe et qui estime que l'impérialisme est une tare propre à un peuple déterminé...

Mais le « système de participation » ne sert pas seulement à accroître immensément la puissance des monopolistes, il permet en outre de consommer impunément les pires tripotages et de dévaliser le public, car d'un point de vue formel, au regard de la loi, les dirigeants de la « société-mère » ne sont pas responsables de la filiale, considérée comme « autonome » et *par l'intermédiaire* de laquelle on peut *tout* « faire passer ». Voici un exemple que nous empruntons au fascicule de mai 1914 de la revue allemande *Die Bank* :

« La « Société anonyme de l'acier à ressorts » de Cassel était considérée, il y a quelques années, comme l'une des entreprises allemandes les plus rentables. Une mauvaise gestion fit que ses dividendes tombèrent de 15 % à zéro. La direction, devait-on apprendre, avait, à l'insu des actionnaires, fait à l'une de ses sociétés filiales, la « Hassia », au capital nominal de quelques centaines de milliers de marks seulement, une avance de fonds de *6 millions de marks*. De ce prêt qui représentait presque le triple du capital-actions de la société-mère, celle-ci ne soufflait mot dans ses bilans. Juridiquement, un pareil silence était parfaitement légal, et il put durer deux années entières sans qu'aucun article de la législation commerciale fût violé. Le président du conseil de surveillance qui, en qualité de responsable, signait ces bilans truqués, était et est encore président de la Chambre de commerce de Cassel. Les actionnaires n'eurent connaissance de l'avance faite à « Hassia » que longtemps après, quand elle se révéla une erreur »... (l'auteur aurait bien fait de mettre ce mot entre guillemets)... « et que les actions de l'« acier à ressorts », à la suite des opérations de vente pratiquées par des initiés, eurent perdu près de 100 % de leur valeur...

...« *Cet exemple typique des jongleries dont sont couramment l'objet les bilans* des sociétés par action nous explique pourquoi leurs conseils d'administration se risquent dans les affaires hasardeuses d'un cœur bien plus léger que les particuliers. La technique moderne des bilans ne leur offre pas seulement la possibilité de cacher à l'actionnaire moyen les risques engagés ; elle permet aussi aux principaux intéressés de se dérober aux conséquences d'une expérience avortée en vendant à temps leurs actions, alors que l'entrepreneur privé assume l'entière responsabilité de ses actes...

Les bilans de nombreuses sociétés anonymes rappellent ces palimpsestes du moyen âge, dont il fallait d'abord gratter le texte visible pour pouvoir découvrir, dessous, les signes qui révélaient le texte réel du document » (un palimpseste est un parchemin dont on a gratté l'écriture première pour y écrire un nouveau texte).

« Le procédé le plus simple et, de ce fait, le plus souvent employé pour rendre un bilan indéchiffrable consiste à diviser une entreprise donnée en plusieurs parties, par la constitution ou l'adjonction de filiales. L'avantage de ce système selon les buts visés — légaux ou illégaux — est tellement évident que les sociétés importantes qui ne l'ont pas adopté font aujourd'hui figure d'exception. »

L'auteur cite comme exemple la société puissante et monopoliste appliquant très largement ce système, la fameuse Société générale d'électricité (l'A.E.G., sur laquelle nous reviendrons plus loin). En 1912, on estimait qu'elle participait à *175* ou *200* autres sociétés, les dominant, bien entendu, et englobant au total un capital d'environ *1,5 milliard de marks*.

Toutes les règles de contrôle et de surveillance, de publications des bilans, d'établissement de schémas précis pour ces derniers, etc., ce par quoi les professeurs et les fonctionnaires bien intentionnés — c'est-à-dire ayant la bonne intention de défendre et de farder le capitalisme — occupent l'attention du public, sont ici dépourvues de toute valeur. Car la propriété privée est sacrée, et l'on ne peut empêcher personne d'acheter, de vendre, d'échanger des actions, de les hypothéquer, etc.

Pour juger du développement que le « système de participation » a pris dans les grandes banques russes, il suffit de se reporter aux données fournies par E. Agahd qui, employé pendant quinze ans à la Banque russo-chinoise, publia en mai 1914 un ouvrage dont le titre n'est pas tout à fait exact : *Grandes banques et marché mondial*. L'auteur divise les grandes banques russes en deux groupes principaux : a) celles qui appliquent le « système de participations » et b) celles qui sont « indépendantes » (entendant toutefois arbitrairement par ce dernier terme l'« indépendance » à l'égard des banques *étrangères*). Il subdivise le premier groupe en trois sous-groupes : 1) participation allemande, 2) participation anglaise et 3) participation française. C'est-à-dire « participation » et domination des plus grandes banques étrangères de la nation envisagée. Quant aux capitaux des banques, l'auteur les divise en capitaux à placement « productif » (dans l'industrie et le commerce) et capitaux de « spéculation » (consacrés aux opérations boursières et financières), estimant, du point de vue réformiste petit-bourgeois qui lui est propre, qu'on peut en régime capitaliste distinguer entre ces deux genres de placements et éliminer le dernier.

Voici ces données :

Actif des banques (d'après les bilans d'octobre-novembre 1913)
(en millions de roubles)

Groupe de banques russes	Capitaux placés productivement	Capitaux placés spéculativement	Total
a 1) 4 banques : Banque commerciale de Sibérie Russe, Internationale, Comptoir d'Escompte	413,7	859,1	1 272,8
a 2) 2 banques : Industrielle et Commerciale, Russo-Anglaise	239,3	169,1	408,4
a 3) 5 banques : Russo-Asiatique, Privée de Saint-Pétersbourg, Azov-Dou, Union de Moscou, Russo-Française de Commerce	711,8	661,2	1 373,0
(11 banques) *Total*	a) = 1 364,8	1 689,4	3 054,2
b 8 banques: du corps des marchands de Moscou. Volga-Kama, Junker et Cie, Banque d'Affaires de Saint-Pétersbourg (anc. Wawelberg), de Moscou (anc. Riabouchinski), Comptoir d'Escompte de Moscou, Banque d'Affaires de Moscou et Privée de Moscou	504,2	391,1	895,3
(19 banques) *Total*	1 869,0	2 080,5	3 949,5

Ainsi, d'après ces chiffres, des 4 milliards de roubles environ constituant le capital « actif » des grandes banques, *plus de trois quarts*, plus de 3 milliards, reviennent à des banques qui ne sont au fond que des « filiales » de banques étrangères et, en premier lieu, de banques parisiennes (du fameux trio : Union parisienne, Banque de Paris et des Pays-Bas, Société Générale) et berlinoises (notamment la Deutsche Bank et la Disconto-Gesellschaft). Deux des banques russes les plus importantes, la « Banque russe » (« Banque russe pour le commerce extérieur ») et la « banque internationale » (« Banque de Saint-Pétersbourg pour le commerce international »), ont, de 1906 à 1912, fait passer leurs capitaux de 44 à 98 millions de roubles et leurs fonds de réserve de 15 à 39 millions, « en travaillant aux trois quarts avec des capitaux allemands ». La première appartient au « consortium » berlinois de la « Deutsche Bank » introduisant à Berlin les actions de la Banque commerciale de Sibérie, les garda une année en portefeuille et les vendit ensuite au cours de 193 pour cent, c'est-à-dire presque au double, « s'adjugeant » ainsi un bénéfice d'environ 6 millions de roubles que Hilferding devait appeler « bénéfice de constitution ».

Notre auteur estime à 8 235 millions de roubles, presque 8,25 milliards, la « puissance » totale des plus grandes banques de Pétersbourg ; quant à la « participation » ou, plus exactement, la domination, des banques étrangères, il la fixe aux proportions suivantes : banques françaises, 55 %; anglaises, 10 %; allemandes, 35 %. Sur cette somme de 8 235 millions, 3 687 millions de capitaux actifs, soit plus de 40 %, reviennent, suivant les calculs de l'auteur, aux syndicats patronaux ci-après : « Prodougol », « Prodamet », syndicats du pétrole, de la métallurgie et des ciments. La fusion du capital bancaire et du capital industriel, grâce à la formation des monopoles capitalistes, a donc fait de grands progrès également en Russie.

Le capital financier, concentré en quelques mains et exerçant un monopole de fait, prélève des bénéfices énormes et toujours croissants sur la constitution des firmes, les émissions de valeurs, les emprunts d'État, etc., affermissant la domination des oligarchies financières et frappant la société tout entière d'un tribut au profit des monopolistes. Voici, pris entre mille, un exemple, cité par Hilferding, des « procédés de gestion » des trusts américains : en 1887, M. Havemeyer fondait le trust du sucre par la fusion de quinze petites sociétés, dont le capital s'élevait à un total de 6,5 millions de dollars. Convenablement « coupé d'eau », selon l'expression américaine, le capital du trust fut évalué à 50 millions de dollars. Cette « recapitalisation » tenait compte des futurs profits du monopole, de même que le trust de l'acier — toujours en Amérique — tient compte des futurs profits du monopole en achetant le plus possible de gisements de minerai. Et, effectivement, le trust du sucre a imposé ses prix de monopole ; ce qui lui procura un bénéfice tel qu'il put payer 10 % de dividendes au capital *sept fois* « coupé d'eau », soit *presque 70 % au capital effectivement versé lors de la fondation du trust* ! En 1909, le capital de ce trust s'élevait à 90 millions de dollars. En vingt-deux ans, il avait plus que décuplé.

En France, le règne de l'« oligarchie financière » (*Contre l'oligarchie financière en France*, titre du fameux livre de Lysis, dont la cinquième édition a paru en 1908) a revêtu une forme à peine différente. Les quatre plus grosses banques jouissent d'un « monopole », non pas relatif, mais « absolu », de l'émission des valeurs. Pratiquement, c'est un « trust des grandes banques ». Et le monopole qu'il exerce assure des bénéfices exorbitants, lors des émissions. Le pays contractant un emprunt ne reçoit généralement pas plus de 90 % du montant de ce dernier ; 10 % reviennent aux banques et aux autres intermédiaires. Le bénéfice des banques sur l'emprunt russo-chinois de 400 millions de francs s'est élevé à 8 %; sur l'emprunt russe de 800 millions (1904), à 10 %; sur l'emprunt marocain de 62 500 000 francs (1904), à 18,75 %. Le capitalisme, qui a inauguré son développement par l'usure en petit, l'achève par l'usure en grand. « Les Français, dit Lysis, sont les usuriers de l'Europe. » Toutes les conditions de la vie économique sont profondément modifiées par cette transformation du capitalisme. Même lorsque la population est stagnante, que l'industrie, le commerce et les transports maritimes sont frappés de marasme, le « pays » peut s'enrichir par l'usure. « Cinquante personnes représentant un capital de 8 millions de francs peuvent disposer de *deux milliards* placés dans quatre banques. » Le système des « participations », que nous connaissons déjà, amène au même résultat : la « Société Générale », une des banques les plus puissantes, émet 64 000 obligations d'une filiale, les « Raffineries d'Egypte ». Le cours de l'émission étant à 150 %, la banque gagne 50 centimes du franc. Les dividendes de cette société se sont révélés fictifs, le « public » a perdu de 90 à 100 millions de francs. « Un des directeurs de la « Société Générale » faisait partie du Conseil d'administration des « Raffineries d'Égypte ». Rien d'étonnant si l'auteur est obligé de conclure : « La République française est une monarchie financière »; « l'omnipotence de nos grandes banques est absolue ; elles entraînent dans leur sillage le gouvernement, la presse. »

La rentabilité exceptionnelle de l'émission des valeurs, une des principales opérations du capital financier, joue un rôle très important dans le développement et l'affermissement de l'oligarchie financière : « Il n'y a pas, dans tout le pays, une seule affaire qui donne, fût-ce approximativement, des bénéfices aussi élevés que la médiation pour le remplacement d'un emprunt étranger », dit la revue allemande *Die Bank*.

« Il n'est pas une seule opération bancaire qui procure des bénéfices aussi élevés que les émissions. » D'après l'*Economiste allemand*, les bénéfices réalisés sur l'émission de valeurs industrielles ont été, en moyenne :

en	1895,	38,6 %	en	1898,	67,7 %
"	1896,	36,1 %	"	1899,	66,9 %
"	1897,	66,7 %	"	1900,	55,2 %

« En dix ans, de 1891 à 1900, l'émission des valeurs industrielles allemandes a fait « gagner » *plus d'un milliard.* »

Si, dans les périodes d'essor industriel, les bénéfices du capital financier sont démesurés, en période de dépression les petites entreprises et les entreprises précaires périssent, et les grandes banques « participent » soit à leur achat à vil prix, soit à de profitables « assainissements » et « réorganisations ». Dans l'« assainissement » des entreprises déficitaires, « le capital-actions est abaissé, c'est-à-dire que les bénéfices sont répartis sur un montant moindre du capital et calculés par la suite en conséquence. Ou encore, si les revenus sont tombés à zéro, on fait appel à un nouveau capital ; celui-ci, associé à l'ancien qui est de moindre rapport, devient dès lors suffisamment rentable. Remarquons en passant, ajoute Hilferding, que tous ces assainissements et réorganisations ont pour les banques une double importance : c'est d'abord une opération fructueuse et, ensuite, une occasion de prendre en tutelle ces sociétés embarrassées ».

Un exemple. La société anonyme « Union », de Dortmund, fondée en 1872, au capital-actions de 40 millions de marks environ, vit le cours de ses actions s'élever à 170 % après qu'elle eut payé dans sa première année 12 % de dividendes. Le capital financier en fit son beurre, gagnant la bagatelle de 28 millions de marks. Lors de la fondation de cette société, le rôle principal était revenu à la « Disconto-Gesellschaft », cette même grosse banque allemande qui a réussi à porter son capital à 300 millions de marks. Ensuite, les dividendes de l'« Union » tombèrent à zéro. Les actionnaires durent consentir à passer une partie des capitaux par « profits et pertes », c'est-à-dire à en sacrifier une partie pour ne pas perdre le tout. Et c'est ainsi que, par une série d'« assainissements », plus de 73 millions de marks ont disparu, en trente ans, des registres de l'« Union ». « À l'heure actuelle, les actionnaires fondateurs de cette société n'en ont en mains que 5 % de la valeur nominale de leurs titres », mais les banques n'ont cessé de « gagner » à chaque « assainissement ».

La spéculation sur les terrains situés aux environs des grandes villes en plein développement est aussi une opération extrêmement lucrative pour le capital financier. Le monopole des banques fusionne ici avec celui de la rente foncière et celui des voies de communication, car la montée du prix des terrains, la possibilité de les vendre avantageusement par lots, etc., dépendent surtout de la commodité des communications avec le centre de la ville, et ces communications sont précisément aux mains des grandes compagnies liées à ces mêmes banques par le système de participations et la répartition des postes directoriaux. Il se produit ce que l'auteur allemand L. Eschwege, collaborateur de la revue *Die Bank*, qui a spécialement étudié les opérations de vente de terrains, les hypothèques foncières, etc., a appelé le « marais »: la spéculation effrénée sur les terrains suburbains, les faillites des entreprises de construction telles que la « Boswau et Knauer » de Berlin, qui avait récolté jusqu'à 100 millions de marks par l'intermédiaire de l'« importante et respectable » « Deutsche Bank », laquelle, s'en tenant bien entendu au système des « participations », c'est-à-dire agissant en secret, dans l'ombre, s'est tirée d'affaire en perdant « seulement » 12 millions de marks ; ensuite, la ruine des petits propriétaires et des ouvriers que les firmes de constructions factices laissent impayées ; les tripotages avec la « loyale » police et l'administration berlinoises pour avoir la haute main sur la délivrance par la municipalité des renseignements concernant les terrains et des autorisations de construire, etc., etc.

Les « moeurs américaines », au sujet desquelles les professeurs européens et les bourgeois bien pensants lèvent si hypocritement les yeux au ciel, sont devenues, à l'époque du capital financier, celles de toute grande ville dans n'importe quel pays.

On parlait à Berlin, au début de 1914, de la constitution prochaine d'un « trust des transports », c'est-à-dire d'une « communauté d'intérêts » de trois entreprises berlinoises de transports : Chemin de fer électrique urbain, Société des tramways et Société des omnibus. « Que pareille intention existât, écrivait *Die Bank*, nous le savions depuis qu'il est connu que la majorité des actions de la Société des omnibus a été acquise par deux autres sociétés de transports... On ne saurait suspecter la bonne foi des instigateurs de ces projets qui espèrent, par une régularisation unifiée des transports, réaliser des économies, dont une partie pourrait finalement profiter au public. Mais la question se complique du fait que, derrière le trust en formation, il y a des banques qui, si elles le veulent, peuvent subordonner les moyens de communication dont elles auront le monopole aux intérêts de leur commerce de terrains. Pour se convaincre combien une telle supposition est naturelle, il suffit de se rappeler que, dès la fondation de la Société du chemin de fer électrique urbain, les intérêts de la grande banque qui la patronnait s'y sont trouvés mêlés. Savoir : les intérêts de cette entreprise de transports s'enchevêtraient avec les intérêts du trafic des terrains. En effet, la ligne est de ce chemin de fer devait desservir des terrains que la banque, une fois la construction de la ligne assurée, revendit avec un énorme bénéfice pour elle-même et pour quelques participants »...

Le monopole, quand il s'est formé et brasse des milliards, pénètre impérieusement dans *tous* les domaines de la vie sociale, indépendamment du régime politique et de toutes autres « contingences ». La littérature économique allemande a l'habitude de louer servilement l'intégrité des fonctionnaires prussiens, non sans faire allusion au Panama français et la corruption politique américaine. Mais la vérité est que *même* les publications bourgeoises consacrées aux affaires bancaires de l'Allemagne sont constamment obligées de déborder le domaine des opérations purement bancaires et de parler, par exemple, de « l'attraction exercée par les banques » sur les fonctionnaires qui, de plus en plus fréquemment, passent au service de ces dernières : « où en est l'intégrité du fonctionnaire d'État qui aspire, dans son for intérieur, à une petite place de tout repos à la Behrenstrasse ? » (rue de Berlin où se trouve le siège de la « Deutsche Bank »). L'éditeur de *Die Bank*, Alfred Lansburgh, écrivait en 1909 un article : « La signification économique du byzantinisme », traitant notamment du voyage de Guillaume II en Palestine et « de sa conséquence immédiate, le chemin de fer de Bagdad, cette fatale « grande œuvre de l'esprit d'entreprise allemand », qui a plus fait pour l'« encerclement » que tous nos péchés politiques pris ensemble » (il faut entendre par encerclement la politique d'Édouard VII, tendant à isoler l'Allemagne dans le cercle d'une alliance impérialiste antiallemande). En 1911, le collaborateur déjà mentionné de cette revue, Eschwege, publiait un article intitulé : « La ploutocratie et les fonctionnaires », dans lequel il dévoilait, entre autres, le cas du fonctionnaire allemand Völker, qui se signala par son énergie au sein de la commission des cartels, mais qui, au bout de quelque temps, se trouva être détenteur d'une petite place lucrative dans le plus grand des cartels, le Syndicat de l'acier. Des cas analogues, qui ne sont point un effet du hasard, obligeaient l'écrivain bourgeois à reconnaître que « la liberté économique garantie par la Constitution allemande, n'est plus, dans bien des domaines, qu'une phrase vide de sens » et que, la domination de la ploutocratie une fois établie, « même la liberté politique la plus large ne peut empêcher que nous ne devenions un peuple d'hommes privés de liberté ».

Pour ce qui est de la Russie, nous nous bornerons à un seul exemple. Il y a quelques années, une nouvelle a fait le tour de la presse, annonçant que Davydov, directeur de la chancellerie du crédit, abandonnait son poste d'État pour entrer au service d'une grande banque ; celle-ci lui accordait des émoluments qui, d'après le contrat, devaient en quelques années se monter à plus d'un million de roubles. La chancellerie du crédit est une institution dont la tâche est de « coordonner l'activité de tous les établissements de crédit de l'État », et qui accorde aux banques de la capitale des subventions allant de 800 à 1 000 millions de roubles ———.

Le propre du capitalisme est, en règle générale, de séparer la propriété du capital de son application à la production ; de séparer le capital-argent du capital industriel ou productif ; de séparer le rentier, qui ne vit que du revenu qu'il tire du capital-argent, de l'industriel, ainsi que de tous ceux qui participent directement à la gestion des capitaux. L'impérialisme, ou la domination du capital financier, est ce stade suprême du capitalisme où cette séparation atteint de vastes proportions. La suprématie du capital financier sur toutes les autres formes du capital signifie l'hégémonie du rentier et de l'oligarchie financière ; elle signifie une situation privilégiée pour un petit nombre d'États financièrement « puissants », par rapport à tous les autres. On peut juger de l'échelle de ce processus par la statistique des émissions, c'est-à-dire de la mise en circulation de valeurs de toute sorte.

Dans le *Bulletin de l'Institut international de statistique*, A. Neymarck a publié les émissions de valeurs dans le monde entier des données très étendues, complètes, susceptibles d'être comparées, et maintes fois reproduites par la suite fragmentairement dans les publications économiques. Voici les chiffres pour les quarante dernières années :

Total des émissions en milliards de francs
par dizaine d'années

1871-1880	76,1
1881-1890	64,5
1891-1900	100,4
1901-1910	197,8

Entre 1870 et 1880, la somme des émissions a augmenté dans le monde entier à la suite, notamment, des emprunts, conséquence de la guerre franco-prussienne et de la « Gründerzeit » qui la suivit en Allemagne. D'une façon générale, pendant les trente dernières années du XIXe siècle, les émissions n'augmentent relativement pas très vite. Mais, au cours des dix premières années du XXe siècle, la progression est énorme, près de 100 % en dix ans. Le début du XXe siècle marque donc un tournant en ce qui concerne non seulement l'extension des monopoles (cartels, syndicats, trusts), ce dont nous avons déjà parlé, mais aussi en ce qui concerne le développement du capital financier.

Neymarck évalue à environ 815 milliards de francs le total des valeurs émises dans le monde entier en 1910. Défalcation faite, approximativement, des sommes répétées, il abaisse ce total à 575 ou 600 milliards, qui se répartissent comme suit entre les différents pays (le montant étant supposé égal à 600 milliards) :

Montant des valeurs en 1910
(en milliards de francs)

Angleterre	142	479	Hollande	12,5
États-Unis	132		Belgique	7,5
France	110		Espagne	7,5
Allemagne	95		Suisse	6,25
Russie	31		Danemark	3,75
Autriche-Hongrie	24		Suède, Norvège	
Italie	14		Roumanie, etc.	2,5
Japon	12			
			Total	600

Ces chiffres, on le voit immédiatement, mettent très nettement en évidence les quatre pays capitalistes les plus riches, qui disposent chacun d'environ 100 à 150 milliards de francs de valeurs. Deux de ces quatre pays — l'Angleterre et la France — sont les pays capitalistes les plus anciens et, ainsi que nous le verrons, les plus riches en colonies ; les deux autres — les États-Unis et l'Allemagne — sont les plus avancés par le développement rapide et le degré d'extension des monopoles capitalistes dans la production. Ensemble, ces quatre pays possèdent 479 milliards de francs, soit près de 80 % du capital financier mondial. Presque tout le reste du globe est, d'une manière ou d'une autre, débiteur et tributaire de ces pays, véritables banquiers internationaux, qui sont les quatre « piliers » du capital financier mondial.

Il importe d'examiner particulièrement le rôle que joue l'exportation des capitaux dans la création du réseau international de dépendances et de relations du capital financier.

IV. L'exportation des capitaux

Ce qui caractérisait l'ancien capitalisme, où régnait la libre concurrence, c'était l'exportation des *marchandises*. Ce qui caractérise le capitalisme actuel, où règnent les monopoles, c'est l'exportation des *capitaux*.

Le capitalisme, c'est la production marchande à son plus haut degré de développement, où la force de travail elle-même devient marchandise. L'extension des échanges tant nationaux qu'internationaux, surtout, est un trait distinctif caractéristique du capitalisme. Le développement inégal et par bonds des différentes entreprises, des différentes industries et des différents pays, est inévitable en régime capitaliste. Devenue capitaliste la première, et adoptant le libre-échange vers le milieu du XIXe siècle, l'Angleterre prétendit au rôle d'« atelier du monde entier », de fournisseur en articles manufacturés de tous les pays, qui devaient, en échange, la ravitailler en matières premières. Mais *ce* monopole, l'Angleterre, commença à le perdre dès le dernier quart de ce siècle. D'autres pays, qui s'étaient défendus par des tarifs douaniers « protecteurs », devinrent à leur tour les États capitalistes indépendants. Au seuil du XXe siècle, on vit se constituer un autre genre de monopoles : tout d'abord, des associations monopolistes capitalistes dans tous les pays à capitalisme évolué ; ensuite, la situation de monopole de quelques pays très riches, dans lesquels l'accumulation des capitaux atteignait d'immenses proportions. Il se constitua un énorme « excédent de capitaux » dans les pays avancés.

Certes, si le capitalisme pouvait développer l'agriculture qui, aujourd'hui, retarde partout terriblement sur l'industrie, s'il pouvait élever le niveau de vie des masses populaires qui, en dépit d'un progrès technique vertigineux, demeurent partout grevées par la sous-alimentation et l'indigence, il ne saurait être question d'un excédent de capitaux. Les critiques petits-bourgeois du capitalisme servent à tout propos cet « argument ». Mais alors le capitalisme ne serait pas le capitalisme, car l'inégalité de son développement et la sous-alimentation des masses sont les conditions et les prémisses fondamentales, inévitables, de ce mode de production. Tant que le capitalisme reste le capitalisme, l'excédent de capitaux est consacré, non pas à élever le niveau de vie des masses dans un pays donné, car il en résulterait une diminution des profits pour les capitalistes, mais à augmenter ces profits par l'exportation de capitaux à l'étranger, dans les pays sous-développés. Les profits y sont habituellement élevés, car les capitaux y sont peu nombreux, le prix de la terre relativement bas, les salaires de même, les matières premières à bon marché. Les possibilités d'exportation de capitaux proviennent de ce qu'un certain nombre de pays attardés sont d'ores et déjà entraînés dans l'engrenage du capitalisme mondial, que de grandes lignes de chemins de fer ont été construites ou sont en voie de construction, que les conditions élémentaires du développement industriel s'y trouvent réunies, etc. La nécessité de l'exportation des capitaux est due à la « maturité excessive » du capitalisme dans certains pays, où (l'agriculture étant arriérée et les masses misérables) les placements « avantageux » font défaut au capital.

Voici des données approximatives sur l'importance des capitaux placés à l'étranger par trois principaux pays.

Capitaux placés à l'étranger
(en milliards de francs)

Années	Par l'Angleterre	Par la France	Par l'Allemagne
1862	3,6	—	—
1872	15	10 (1869)	—
1882	22	15 (1880)	?
1893	42	20 (1890)	?
1902	62	27-37	12,5
1914	75-100	60	44

On voit par là que l'exportation des capitaux n'atteignit un développement prodigieux qu'au début du XXe siècle. Avant la guerre, les capitaux investis à l'étranger par les trois principaux pays étaient de 175 à 200 milliards de francs par an. Au taux modeste de 5 %, ils devaient rapporter 8 à 10 milliards de francs par an. Base solide pour l'oppression et l'exploitation impérialiste de la plupart des pays et des peuples du monde, pour le parasitisme capitaliste d'une poignée d'États opulents !

Comment se répartissent entre les différents pays ces capitaux placés à l'étranger ? Où vont-ils ? À cette question on ne peut donner qu'une réponse approximative, qui est pourtant de nature à mettre en lumière certains rapports et liens généraux de l'impérialisme moderne.

Continents entre lesquels sont répartis (approximativement)
les capitaux exportés (aux environs de 1910)

	par l'Angleterre	par la France	par l'Allemagne	Total
	(en milliards de marks)			
Europe	4	23	18	45
Amérique	37	4	10	51
Asie, Afrique et Australie	29	8	7	44
Total	70	35	35	140

Pour l'Angleterre, ce sont en premier lieu ses possessions coloniales, très grandes en Amérique également (le Canada, par exemple), sans parler de l'Asie, etc. Les immenses exportations de capitaux sont étroitement liées ici, avant tout, aux immenses colonies, dont nous dirons plus loin l'importance pour l'impérialisme. Il en va autrement pour la France. Ici, les capitaux placés à l'étranger le sont surtout en Europe et notamment en Russie (10 milliards de francs au moins). Il s'agit principalement de capitaux *de prêt*, d'emprunts d'États, et non de capitaux investis dans des entreprises industrielles. À la différence de l'impérialisme anglais, colonialiste, l'impérialisme français peut être qualifié d'usuraire. L'Allemagne offre une troisième variante : ses colonies sont peu considérables, et ses capitaux placés à l'étranger sont ceux qui se répartissent le plus également entre l'Europe et l'Amérique.

Les exportations de capitaux influent, en l'accélérant puissamment, sur le développement du capitalisme dans les pays vers lesquels elles sont dirigées. Si donc ces exportations sont susceptibles, jusqu'à un certain point, d'amener un ralentissement dans l'évolution des pays exportateurs, ce ne peut être qu'en développant en profondeur et en étendue le capitalisme dans le monde entier.

Les pays exportateurs de capitaux ont presque toujours la possibilité d'obtenir certains « avantages », dont la nature fait la lumière sur l'originalité de l'époque du capital financier et des monopoles. Voici, par exemple, ce qu'on lisait, en octobre 1913, dans la revue berlinoise *Die Bank* :

« Une comédie digne d'un Aristophane se joue depuis peu sur le marché financier international. De nombreux États étrangers, de l'Espagne aux Balkans, de la Russie à l'Argentine, au Brésil et à la Chine présentent sur les grands marchés financiers, ouvertement ou sous le manteau, des demandes d'emprunts dont certaines sont extraordinairement pressantes. La situation aujourd'hui n'est guère favorable sur les marchés financiers et les perspectives politiques ne sont pas radieuses. Et cependant, aucun des marchés financiers n'ose refuser les emprunts étrangers, de crainte que le voisin ne le prévienne et ne consente l'emprunt, en s'assurant ainsi services pour services. Dans les transactions internationales de cette sorte, le prêteur, en effet, obtient presque toujours quelque chose : un avantage lors de la conclusion d'un traité de commerce, une base houillère, la construction d'un port, une grasse concession, une commande de canons. »

Le capital financier a engendré les monopoles. Or, les monopoles introduisent partout leurs méthodes : l'utilisation des « relations » pour des transactions avantageuses se substitue, sur le marché public, à la concurrence. Rien de plus ordinaire que d'exiger, avant d'accorder un emprunt, qu'il soit affecté en partie à des achats de produits dans le pays prêteur, surtout à des commandes d'armements, de bateaux, etc. La France, au cours de ces vingt dernières années (1890-1910), a très souvent recouru à ce procédé. L'exportation des capitaux devient ainsi un moyen d'encourager l'exportation des marchandises. Les transactions entre des entreprises particulièrement importantes revêtent, dans ces circonstances, un caractère tel que, pour employer cet « euphémisme » de

Schilder, « elles confinent à la corruption ». Krupp en Allemagne, Schneider en France, Armstrong en Angleterre nous offrent le modèle de ces firmes étroitement liées à des banques géantes et au gouvernement, et qu'il n'est pas facile d'y « passer outre » lors de la conclusion d'un emprunt.

La France, créditrice de la Russie, a « fait pression » sur elle lors du traité de commerce du 16 septembre 1905, en se faisant accorder certains avantages jusqu'en 1917. Elle fit de même à l'occasion du traité de commerce qu'elle signa avec le Japon le 19 août 1911. La guerre douanière entre l'Autriche et la Serbie, qui dura, sauf une interruption de sept mois, de 1906 à 1911, avait été provoquée en partie par la concurrence entre l'Autriche et la France quant aux ravitaillements de la Serbie en matériel de guerre. En janvier 1912, Paul Deschanel déclarait à la Chambre que les firmes françaises avaient, de 1908 à 1911, fourni à la Serbie pour 45 millions de francs de matériel de guerre.

Un rapport du consul austro-hongrois à São-Paulo (Brésil) déclare : « La construction des chemins de fer brésiliens est réalisée principalement avec des capitaux français, belges, britanniques et allemands. Les pays intéressés s'assurent, au cours des opérations financières liées à la construction des voies ferrées, des commandes de matériaux de construction ».

Le capital financier jette ainsi ses filets au sens littéral du mot, pourrait-on dire, sur tous les pays du monde. Les banques qui se fondent dans les colonies et leurs succursales, jouent en l'occurrence un rôle important. Les impérialistes allemands considèrent avec envie les « vieux » pays colonisateurs qui, à cet égard, ont assuré leur avenir de façon particulièrement « avantageuse »: en 1904 l'Angleterre avait 50 banques coloniales avec 2 279 succursales (en 1910, elle en avait 72 avec 5 449 succursales) ; la France en avait 20 avec 136 succursales ; la Hollande, 16 avec 68 succursales, alors que l'Allemagne n'en avait « en tout et pour tout » que 13 avec 70 succursales. Les capitalistes américains jalousent, de leur côté, leurs confrères anglais et allemands : « En Amérique du Sud, écrivaient-ils, navrés, en 1915, cinq banques allemandes ont 40 succursales, et cinq banques anglaises en ont 70... L'Angleterre et l'Allemagne ont, au cours des vingt-cinq dernières années, investi en Argentine, au Brésil et en Uruguay environ 4 billions (milliards) de dollars, ce qui fait qu'ils bénéficient de 46 % de l'ensemble du commerce de ces trois pays. »

Les pays exportateurs de capitaux se sont, au sens figuré du mot, partagé le monde. Mais le capital financier a conduit aussi au partage *direct* du globe.

V. Le partage du monde entre les groupements capitalistes

Les groupements de monopoles capitalistes — cartels, syndicats, trusts — se partagent tout d'abord le marché intérieur en s'assurant la possession, plus ou moins absolue, de toute la production de leur pays. Mais, en régime capitaliste, le marché intérieur est nécessairement lié au marché extérieur. Il y a longtemps que le capitalisme a créé le marché mondial. Et, au fur et à mesure que croissait l'exportation des capitaux et que s'étendaient, sous toutes les formes, les relations avec l'étranger et les colonies, ainsi que les « zones d'influence » des plus grands groupements monopolistes, les choses allaient « naturellement » vers une entente universelle de ces derniers, vers la formation de cartels internationaux.

Ce nouveau degré de concentration du capital et de la production à l'échelle du monde entier est infiniment plus élevé que les précédents. Voyons comment se forme ce supermonopole.

L'industrie électrique caractérise mieux que toute autre les progrès modernes de la technique, le capitalisme de la fin du XIXe siècle et du commencement du XXe. Et elle s'est surtout développée dans les deux nouveaux pays capitalistes les plus avancés : les États-Unis et l'Allemagne. En Allemagne, la concentration dans ce domaine a été particulièrement accélérée par la crise de 1900. Les banques, déjà suffisamment liées à l'industrie à cette époque, précipitèrent et accentuèrent au plus haut point pendant cette crise la ruine des entreprises relativement peu importantes, et leur absorption par les grandes entreprises. « En refusant tout secours aux entreprises qui avaient précisément le plus grand besoin de capitaux, écrit Jeidels, les banques provoquèrent d'abord un essor prodigieux, puis la faillite lamentable des sociétés qui ne leur étaient pas assez étroitement rattachées. »

Résultat : après 1900, la concentration progressa à pas de géant. Jusqu'en 1900, il y avait eu dans l'industrie électrique 8 ou 7 « groupes » formés chacun de plusieurs sociétés (au total 28) et dont chacun était soutenu par des banques au nombre de 2 à 11. Vers 1908-1912, tous ces groupes avaient fusionné pour n'en former que deux, voire un. Voici comment :

Groupements dans l'industrie électrique:

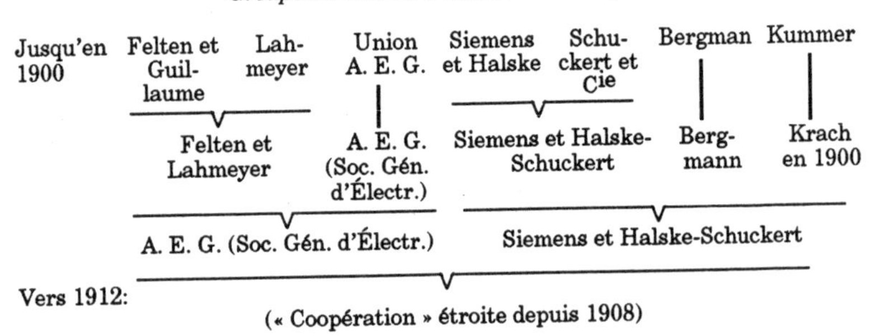

La fameuse A.E.G. (Société Générale d'Électricité) contrôle au terme de ce développement 175 à 200 sociétés (selon le système des « participations ») et dispose au total d'un capital d'environ 1,5 *milliard* de marks. À elles seules, ses représentations directes à l'étranger sont au nombre de 34, dont 12 sociétés par actions, dans plus de 10 États. Dès 1904, les capitaux investis par l'industrie électrique allemande à l'étranger étaient évalués à 233 millions de marks, dont 62 millions en Russie. Inutile de dire que la « Société Générale d'Électricité » est une immense entreprise « combinée » (ses sociétés industrielles de fabrication sont à elles seules au nombre de 16), produisant les articles les plus variés, depuis les câbles et isolateurs jusqu'aux automobiles et aux appareils volants.

Mais la concentration en Europe a été aussi partie intégrante du processus de concentration en Amérique. Voici comment cela s'est fait :

	General Electric C°	
État-Unis:	La Compagnie Thompson-Houston fonde pour l'Europe la firme	La Compagnie Édison fonde pour l'Europe la Société française Édison, qui transmet ses brevets à la firme allemande
Allemagne:	Société d'Electricité Union	Société Générale d'Électricité (A. E. G.)
	Société Générale d'Électricité (A. E. G.)	

Ainsi se sont constituées *deux* « puissances » de l'industrie électrique. « Il n'existe pas au monde d'autres sociétés d'électricité qui en soient *entièrement* indépendantes », écrit Heinig dans son article « La voie du trust de l'électricité ». Quant au chiffre d'affaires et à l'importance des entreprises des deux « trusts », les chiffres suivants en donnent une idée, encore que très incomplète :

		Chiffres d'affaires (en millions de marks)	Nombre de personnes employées	Bénéfices nets (en millions de marks)
Amérique: « General Electric C° » (G.E.C.)	1907 :	252	28 000	35,4
	1910 :	298	32 000	45,6
Allemagne: « Société Générale d'Électricité » (A.E.G.)	1907 :	216	30 700	14,5
	1911 :	362	60 800	21,7

Et voilà qu'en 1907, entre les trusts américain et allemand, intervient un accord pour le partage du monde. La concurrence cesse entre eux. Le G.E.C. « reçoit » les États-Unis et le Canada ; l'A.E.G. « obtient » l'Allemagne, l'Autriche, la Russie, la Hollande, le Danemark, la Suisse, la Turquie, les Balkans. Des accords spéciaux, naturellement secrets, règlent l'activité des filiales, qui pénètrent dans de nouvelles branches de l'industrie et dans les pays

« nouveaux » qui ne sont pas encore formellement inclus dans le partage. Il s'institue un échange d'expérience et d'inventions.

On conçoit toute la difficulté de la concurrence contre ce trust, pratiquement unique et mondial, qui dispose d'un capital de plusieurs milliards et a des « succursales », des représentations, des agences, des relations, etc., en tous les points du globe. Mais ce partage du globe entre deux trusts puissants n'exclut certes pas un *nouveau partage*, au cas où le rapport des forces viendrait à se modifier (par suite d'une inégalité dans le développement, de guerres, de faillites, etc.).

L'industrie du pétrole fournit un exemple édifiant d'une tentative de repartage de ce genre, de lutte pour ce nouveau partage.

« Le marché mondial du pétrole, écrivait en 1905 Jeidels, est, aujourd'hui encore, partagé entre deux grands groupes financiers : la « Standard Oil C-y » de Rockefeller et les maîtres du pétrole russe de Bakou, Rothschild et Nobel. Les deux groupes sont étroitement liés ; mais, depuis plusieurs années, leur monopole est menacé par cinq ennemis »: 1) l'épuisement des ressources pétrolières américaines ; 2) la concurrence de la firme Mantachev de Bakou ; 3) les sources de pétrole d'outre-Océan, notamment dans les colonies hollandaises (les firmes richissimes Samuel et Shell, liées également au capital anglais). Les trois derniers groupes d'entreprises sont liés aux grandes banques allemandes, la puissante « Deutsche Bank » en tête. Ces banques ont développé systématiquement et de façon autonome l'industrie du pétrole, par exemple en Roumanie, pour avoir « leur propre » point d'appui. En 1907, la somme des capitaux étrangers investis dans l'industrie roumaine du pétrole se montait à 185 millions de francs, dont 74 millions de provenance allemande.

On vit alors débuter ce qu'on appelle, dans la littérature économique, une lutte pour le « partage du monde ». D'une part, la « Standard Oil » de Rockefeller, voulant *tout* avoir, fonda en Hollande *même* une société filiale, accaparant les sources pétrolifères des Indes néerlandaises et cherchant ainsi à atteindre son ennemi principal, le trust hollando-britannique de la « Shell ». De leur côté, la « Deutsche Bank » et les autres banques berlinoises cherchèrent à « garder » la Roumanie et à l'associer à la Russie contre Rockefeller. Ce dernier disposait de capitaux infiniment supérieurs et d'une excellente organisation pour le transport du pétrole et sa livraison aux consommateurs. La lutte devait se terminer, et elle se termina effectivement en 1907, par la défaite totale de la « Deutsche Bank », qui se trouva placée devant l'alternative de liquider ses « intérêts pétroliers » en perdant des millions, ou de se soumettre. C'est cette dernière solution qui l'emporta : il fut conclu avec la « Standard Oil » un contrat fort désavantageux pour la « Deutsche Bank » par lequel cette dernière s'engageait à « ne rien entreprendre qui pût nuire aux intérêts américains »; toutefois, une clause prévoyait l'annulation du contrat au cas où l'Allemagne introduirait, par voie législative, le monopole d'État sur le pétrole.

Alors commence la « comédie du pétrole ». Un des rois de la finance allemande, von Gwinner, directeur de la « Deutsche Bank », déclenche, par l'intermédiaire de son secrétaire privé Stauss, une campagne *pour* le monopole des pétroles. L'appareil formidable de la grande banque berlinoise, avec ses vastes « relations », est mis en branle : la presse, délirante, déborde de clameurs « patriotiques » contre le « joug » du trust américain et, le 15 mars 1911, le Reichtag adopte, presque à l'unanimité, une motion invitant le gouvernement à présenter un projet de monopole pour le pétrole. Le gouvernement se saisit de cette idée « populaire », et la « Deutsche Bank », qui voulait duper son associé américain et améliorer sa situation à l'aide du monopole d'État, paraissait gagner la partie. Déjà les magnats allemands du pétrole escomptaient des bénéfices fabuleux, qui devaient ne le céder en rien à ceux des sucriers russes... Mais, premièrement, les grandes banques allemandes se brouillèrent au sujet du partage du butin, et la « Disconto-Gesellschaft » dévoila les visées intéressées de la « Deutsche Bank »; ensuite, le gouvernement eut peur à l'idée d'engager la lutte avec Rockefeller, car il était en dehors de ce dernier (la production roumaine étant peu importante). Enfin (1913), le crédit d'un milliard destiné aux préparatifs de guerre de l'Allemagne fut accordé et le projet de monopole se trouva reporté. La « Standard Oil » de Rockefeller sortait momentanément victorieuse de la lutte.

La revue berlinoise *Die Bank* disait à ce propos que l'Allemagne ne pourrait combattre la « Standard Oil » qu'en instituant le monopole du courant électrique et en transformant la force hydraulique en électricité à bon marché. Mais, ajoutait l'auteur de l'article, « le monopole de l'électricité viendra au moment où les producteurs en auront besoin, c'est-à-dire quand l'industrie électrique sera au seuil d'une nouvelle grande faillite ; quand les gigantesques centrales électriques si coûteuses, construites partout aujourd'hui par les « consortiums » privés de l'industrie électrique et pour lesquelles ces « consortiums » se voient dès maintenant attribuer certains monopoles par les villes, les États, etc., ne pourront plus travailler dans des conditions profitables. Dès lors il faudra avoir recours aux forces hydrauliques. Mais on ne pourra pas les transformer aux frais de l'État en électricité à bon marché ; il faudra une fois de plus les remettre à un « monopole privé contrôlé par l'État », l'industrie privée ayant déjà conclu une série de marchés et s'étant réservé d'importants privilèges... Il en fut ainsi du monopole des potasses ; il en est ainsi de celui du pétrole ; il en sera de même du monopole de l'électricité. Nos socialistes d'État, qui se laissent aveugler par de beaux principes, devraient enfin comprendre qu'en Allemagne les monopoles n'ont jamais eu pour but ni résultat d'avantager les consommateurs, ou même de laisser à l'État une partie des bénéfices de l'entreprise, mais qu'ils ont toujours servi à assainir, aux frais de l'État, l'industrie privée dont la faillite est imminente ».

Voilà les aveux précieux que sont obligés de faire les économistes bourgeois d'Allemagne. Ils montrent nettement que les monopoles privés et les monopoles d'État s'interpénètrent à l'époque du capital financier, les uns et les autres n'étant que des chaînons de la lutte impérialiste entre les plus grands monopoles pour le partage du monde.

Dans la marine marchande, le développement prodigieux de la concentration a également abouti au partage du monde. En Allemagne, on voit au premier plan deux puissantes sociétés, la « Hamburg-America » et la « Nord-Deutsche Lloyd », ayant chacune un capital de 200 millions de marks (actions et obligations) et possédant des bateaux à vapeur d'une valeur de 185 à 189 millions de marks. D'autre part, en Amérique, le 1er janvier 1903, s'est formé le trust dit de Morgan, la « Compagnie Internationale du commerce maritime », qui réunit neuf compagnies de navigations américaines et anglaises et dispose d'un capital de 120 millions de dollars (480 millions de marks). Dès 1903, les colosses allemands et ce trust anglo-américain concluaient un accord pour le partage du monde, en relation avec le partage des bénéfices. Les sociétés allemandes renonçaient à concurrencer leur rival dans les transports entre l'Angleterre et l'Amérique. On avait précisé à qui serait « attribué », tel ou tel port, on avait créé un comité mixte de contrôle, etc. Le contrat était conclu pour vingt ans, avec cette prudente réserve qu'il serait frappé de nullité en cas de guerre.

Extrêmement édifiante aussi est l'histoire de la création du cartel international du rail. C'est en 1884, au moment d'une grave dépression industrielle, que les usines de rails anglaises, *belges* et allemandes firent une première tentative pour constituer ce cartel. Elles s'entendirent pour ne pas concurrencer sur le marché intérieur les pays touchés par l'accord, et se partagèrent le marché extérieur comme suit : Angleterre, 66 %; Allemagne, 27 %; Belgique, 7 %. L'Inde fut attribuée entièrement à l'Angleterre. Une firme anglaise étant restée en dehors du cartel, il y eut contre elle une lutte commune, dont les frais furent couverts par un pourcentage prélevé sur le total des ventes effectuées. Mais, en 1886, lorsque deux firmes anglaises sortirent du cartel, celui-ci s'effondra. Fait caractéristique : l'entente ne put se réaliser dans les périodes ultérieures d'essor industriel.

Au début de 1904, un syndicat de l'acier est fondé en Allemagne. En novembre 1904, le cartel international du rail est reconstitué comme suit : Angleterre, 53,5 %; Allemagne, 28,83 %; Belgique, 17,67 %. La France y adhéra par la suite avec respectivement 4,8 %, 5,8 % et 6,4 % pour la première, la deuxième et la troisième années, au-delà de 100 %, soit pour un total de 104,8 %, etc. En 1905, la « Steel Corporation » américaine y adhérait à son tour, puis l'Autriche et l'Espagne. « À l'heure actuelle, écrivait Vogelstein en 1910, le partage du monde est achevé, et les grands consommateurs, les chemins de fer d'État en premier lieu, peuvent, puisque le monde est déjà partagé et qu'on n'a pas tenu compte de leurs intérêts, habiter comme le poète dans les cieux de Jupiter. »

Mentionnons encore le syndicat international du zinc, fondé en 1909, qui partagea exactement le volume de la production entre cinq groupes d'usines : allemandes, belges, françaises, espagnoles, anglaises ; puis le trust international des poudres, dont Liefmann dit que c'est « une étroite alliance, parfaitement moderne, entre toutes les fabriques allemandes d'explosifs, qui se sont en quelque sorte partagé le monde entier avec les fabriques françaises et américaines de dynamite, organisées de la même manière ».

Au total, Liefmann dénombrait en 1897 près de quarante cartels internationaux auxquels participait l'Allemagne, et, vers 1910, environ une centaine.

Certains auteurs bourgeois (auxquels vient de se joindre K. Kautsky, qui a complètement renié sa position marxiste, celle de 1909 par exemple) ont exprimé l'opinion que les cartels internationaux, une des expressions les plus accusées de l'internationalisation du capital, permettaient d'espérer que la paix régnerait entre les peuples en régime capitaliste. Du point de vue de la théorie, cette opinion est tout à fait absurde ; et du point de vue pratique, c'est un sophisme et un mode de défense malhonnête du pire opportunisme. Les cartels internationaux montrent à quel point se sont développés aujourd'hui les monopoles capitalistes, et *quel est l'objet* de la lutte entre les groupements capitalistes. Ce dernier point est essentiel ; lui seul nous révèle le sens historique et économique des événements, car les *formes* de la lutte peuvent changer et changent constamment pour des raisons diverses, relativement temporaires et particulières, alors que l'*essence* de la lutte, son *contenu* de classe, ne *saurait* vraiment changer tant que les classes existent. On comprend qu'il soit de l'intérêt de la bourgeoisie allemande, par exemple, à laquelle s'est en somme rallié Kautsky dans ses développements théoriques (nous y reviendrons plus loin), de camoufler le *contenu* de la lutte économique actuelle (le partage du monde) et de souligner tantôt une, tantôt une autre *forme* de cette lutte. Kautsky commet la même erreur. Et il ne s'agit évidemment pas de la bourgeoisie allemande, mais de la bourgeoisie universelle. Si les capitalistes se partagent le monde, ce n'est pas en raison de leur scélératesse particulière, mais parce que le degré de concentration déjà atteint les oblige à s'engager dans cette voie afin de réaliser des bénéfices ; et ils le partagent « proportionnellement aux capitaux », « selon les forces de chacun », car il ne saurait y avoir d'autre mode de partage en régime de production marchande et de capitalisme. Or, les forces changent avec le développement économique et politique ; pour l'intelligence des événements, il faut savoir quels problèmes sont résolus par le changement du rapport des forces ; quant à savoir si ces changements sont « purement » économiques ou *extra*-économiques (par exemple, militaires), c'est là une question secondaire qui ne peut modifier en rien le point de vue fondamental sur l'époque moderne du capitalisme. Substituer à la question du *contenu* des luttes et des transactions entre les groupements capitalistes la question de la forme de ces luttes et de ces transactions (aujourd'hui pacifique, demain non pacifique, après-demain de nouveau non pacifique), c'est s'abaisser au rôle de sophiste.

L'époque du capitalisme moderne nous montre qu'il s'établit entre les groupements capitalistes certains rapports *basés* sur le partage économique du monde et que, parallèlement et conséquemment, il s'établit entre les groupements politiques, entre les États, des rapports basés sur le partage territorial du monde, sur la lutte pour les colonies, la « lutte pour les territoires économiques ».

VI. Le partage du monde entre les grandes puissances

Dans son livre : *L'extension territoriale des colonies européennes*, le géographie A. Supan donne un rapide résumé de cette extension pour la fin du XIXe siècle :

Pourcentage des territoires appartenant aux puissances colonisatrices européennes (plus les États-Unis)

	1876	1900	Différence
Afrique	10,8 %	90,4 %	+79,6 %
Polynésie	56,8 %	98,9 %	+42,1 %
Asie	51,5 %	56,6 %	+ 5,1 %
Australie	100,0 %	100,0 %	—
Amérique	27,5 %	27,2 %	– 0,3 %

« Le trait caractéristique de cette période, conclut-il, c'est donc le partage de l'Afrique et de la Polynésie. » Comme il n'y a plus, en Asie et en Amérique, de territoires inoccupés, c'est-à-dire n'appartenant à aucun État, il faut amplifier la conclusion de Supan et de dire que le trait caractéristique de la période envisagée, c'est le partage définitif du globe, définitif non en ce sens qu'un *nouveau partage* est impossible, — de nouveaux partages étant au contraire possibles et inévitables, — mais en ce sens que la politique coloniale des pays capitalistes en a *terminé* avec la conquête des territoires inoccupés de notre planète. Pour la première fois, le monde se trouve entièrement partagé, si bien qu'à l'avenir il pourra *uniquement* être question de nouveaux partages, c'est-à-dire du passage d'un « possesseur » à un autre, et non de la « prise de possession » de territoires sans maître.

Nous traversons donc une époque originale de la politique coloniale mondiale, étroitement liée à l'« étape la plus récente du développement capitaliste », celle du capital financier. Aussi importe-t-il avant tout de se livrer à une étude approfondie des données de fait, pour bien comprendre la situation actuelle et ce qui distingue cette époque des précédentes. Tout d'abord, deux questions pratiques : y a-t-il accentuation de la politique coloniale, aggravation de la lutte pour les colonies, précisément à l'époque du capital financier ? et de quelle façon exacte le monde est-il actuellement partagé sous ce rapport ?

Dans son *Histoire de la colonisation*, l'auteur américain Morris tente de comparer les chiffres relatifs à l'étendue de possessions coloniales de l'Angleterre, de la France et de l'Allemagne aux diverses périodes du XIXe siècle. Voici, en abrégé, les résultats qu'il obtient :

Possessions coloniales

	Angleterre		France		Allemagne	
Années	Superficie (en millions de milles carrés	Population (en millions)	Superficie (en millions de milles carrés	Population (en millions)	Superficie (en millions de milles carrés	Population (en millions)
1815-1830	?	126,4	0,02	0,5	—	—
1860	2,5	145,1	0,2	3,4	—	—
1880	7,7	267,9	0,7	7,5	—	—
1899	9,3	309,0	3,7	56,4	1,0	14,7

Pour l'Angleterre, la période d'accentuation prodigieuse des conquêtes coloniales se situe entre 1860 et 1890, et elle est très intense encore dans les vingt dernières années du XIXe siècle. Pour la France et l'Allemagne, c'est surtout ces vingt dernières années qui comptent. On a vu plus haut que le capitalisme prémonopoliste, le capitalisme où prédomine la libre concurrence, atteint la limite de son développement entre 1860 et 1880 ; or, l'on voit maintenant que *c'est précisément au lendemain de cette période* que commence l'« essor » prodigieux des conquêtes coloniales, que la lutte pour le partage territorial du monde devient infiniment âpre. Il est donc hors de doute que le passage du capitalisme à son stade monopoliste, au capital financier, est *lié* à l'aggravation de la lutte pour le partage du monde.

Dans son ouvrage sur l'impérialisme, Hobson distingue la période 1884-1900 comme celle d'une intense « expansion » des principaux États européens. D'après ses calculs, l'Angleterre a acquis, pendant cette période, un territoire de 3,7 millions de milles carrés, avec une population de 57 millions d'habitants ; la France 3,6 millions de milles carrés avec 36,5 millions d'habitants ; l'Allemagne, un million de milles carrés avec 14,7 millions d'habitants ; la Belgique, 900 000 milles carrés avec 30 millions d'habitants ; le Portugal, 80 000 milles carrés avec 9 millions d'habitants. La chasse aux colonies menées par tous les États capitalistes à la fin du XIXe siècle, et surtout après 1880, est un fait universellement connu dans l'histoire de la diplomatie et de la politique extérieure.

À l'apogée de la libre concurrence en Angleterre, entre 1840 et 1870, les dirigeants politiques bourgeois du pays étaient *contre* la politique coloniale, considérant l'émancipation des colonies, leur détachement complet de l'Angleterre, comme une chose utile et inévitable. Dans un article sur « l'Impérialisme britannique contemporain », publié en 1898, M. Beer indique qu'un homme d'État anglais aussi enclin, pour ne pas dire plus, à pratiquer une politique impérialiste, que Disraëli, déclarait en 1852 : « Les colonies sont des meules pendues à notre cou. » Mais à la fin du XIXe siècle, les hommes du jour en Grande-Bretagne étaient Cecil Rhodes et Joseph Chamberlain, qui prêchaient ouvertement l'impérialisme et en appliquaient la politique avec le plus grand cynisme !

Il n'est pas sans intérêt de constater que, dès cette époque, ces dirigeants politiques de la bourgeoisie anglaise voyaient nettement le rapport entre les racines pour ainsi dire purement économiques et les racines sociales et politiques de l'impérialisme contemporain. Chamberlain prêchait l'impérialisme comme une « politique authentique, sage et économe », insistant surtout sur la concurrence que font à l'Angleterre sur le marché mondial l'Allemagne, l'Amérique et la Belgique. Le salut est dans les monopoles, disaient les capitalistes en fondant des cartels, des syndicats et des trusts. Le salut est dans les monopoles, reprenaient les chefs politiques de la bourgeoisie en se hâtant d'accaparer les parties du monde non encore partagées. Le journaliste Stead, ami intime de Cecil Rhodes, raconte que celui-ci lui disait en 1895, à propos de ses conceptions impérialistes : « J'étais hier dans l'East-End (quartier ouvrier de Londres), et j'ai assisté à une réunion de sans-travail. J'y ai entendu des discours forcenés. Ce n'était qu'un cri : Du pain ! Du pain ! Revivant toute la scène en rentrant chez moi, je me sentis encore plus convaincu qu'avant de l'importance de l'impérialisme... L'idée qui me tient le plus à cœur, c'est la solution du problème social, à savoir : pour sauver les quarante millions d'habitants du Royaume-Uni d'une guerre civile meurtrière, nous, les colonisateurs, devons conquérir des terres nouvelles afin d'y installer l'excédent de notre population, d'y trouver de nouveaux débouchés pour les produits de nos fabriques et de nos mines. L'Empire, ai-je toujours dit, est une question de ventre. Si vous voulez éviter la guerre civile, il vous faut devenir impérialistes. »

Ainsi parlait en 1895 Cecil Rhodes, millionnaire, roi de la finance, le principal fauteur de la guerre anglo-boer. Mais si sa défense de l'impérialisme est un peu grossière, cynique, elle ne se distingue pas, quant au fond, de la « théorie » de MM. Maslov, Südekum, Potressov, David, du fondateur du marxisme russe, etc.,

etc. Cecil Rhodes était tout simplement un social-chauvin un peu plus honnête...

Pour donner un tableau aussi précis que possible du partage territorial du monde et des changements survenus à cet égard pendant ces dernières dizaines d'années, nous profiterons des données fournies par Supan, dans l'ouvrage déjà cité, sur les possessions coloniales de toutes les puissances du monde. Supan considère les années 1876 et 1900. Nous prendrons comme termes de comparaison l'année 1876, fort heureusement choisie, car c'est vers cette époque que l'on peut, somme toute, considérer comme achevé le développement du capitalisme prémonopoliste en Europe occidentale, et l'année 1914, en remplaçant les chiffres de Supan par ceux, plus récents des *Tableaux de géographie et de statistique de Hübner*. Supan n'étudie que les colonies ; nous croyons utile, pour que le tableau du partage du monde soit complet, d'y ajouter aussi des renseignements sommaires sur les pays non coloniaux et sur les pays semi-coloniaux, parmi lesquels nous rangeons la Perse, la Chine et la Turquie. À l'heure présente, la Perse est presque entièrement une colonie ; la Chine et la Turquie sont en voie de le devenir.

Voici les résultats que nous obtenons :

Possessions coloniales des grandes puissances
(En millions de kilomètres carrés et en millions d'habitants)

	Colonies				Métropoles		Total	
	1876		1914		1914		1914	
	km^2	hab.	km^2	hab.	km^2	hab.	km^2	hab.
Angleterre	22,5	251,9	33,5	393,5	0,3	46,5	33,8	440,0
Russie	17,0	15,9	17,4	33,2	5,4	136,2	22,8	169,4
France	0,9	6,0	10,6	55,5	0,5	39,6	11,1	95,1
Allemagne	—	—	2,9	12,3	0,5	64,9	3,4	77,2
États-Unis	—	—	0,3	9,7	9,4	97,0	9,7	106,7
Japon	—	—	0,3	19,2	0,4	53,0	0,7	72,2
Total pour les 6 grandes puissances	40,4	273,8	65,0	523,4	16,5	437,2	81,5	960,6
Colonies des autres puissances (Belgique, Hollande, etc.)							9,9	45,3
Semi-colonies (Perses, Chine, Turquie)							14,5	361,2
Autres pays							28,0	289,9
Ensemble du globe							133,9	1 657,0

Ce tableau nous montre clairement qu'au seuil du XXe siècle, le partage du monde était « terminé ». Depuis 1876 les possessions coloniales se sont étendues dans des proportions gigantesques : elles sont passées de 40 à 65 millions de kilomètres carrés, c'est-à-dire qu'elles sont devenues une fois et demie plus importantes pour les six plus grandes puissances. L'augmentation est de 25 millions de kilomètres carrés, c'est-à-dire qu'elle dépasse de moitié la superficie des métropoles (16,5 millions). Trois puissances n'avaient en 1876 aucune colonie, et une quatrième, la France n'en possédait presque pas. Vers 1914, ces quatre puissances ont acquis 14,1 millions de kilomètres carrés de colonies, soit une superficie près d'une fois et demie plus grande que celle de l'Europe, avec une population d'environ 100 millions d'habitants. L'inégalité de l'expansion coloniale est très grande. Si l'on compare, par exemple, la France, l'Allemagne et le Japon, pays dont la superficie et la population ne diffèrent pas très sensiblement, on constate que le premier de ces pays a acquis presque trois fois plus de colonies (quant à la superficie) que les deux autres pris ensemble. Mais, par son capital financier, la France était peut-être aussi, au début de la période envisagée, plusieurs fois plus riche que l'Allemagne et le Japon réunis. Les conditions strictement économiques ne sont pas seules à influencer le développement des possessions coloniales ; les conditions géographiques et autres jouent aussi leur rôle. Si importants qu'aient été, au cours des dernières dizaines d'années, le nivellement du monde, l'égalisation des conditions économiques et du niveau de vie qui se sont produits dans les différents pays sous la pression de la grande industrie, des échanges et du capital financier, il n'en subsiste pas moins des différences notables, et parmi les six pays nommés plus haut, l'on voit, d'une part, de jeunes États capitalistes (Amérique, Allemagne, Japon), qui progressent avec une extrême rapidité, et, d'autre part, de vieux pays capitalistes (France, Angleterre), qui se développent, ces derniers temps, avec beaucoup plus de lenteur que les précédents ; enfin, un pays qui est au point de vue économique le plus arriéré (Russie), et où l'impérialisme capitaliste moderne est enveloppé, pour ainsi dire, d'un réseau particulièrement serré de rapports précapitalistes.

À côté des possessions coloniales des grandes puissances, nous avons placé les colonies de faible étendue des petits États, lesquelles sont, pourrait-on dire, le prochain objectif d'un « nouveau partage » possible et probable des colonies. La plupart de ces petits États ne conservent leurs colonies que grâce aux oppositions d'intérêts, aux frictions, etc., entre les grandes puissances, qui empêchent celles-ci de se mettre d'accord sur le partage du butin. Pour ce qui est des États « semi-coloniaux », ils nous offrent un exemple des formes transitoires que l'on trouve dans tous les domaines de la nature et de la société. Le capital financier est un facteur si puissant, si décisif, pourrait-on dire, dans toutes les relations économiques et internationales, qu'il est capable de se subordonner et se subordonne effectivement même des États jouissant d'une complète indépendance politique. Nous en verrons des exemples tout à l'heure. Mais il va de soi que ce qui donne au capital financier les plus grandes « commodités » et les plus grands avantages, c'est une soumission *telle* qu'elle entraîne, pour les pays et les peuples en cause, la perte de leur indépendance politique. Les pays semi-coloniaux sont typiques, à cet égard, en tant que solution « moyenne ». On conçoit que la lutte autour de ces pays à demi assujettis devait s'envenimer particulièrement à l'époque du capital financier, alors que le reste du monde était déjà partagé.

La politique coloniale et l'impérialisme existaient déjà avant la phase contemporaine du capitalisme, et même avant le capitalisme. Rome, fondée sur l'esclavage, faisait une politique coloniale et pratiquait l'impérialisme. Mais les raisonnements « d'ordre général » sur l'impérialisme, qui négligent ou relèguent à l'arrière-plan la différence essentielle des formations économiques et sociales, dégénèrent infailliblement en banalités creuses ou en rodomontades, comme la comparaison entre « la Grande Rome et la Grande-Bretagne ». Même la politique coloniale du capitalisme dans les phases *antérieures* de celui-ci se distingue foncièrement de la politique coloniale du capital financier.

Ce qui caractérise notamment le capitalisme actuel, c'est la domination des groupements monopolistes constitués par les plus gros entrepreneurs. Ces monopoles sont surtout solides lorsqu'ils accaparent dans leurs seules mains *toutes* les sources de matières brutes, et nous avons vu avec quelle ardeur les groupements capitalistes internationaux tendent leurs efforts pour arracher à l'adversaire toute possibilité de concurrence, pour accaparer, par exemple, les gisements de fer ou de pétrole, etc. Seule la possession des colonies donne au monopole de complètes garanties de succès contre tous les aléas de la lutte avec ses rivaux, même au cas où ces derniers s'aviseraient de se défendre par une loi établissant le monopole d'État. Plus le capitalisme est développé, plus le manque de matières premières se fait sentir, plus la concurrence et la recherche des sources de matières premières dans le monde entier sont acharnées, et plus est brutale la lutte pour la possession des colonies.

« On peut même avancer, écrit Schilder, cette affirmation qui, à d'aucuns, paraîtra peut-être paradoxale, à savoir que l'accroissement de la population urbaine et industrielle pourrait être entravé, dans un avenir plus ou moins rapproché, beaucoup plus par le manque de matières premières industrielles que par le manque de produits alimentaires. » C'est ainsi que le manque de bois, dont le prix monte sans cesse, se fait de plus en plus sentir, comme celui du cuir, comme celui des matières premières nécessaires à l'industrie textile. « Les groupements d'industriels s'efforcent d'équilibrer l'agriculture et l'industrie dans le cadre de l'économie mondiale ; on peut signaler, à titre d'exemple, l'Union internationale des associations de filateurs de coton, qui existe depuis 1904 dans plusieurs grands pays industriels, et l'Union européenne des associations de filateurs de lin, fondée sur le même modèle en 1910. »

Naturellement, les réformistes bourgeois, et surtout, parmi eux, les kautskistes d'aujourd'hui, essaient d'atténuer l'importance de ces faits en disant qu'« on pourrait » se procurer des matières premières sur le marché libre sans politique coloniale « coûteuse et dangereuse », et qu'« on pourrait » augmenter formidablement l'offre de matières premières par une « simple » amélioration des conditions de l'agriculture en général. Mais ces déclarations tournent à l'apologie de l'impérialisme, à son idéalisation, car elles passent sous silence la particularité essentielle du capitalisme contemporain : les monopoles. Le marché libre recule de plus en plus dans le passé ; les syndicats et les trusts monopolistes le restreignent de jour en jour. Et la « simple » amélioration des conditions de l'agriculture se réduit à l'amélioration de la situation des masses, à la hausse des salaires et à la diminution des profits. Mais existe-t-il, ailleurs que dans l'imagination des suaves réformistes, des trusts capables de se préoccuper de la situation des masses, au lieu de penser à conquérir des colonies ?

Le capital financier ne s'intéresse pas uniquement aux sources de matières premières déjà connues. Il se préoccupe aussi des sources possibles ; car, de nos jours, la technique se développe avec une rapidité incroyable, et des territoires aujourd'hui inutilisables peuvent être rendus utilisables demain par de nouveaux procédés (à cet effet, une grande banque peut organiser une expédition spéciale d'ingénieurs, d'agronomes, etc.), par l'investissement de capitaux importants. Il en est de même pour la prospection de richesses minérales, les nouveaux procédés de traitement et d'utilisation de telles ou telles matières premières, etc., etc. D'où la tendance inévitable du capital financier à élargir son territoire économique, et même son territoire d'une façon générale. De même que les trusts capitalisent leur avoir en l'estimant deux ou trois fois sa valeur, en escomptant leurs bénéfices « possibles » dans l'avenir (et non leurs bénéfices actuels), en tenant compte des résultats ultérieurs du monopole, de même le capital financier a généralement tendance à mettre la main sur le plus de terres possibles, quelles qu'elles soient, où qu'elles soient, et par quelques moyens que ce soit, dans l'espoir d'y découvrir des sources de matières premières et par crainte de rester en arrière dans la lutte forcenée pour le partage des derniers morceaux du monde non encore partagés, ou le repartage des morceaux déjà partagés.

Les capitalistes anglais mettent tout en œuvre pour développer dans *leur* colonie d'Égypte la culture du coton qui, en 1904, sur 2,3 millions d'hectare de terre cultivée, en occupait déjà 0,6 million, soit plus d'un quart. Les Russes font de même dans *leur* colonie du Turkestan. En effet, les uns et les autres peuvent ainsi battre plus facilement leurs concurrents étrangers, arriver plus aisément à la monopolisation des sources de matières premières, à la formation d'un trust textile plus économique et plus avantageux, à production « combinée », qui contrôlerait à lui seul *toutes* les phases de la production et du traitement du coton.

L'exportation des capitaux trouve également son intérêt dans la conquête des colonies, car il est plus facile sur le marché colonial (c'est parfois même le seul terrain où la chose soit possible) d'éliminer un concurrent par les moyens du monopole, de s'assurer une commande, d'affermir les « relations » nécessaires, etc.

La superstructure extra-économique qui s'érige sur les bases du capital financier, ainsi que la politique et l'idéologie de ce dernier, renforcent la tendance aux conquêtes coloniales. « Le capital financier veut non pas la liberté, mais la domination », dit fort justement Hilferding. Et un auteur bourgeois français, développant et complétant en quelque sorte les idées de Cecil Rhodes, desquelles il a été question plus haut, écrit qu'il convient d'ajouter aux causes économiques de la politique coloniale d'aujourd'hui des causes sociales : « Les difficultés croissantes de la vie qui pèsent non seulement sur les multitudes ouvrières, mais aussi sur les classes moyennes, font s'accumuler dans tous les pays de vieille civilisation des « impatiences, des rancunes, des haines menaçantes pour la paix publique ; des énergies détournées de leur milieu social et qu'il importe de capter pour les employer dehors à quelque grande œuvre, si l'on ne veut pas qu'elles fassent explosion au-dedans. »

Dès l'instant qu'il est question de politique coloniale à l'époque de l'impérialisme capitaliste, il faut noter que le capital financier et la politique internationale qui lui est conforme, et qui se réduit à la lutte des grandes puissances pour le partage économique et politique du monde, créent pour les États diverses formes *transitoires* de dépendance. Cette époque n'est pas seulement caractérisée par les deux groupes principaux de pays : possesseurs de colonies et pays coloniaux, mais encore par des formes variées de pays dépendants qui nominalement, jouissent de l'indépendance politique, mais qui, en réalité, sont pris dans les filets d'une dépendance financière et diplomatique. Nous avons déjà indiqué une de ces formes : les semi-colonies. En voici une autre, dont l'Argentine, par exemple, nous offre le modèle.

« L'Amérique du Sud et, notamment, l'Argentine, écrit Schulze-Gaevernitz dans son ouvrage sur l'impérialisme britannique, est dans une telle dépendance financière vis-à-vis de Londres qu'on pourrait presque l'appeler une colonie commerciale de l'Angleterre. » Les capitaux placés par la Grande-Bretagne en Argentine étaient évalués par Schilder, d'après les informations du consul austro-hongrois à Buenos-Aires pour 1909, à 8 milliards 750 millions de francs. On se représente sans peine quelles solides relations cela assure au capital financier — et à sa fidèle « amie » la diplomatie — de l'Angleterre avec la bourgeoisie d'Argentine, avec les milieux dirigeants de toute la vie économique et politique de ce pays.

Le Portugal nous offre l'exemple d'une forme quelque peu différente, associée à l'indépendance politique, de la dépendance financière et diplomatique. Le Portugal est un État souverain, indépendant, mais il est en fait depuis plus de deux cents ans, depuis la guerre de la Succession d'Espagne (1701-1714), sous protectorat britannique. L'Angleterre a défendu le Portugal et ses possessions coloniales pour fortifier ses propres positions dans la lutte contre ses adversaires, L'Espagne et la France. Elle a reçu, en échange, des avantages commerciaux, des privilèges pour ses exportations de marchandises et surtout de capitaux vers le Portugal et ses colonies, le droit d'user des ports et des îles du Portugal, de ses câbles télégraphiques, etc., etc. De tels rapports ont toujours existé entre petits et grands États, mais à l'époque de l'impérialisme capitaliste, ils deviennent un système général, ils font partie intégrante de l'ensemble des rapports régissant le « partage du monde », ils forment les maillons de la chaîne des opérations du capital financier mondial.

Pour en finir avec la question du partage du monde, il nous faut encore noter ceci. La littérature américaine, au lendemain de la guerre hispano-américaine, et la littérature anglaise, après la guerre anglo-boer, n'ont pas été seules à poser très nettement et ouvertement la question du partage du monde, juste à la fin du XIXe siècle et au début du XXe. Et la littérature allemande, qui a le plus « jalousement » observé de près l'« impérialisme britannique », n'a pas été seule non plus à porter sur ce fait un jugement systématique. Dans la littérature bourgeoise française également, la question est posée d'une façon suffisamment nette et large, pour autant que cela puisse se faire d'un point de vue bourgeois. Référons-nous à l'historien Driault, qui, dans son livre *Problèmes politiques et sociaux de la fin du XIXe siècle*, au chapitre sur les grandes puissances et le partage du monde, s'est exprimé en ces termes : « Dans ces dernières années, sauf en Chine, toutes les places vacantes sur le globe ont été prises par les puissances de l'Europe ou de l'Amérique du Nord : quelques conflits se sont produits et quelques déplacements d'influence, précurseurs de plus redoutables et prochains bouleversements. Car il faut se hâter : les nations qui ne sont pas pourvues risquent de ne l'être jamais et de ne pas prendre part à la gigantesque exploitation du globe qui sera l'un des faits essentiels du siècle prochain (le XXe). C'est pourquoi toute l'Europe et l'Amérique furent agitées récemment de la fièvre de l'expansion coloniale, de « l'impérialisme », qui est le caractère le plus remarquable de la fin du XIXe. » Et l'auteur ajoutait : « Dans ce partage du monde, dans cette course ardente aux trésors et aux grands marchés de la terre, l'importance relative des Empires fondés en ce siècle, le XIXe, n'est absolument pas en proportion avec la place qu'occupent en Europe les nations qui les ont fondés. Les puissances prépondérantes en Europe, qui président à ses destinées, ne sont pas également prépondérantes dans le monde. Et comme la grandeur coloniale, promesse de richesses encore non évaluées, se répercutera évidemment sur l'importance relative des États européens, la question coloniale, « l'impérialisme », si l'on veut, a modifié déjà, modifiera de plus en plus les conditions politiques de l'Europe elle-même. »

VII. L'impérialisme, stade particulier du capitalisme

Il nous faut maintenant essayer de dresser un bilan, de faire la synthèse de ce qui a été dit plus haut de l'impérialisme. L'impérialisme a surgi comme le développement et la continuation directe des propriétés essentielles du capitalisme en général. Mais le capitalisme n'est devenu l'impérialisme capitaliste qu'à un degré défini, très élevé, de son développement, quand certaines des caractéristiques fondamentales du capitalisme ont commencé à se transformer en leurs contraires, quand se sont formés et pleinement révélés les traits d'une époque de transition du capitalisme à un régime économique et social supérieur. Ce qu'il y a d'essentiel au point économique dans ce processus, c'est la substitution des monopoles capitalistes à la libre concurrence capitaliste. La libre concurrence est le trait essentiel du capitalisme et de la production marchande en général ; le monopole est exactement le contraire de la libre concurrence ; mais nous avons vu cette dernière se convertir sous nos yeux en monopole, en créant la grande production, en éliminant la petite, en remplaçant la grande par une plus grande encore, en poussant la concentration de la production et du capital à un point tel qu'elle a fait et qu'elle fait surgir le monopole : les cartels, les syndicats patronaux, les trusts et, fusionnant avec eux, les capitaux d'une dizaine de banques brassant des milliards. En même temps, les monopoles n'éliminent pas la libre concurrence dont ils sont issus ; ils existent au-dessus et à côté d'elle, engendrant ainsi des contradictions, des frictions, des conflits particulièrement aigus et violents. Le monopole est le passage du capitalisme à un régime supérieur.

Si l'on devait définir l'impérialisme aussi brièvement que possible, il faudrait dire qu'il est le stade monopoliste du capitalisme. Cette définition embrasserait l'essentiel, car, d'une part, le capital financier est le résultat de la fusion du capital de quelques grandes banques monopolistes avec le capital de groupements monopolistes d'industriels ; et, d'autre part, le partage du monde est la transition de la politique coloniale, s'étendant sans obstacle aux régions que ne s'est encore appropriées aucune puissance capitaliste, à la politique coloniale de la possession monopolisée de territoires d'un globe entièrement partagé.

Mais les définitions trop courtes, bien que commodes parce que résumant l'essentiel, sont cependant insuffisantes, si l'on veut en dégager des traits fort importants de ce phénomène que nous voulons définir. Aussi, sans oublier ce qu'il y a de conventionnel et de relatif dans toutes les définitions en général, qui ne peuvent jamais embrasser les liens multiples d'un phénomène dans l'intégralité de son développement, devons-nous donner de l'impérialisme une définition englobant les cinq caractères fondamentaux suivants : 1) concentration de la production et du capital parvenue à un degré de développement si élevé qu'elle a créé les monopoles, dont le rôle est décisif dans la vie économique ; 2) fusion du capital bancaire et du capital industriel, et création, sur la base de ce « capital financier », d'une oligarchie financière ; 3) l'exportation des capitaux, à la différence de l'exportation des marchandises, prend une importance toute particulière ; 4) formation d'unions internationales monopolistes de capitalistes se partageant le monde, et 5) fin du partage territorial du globe entre les plus grandes puissances capitalistes. L'impérialisme est le capitalisme arrivé à un stade de développement où s'est affirmée la domination des monopoles et du capital financier, où l'exportation des capitaux a acquis une importance de premier plan, où le partage du monde a commencé entre les trusts internationaux et où s'est achevé le partage de tout le territoire du globe entre les plus grands pays capitalistes.

Nous verrons plus loin l'autre définition que l'on peut et doit donner de l'impérialisme si l'on envisage, non seulement les notions fondamentales d'ordre purement économique (auxquelles se borne la définition citée), mais aussi la place historique que tient la phase actuelle du capitalisme par rapport au capitalisme en général, ou bien encore le rapport qui existe entre l'impérialisme et les deux tendances essentielles du mouvement ouvrier. Ce qu'il faut noter tout de suite, c'est que l'impérialisme compris dans le sens indiqué représente indéniablement une phase particulière du développement du capitalisme. Pour permettre au lecteur de se faire de l'impérialisme une idée suffisamment fondée, nous nous sommes appliqués à citer le plus souvent possible l'opinion d'économistes *bourgeois*, obligés de reconnaître les faits établis, absolument indiscutables, de l'économie capitaliste moderne. C'est dans le même but que nous avons produit des statistiques détaillées permettant de voir jusqu'à quel point précis s'est développé le capital bancaire, etc., en quoi s'est exprimée exactement la transformation de la quantité en qualité, le passage du capitalisme évolué à l'impérialisme. Inutile de dire, évidemment, que toutes les limites sont, dans la nature et dans la société, conventionnelles et mobiles ; qu'il serait absurde de discuter, par exemple, sur la question de savoir en quelle année ou en quelle décennie se situe l'instauration « définitive » de l'impérialisme.

Mais là où il faut discuter sur la définition de l'impérialisme, c'est surtout avec K. Kautsky, le principal théoricien marxiste de l'époque dite de la IIe Internationale, c'est-à-dire des vingt-cinq années comprises entre 1889 et 1914. Kautsky s'est résolument élevé, en 1915 et même dès novembre 1914, contre les idées fondamentales exprimées dans notre définition de l'impérialisme, en déclarant qu'il faut entendre par impérialisme non pas une « phase » ou un degré de l'économie, mais une politique, plus précisément une politique déterminée, celle que « préfère » le capital financier, et en spécifiant qu'on ne saurait « identifier » l'impérialisme avec le « capitalisme contemporain », que s'il faut entendre par impérialisme « tous les phénomènes du capitalisme contemporain », — cartels, protectionnisme, domination des financiers, politique coloniale, — alors la question de la nécessité de l'impérialisme pour le capitalisme se réduira à « la plus plate tautologie », car alors « il va de soi que l'impérialisme est une nécessité vitale pour le capitalisme », etc. Nous ne saurions mieux exprimer la pensée de Kautsky qu'en citant sa définition de l'impérialisme, dirigée en droite ligne contre l'essence des idées que nous exposons (attendu que les objections venant du camp des marxistes allemands, qui ont professé ce genre d'idées pendant toute une suite d'années, sont depuis longtemps connues de Kautsky comme les objections d'un courant déterminé du marxisme).

La définition de Kautsky est celle-ci :

« L'impérialisme est un produit du capitalisme industriel hautement évolué. Il consiste dans la tendance qu'a chaque nation capitaliste industrielle à s'annexer ou à s'assujettir des régions *agraires* toujours plus grandes (l'italique est de Kautsky), quelles que soient les nations qui les peuplent. »

Cette définition ne vaut absolument rien, car elle fait ressortir unilatéralement, c'est-à-dire arbitrairement, la seule question nationale (d'ailleurs importante au plus haut point en elle-même et dans ses rapports avec l'impérialisme), en la rattachant, de façon arbitraire et *inexacte*, au *seul* capital industriel des pays annexionnistes, et en mettant en avant, d'une façon non moins arbitraire et inexacte, l'annexion des régions agraires.

L'impérialisme est une tendance aux annexions : voilà à quoi se réduit la partie *politique* de la définition de Kautsky. Elle est juste, mais très incomplète, car, politiquement, l'impérialisme tend, d'une façon générale, à la violence et à la réaction. Mais ce qui nous intéresse ici, c'est l'aspect *économique* de la question, cet aspect que Kautsky introduit *lui-même* dans *sa* définition. Les inexactitudes de la définition de Kautsky sautent aux yeux. Ce qui est caractéristique de l'impérialisme, ce *n'est point* le capital industriel, justement, *mais* le capital financier. Ce n'est pas par hasard qu'en France, le développement particulièrement rapide du capital *financier*, coïncidant avec l'affaiblissement du capital industriel, a considérablement accentué, dès les années 1880-1890, la politique annexionniste (coloniale). L'impérialisme se caractérise justement par une tendance à annexer *non seulement* les régions agraires, mais même les régions les plus industrielles (la Belgique est convoitée par l'Allemagne, la Lorraine par la France), car, premièrement, le partage du monde étant achevé, un *nouveau partage* oblige à tendre la main vers *n'importe* quels territoires ; deuxièmement, ce qui est l'essence même de l'impérialisme, c'est la rivalité de plusieurs grandes puissances tendant à l'hégémonie, c'est-à-dire à la conquête de territoires — non pas tant pour elles-mêmes que pour affaiblir l'adversaire et saper *son* hégémonie (la Belgique est surtout nécessaire à l'Allemagne comme point d'appui contre l'Angleterre ; l'Angleterre a surtout besoin de Bagdad comme point d'appui contre l'Allemagne, etc.).

Kautsky se réfère plus spécialement, et à maintes reprises, aux Anglais qui ont, paraît-il, établi l'acception purement politique du mot « impérialisme » au sens où l'emploie Kautsky. Prenons l'ouvrage de l'Anglais Hobson, *L'impérialisme*, paru en 1902 :

« Le nouvel impérialisme se distingue de l'ancien, premièrement, en ce qu'il substitue aux tendances d'un seul Empire en expansion la théorie et la pratique d'Empires rivaux, guidés chacun par les mêmes aspirations à l'expansion politique et au profit commercial ; deuxièmement, en ce qu'il marque la prépondérance sur les intérêts commerciaux des intérêts financiers ou relatifs aux investissements de capitaux. »

Nous voyons que, sur le plan des faits, Kautsky a absolument tort d'alléguer l'opinion des Anglais en général (à moins de se référer aux impérialistes vulgaires ou aux apologistes directs de l'impérialisme). Nous voyons que Kautsky, qui prétend continuer à défendre le marxisme, fait en réalité un pas en arrière comparativement au *social-libéral* Hobson, qui, lui, tient *plus exactement compte* de deux particularités « historiques concrètes » (Kautsky, dans sa définition, se moque précisément du caractère historique concret !) de l'impérialisme moderne : 1) la concurrence de *plusieurs* impérialismes et 2) la suprématie du financier sur le *commerçant*. Or, en attribuant un rôle essentiel à l'annexion des pays agraires, par les pays industriels, on accorde le rôle prédominant au commerçant.

La définition de Kautsky n'est pas seulement fausse et non marxiste. Comme on le verra plus loin, elle sert de base à un système général de vues rompant sur toute la ligne avec la théorie marxiste et avec la pratique marxiste. Kautsky soulève une question de mots tout à fait futile : doit-on qualifier la nouvelle phase du capitalisme d'impérialisme ou de phase du capital financier ? Qu'on l'appelle comme on voudra : cela n'a pas d'importance. L'essentiel, c'est que Kautsky détache la politique de l'impérialisme de son économie en prétendant que les annexions sont la politique « préférée » du capital financier, et en opposant à cette politique une autre politique bourgeoise prétendument possible, toujours sur la base du capital financier. Il en résulte que les monopoles dans l'économie sont compatibles avec un comportement politique qui exclurait le monopole, la violence et la conquête. Il en résulte que le partage territorial du monde, achevé précisément à l'époque du capital financier et qui est à la base des formes originales actuelles de la rivalité entre les plus grands États capitaliste, est compatible avec une politique non impérialiste. Cela revient à estomper, à émousser les contradictions les plus fondamentales de la phase actuelle du capitalisme, au lieu d'en dévoiler la profondeur. Au lieu du marxisme, on aboutit ainsi au réformisme bourgeois.

Kautsky discute avec Cunow, apologiste allemand de l'impérialisme et des annexions, dont le raisonnement, cynique autant que vulgaire, est celui-ci : l'impérialisme, c'est le capitalisme contemporain ; le développement du capitalisme est inévitable et progressif ; donc, l'impérialisme est progressif ; donc, il faut se prosterner devant lui et chanter ses louanges ! C'est quelque chose dans le genre de la caricature que les populistes faisaient des marxistes russes dans les années 1894-1895 : si les marxistes, disaient-ils, considèrent le capitalisme en Russie comme un phénomène inévitable et un facteur de progrès, il leur faut ouvrir un débit de boissons et s'occuper d'implanter le capitalisme contemporain, il n'est qu'une des formes de sa politique, combattre l'impérialisme, les annexions, etc.

La réplique semble parfaitement plausible. Or, en fait, elle équivaut à une propagande plus subtile, mieux masquée (et, partant, plus dangereuse), en faveur de la conciliation avec l'impérialisme ; car la « lutte » contre la politique des trusts et des banques, si elle ne touche pas aux bases de leur économie, se réduit à un réformisme et à un pacifisme bourgeois, à des souhaits pieux et inoffensifs. Éluder les contradictions existantes, oublier les plus essentielles, au lieu d'en dévoiler toute la profondeur, voilà à quoi revient la théorie de Kautsky, qui n'a rien de commun avec le marxisme. On conçoit qu'une telle « théorie » ne serve qu'à défendre l'idée de l'unité avec les Cunow !

« Du point de vue purement économique, écrit Kautsky, il n'est pas possible que le capitalisme traverse encore une nouvelle phase où la politique des cartels serait étendue à la politique extérieure, une phase d'ultra-impérialisme », c'est-à-dire de super-impérialisme, d'union et non de lutte des impérialismes du monde entier, une phase de la cessation des guerres en régime capitaliste, une phase « d'exploitation en commun de l'univers par le capital financier uni à l'échelle internationale. »

Nous aurons à nous arrêter plus loin sur cette « théorie de l'ultra-impérialisme », pour montrer en détail à quel point elle brise résolument et sans retour avec le marxisme. Pour l'instant, conformément au plan général de cet exposé, il nous faut jeter un coup d'œil sur les données économiques précises relatives à cette question. « Du point de vue purement économique », l'« ultra-impérialisme » est-il possible ou bien est-ce là une ultra-niaiserie ?

Si, par point de vue purement économique, on entend une « pure » abstraction, tout ce qu'on peut dire se ramène à la thèse que voici : le développement se fait dans le sens des monopoles et, par conséquent, dans celui d'un monopole universel, d'un trust mondial unique. C'est là un fait incontestable, mais aussi une affirmation absolument vide de contenu, comme celle qui consisterait à dire que « le développement se fait dans le sens » de la production des denrées alimentaires en laboratoire. En ce sens, la « théorie » de l'ultra-impérialisme est une absurdité pareille à ce que pourrait être une « théorie de l'ultra-agriculture ».

Mais si l'on parle des conditions « purement économiques » de l'époque du capital financier, comme d'une époque historique concrète se situant au début du XXe siècle, la meilleure réponse aux abstractions mortes de l'*ultra-impérialisme* (qui servent uniquement à une fin réactionnaire, consistant à détourner l'attention des profondes contradictions *existantes*), c'est de leur opposer la réalité économique concrète de l'économie mondiale contemporaine. Les propos absolument vides de Kautsky sur l'ultra-impérialisme encouragent, notamment, cette idée profondément erronée et qui porte de l'eau au moulin des apologistes de l'impérialisme, suivant laquelle la domination du capital financier *atténuerait* les inégalités et les contradictions de l'économie mondiale, alors qu'en réalité elle les *renforce*.

R. Calwer a tenté, dans son opuscule intitulé *Introduction à l'économie mondiale*, de résumer l'essentiel des données purement économiques qui permettent de se faire une idée précise des rapports internes de l'économie mondiale à la limite des XIXe et XXe siècles. Il divise le monde en cinq « principales régions économiques »: 1) l'Europe centrale (l'Europe, moins la Russie et l'Angleterre) ; 2) la Grande-Bretagne ; 3) la Russie ; 4) l'Asie Orientale ; 5) l'Amérique. Ce faisant, il inclut les colonies dans les « régions » des États auxquels elles appartiennent, et « laisse de côté » un petit nombre de pays non répartis par régions, par exemple la Perse, l'Afghanistan et l'Arabie en Asie, le Maroc et l'Abyssinie en Afrique, etc.

Voici, en abrégé, les données économiques qu'il fournit sur ces régions :

Principales régions économiques du monde	Superficie (en millions de km2)	Population (en millions d'hab.)	voies ferrées (en milliers de km)	marine marchande (en millions de tonnes)	import. et export. (en milliards de marks)	houille (en millions de tonnes)	fonte (en millions de tonnes)	broches dans l'indus. cotonnière (en millions)
1) Europe Centrale	27,6 (23,6)	388 (146)	204	8	41	251	15	26
2) Grande-Bretagne	28,9 (28,6)	398 (355)	140	11	25	249	9	51
3) Russie	22	131	63	1	3	16	3	7
4) Asie Orientale	12	389	8	1	2	8	0,02	2
5) Amérique	30	148	379	6	14	245	14	19

On voit qu'il existe trois régions à capitalisme hautement évolué (puissant développement des voies de communication, du commerce et de l'industrie) : l'Europe centrale, la Grande-Bretagne et l'Amérique. Parmi elles, trois États dominant le monde : l'Allemagne, l'Angleterre, les États-Unis. Leur rivalité impérialiste et la lutte qu'ils se livrent revêtent une acuité extrême, du fait que l'Allemagne dispose d'une région insignifiante et de peu de colonies ; la création d'une « Europe centrale » est encore une question d'avenir, et s'élabore au travers d'une lutte à outrance. Pour le moment, le signe distinctif de l'Europe entière, c'est le morcellement politique. Dans les régions britannique et américaine, au contraire, la concentration politique est très forte, mais la disproportion est énorme entre les immenses colonies de la première et les colonies insignifiantes de la seconde. Or, dans les colonies, le capitalisme commence seulement à se développer. La lutte pour l'Amérique du Sud devient de plus en plus âpre.

Dans les deux autres régions : la Russie et l'Asie Orientale, le capitalisme est peu développé. La densité de la population est extrêmement faible dans la première, extrêmement forte dans la seconde; dans la première, la concentration politique est grande; dans la seconde, elle n'existe pas. Le partage de la Chine commence à peine, et la lutte pour ce pays entre le Japon, les États-Unis, etc., va s'intensifiant.

Comparez à cette réalité, à la variété prodigieuse des conditions économiques et politiques, à la disproportion extrême dans la rapidité du développement des différents pays, etc., à la lutte acharnée que se livrent les États impérialistes, la petite fable bébête de Kautsky sur l'ultra-impérialisme « pacifique ». N'est-ce point là une tentative réactionnaire d'un petit bourgeois effrayé cherchant à se dérober à la réalité menaçante ? Les cartels internationaux, dans lesquels Kautsky voit l'embryon de l'« ultra-impérialisme » (de même que la fabrication de tablettes en laboratoire « peut » être proclamée l'embryon de l'ultra-agriculture), ne nous fournissent-ils pas l'exemple d'un partage et *d'un repartage* du monde, du passage du partage pacifique au partage non pacifique, et inversement ? Le capital financier d'Amérique et des autres pays, qui partageait paisiblement le monde entier avec la participation de l'Allemagne, par exemple dans le syndicat international du rail ou le trust international de la marine marchande, ne procède-t-il pas maintenant à un *repartage* sur la base des nouveaux rapports de forces, qui changent d'une façon absolument *non* pacifique ?

Le capital financier et les trusts n'affaiblissent pas, mais renforcent les différences entre le rythme de développement des divers éléments de l'économie mondiale. Or, le rapport des forces s'étant modifié, où peut résider, *en régime capitaliste*, la solution des contradictions, si ce n'est dans la *force* ? Les statistiques des chemins de fer offrent des données d'une précision remarquable sur les différents rythmes de développement du capitalisme et du capital financier dans l'ensemble de l'économie mondiale. Voici les changements intervenus, au cours des dernières dizaines d'années du développement impérialiste, dans le réseau ferroviaire :

Chemins de fer
(en milliers de kilomètres)

	1890		1913		+	
Europe	224		346		+122	
États-Unis d'Amérique	268		411		+143	
Ensemble des colonies	82	125	210	347	+128	+222
États indépendants ou semi-indépendants d'Asie et d'Amérique	43		137		+ 94	
Total	617		1 104			

Le développement des voies ferrées a donc été le plus rapide dans les colonies et les États indépendants (ou semi-indépendants) d'Asie et d'Amérique. On sait qu'ici le capital financier de quatre ou cinq grands États capitalistes règne et commande en maître. 200 000 kilomètres de nouvelles voies ferrées dans les colonies et les autres pays d'Asie et d'Amérique représentent plus de 40 milliards de marks de capitaux nouvellement investis à des conditions particulièrement avantageuses avec des garanties spéciales de revenus, des commandes lucratives aux aciéries, etc., etc.

C'est dans les colonies et les pays transocéaniques que le capitalisme croît avec le plus de rapidité. De *nouvelles* puissances impérialistes (Japon) y apparaissent. La lutte des impérialismes mondiaux s'aggrave. Le tribut prélevé par le capital financier sur les entreprises coloniales et transocéaniques, particulièrement avantageuses, augmente. Lors du partage de ce « butin », une part exceptionnellement élevée tombe aux mains de pays qui ne tiennent pas toujours la première place pour le rythme du développement des forces productives. La longueur totale des voies ferrées dans les pays les plus importants (considérés avec leurs colonies) était :

	1890	1913	
	(en milliers de kilomètres)		
États-Unis	268	413	+145
Empire britannique	107	208	+101
Russie	32	78	+ 46
Allemagne	43	68	+ 25
France	41	63	+ 22
Total pour les 5 puissances	491	830	+339

Environ 80 % des chemins de fer existants sont donc concentrés sur le territoire des cinq plus grandes puissances. Mais la concentration de la *propriété* de ces chemins de fer, celle du capital financier, est infiniment plus grande encore, les millionnaires anglais et français, par exemple, étant possesseurs d'une quantité énorme d'actions et d'obligations de chemins de fer américains, russes et autres.

Grâce à ses colonies, l'Angleterre a augmenté « son » réseau ferré de 100 000 kilomètres, soit quatre fois plus que l'Allemagne. Or, il est de notoriété publique que le développement des forces productives, et notamment de la production de la houille et du fer, a été pendant cette période incomparablement plus rapide en Allemagne qu'en Angleterre et, à plus forte raison, qu'en France et en Russie. En 1892, l'Allemagne produisait 4,9 millions de tonnes de fonte contre 6,8 en Angleterre ; en 1912, elle en produisait déjà 17,6 contre 9 millions, c'est-à-dire qu'elle avait une formidable supériorité contre l'Angleterre ! Faut-il se demander s'il y avait, *sur le terrain du capitalisme*, un moyen autre que la guerre de remédier à la disproportion entre, d'une part, le développement des forces productives à l'accumulation des capitaux, et, d'autre part, le partage des colonies et des « zones d'influence » pour le capital financier ? [...]

(Écrit en 1916, le texte est tiré de V. Lénine, *Œuvres*, tome 22, Moscou, Éditions du Progrès.)

FIN DU TOME I

Table des matières du tome I

Achevé d'imprimer sur les presses de l'imprimerie Roger Vincent ltée, à Hull (Québec), au mois de janvier 1990, pour le compte des éditions Asticou.